Cahiers libres

Ugo Palheta

La possibilité du fascisme

France, la trajectoire du désastre

9 *bis*, rue Abel-Hovelacque
75013 Paris

Composition Facompo, Lisieux
Dépôt légal : septembre 2018

ISBN 978-2-348-03747-4

À la mémoire de Brahim Bouarram, Ibrahim Ali
et Clément Méric, tués par l'extrême droite.

Ce livre a bénéficié des relectures critiques et des nombreux conseils de Gilbert Achcar, Isabelle Bruno, Cédric Durand, Isabelle Garo, Stathis Kouvélakis, Henri Maler et Rachel Renault. Qu'ils et elles en soient ici remercié·e·s. Seul l'auteur doit cependant être tenu pour responsable des thèses défendues dans cet ouvrage et des erreurs éventuelles.

« De cet achèvement est sorti un autre monde, convaincu d'avoir fermé la parenthèse et tourné la page, pressé d'oublier qu'il est encore le même. »

Daniel Bensaïd, *Walter Benjamin sentinelle messianique*, Les Prairies ordinaires, 2010, p. 271.

« Pétainiste, mussolinienne ou hitlérienne, cette droite qui avait su réunir les intellectuels les plus en vue et les simples gens des grandes métropoles européennes n'est pas née dans les tranchées de la Première Guerre mondiale, pas plus qu'elle n'est morte dans les ruines de Berlin. Quelque idée qu'on se fasse de son avenir, cette droite fait toujours partie de notre monde. »

Zeev Sternhell, *in* M. Dobry, *Le Mythe de l'allergie française au fascisme*, Albin Michel, 2003, p. 206.

« Le fascisme du futur – réaction en catastrophe à quelque crise non encore imaginée – n'a nul besoin de ressembler trait pour trait, par ses signes extérieurs et ses symboles, au fascisme classique. Un mouvement qui, dans une société en proie à des troubles, voudrait "se débarrasser des institutions libres" afin d'assurer les mêmes fonctions de mobilisation des masses pour sa réunification, sa purification et sa régénération, prendrait sans aucun doute un autre nom et adopterait de nouveaux symboles. Il n'en serait pas moins dangereux pour autant. »

Robert O. Paxton, *Le Fascisme en action*, Seuil, 2004, p. 297.

« Suzanne Buisson, bonne dame dévouée et glapissante de la fédération socialiste de la Seine, s'écriera, dans son isoloir de la rue Feydeau : "Mon petit ami, à force de crier au péril fasciste, vous allez le faire naître !". Elle mourra quelques années plus tard aux mains des bourreaux nazis. »

Daniel Guérin, *Front populaire, révolution manquée*, Agone, 2013 [1963], p. 84.

« En réalité, on ne peut prévoir "scientifiquement" que la lutte, mais non les moments concrets de celle-ci, qui ne peuvent pas ne pas résulter de forces opposées en continuel mouvement [...]. On ne prévoit réellement que dans la mesure où l'on agit, dans la mesure où l'on applique un effort volontaire et donc où l'on contribue concrètement à créer le résultat "prévu". La prévision se révèle par conséquent, non comme un acte scientifique de connaissance, mais comme l'expression abstraite de l'effort qu'on fait, la façon pratique de créer une volonté collective. »

Antonio Gramsci, *Guerre de mouvement et guerre de position*, La Fabrique, 2011, p. 120.

Prologue

« Quand les fascistes reviendront... »

Scores inégalés du Front national à toutes les élections depuis 2012 ; radicalisation identitaire de la droite ; mouvement réactionnaire de masse contre l'égalité des droits et les programmes éducatifs promouvant l'égalité de genre ; migrants systématiquement traqués et matraqués par la police (sur les ordres des gouvernements successifs), quand ils ne sont pas enlevés, tabassés et laissés pour morts par des milices à Calais[1] ; multiplication des attaques physiques de groupuscules d'extrême droite contre les militants engagés dans des mobilisations sociales, en particulier lors du mouvement étudiant au printemps 2018 ; large diffusion de publications – sites internet[2], livres, etc. – manifestant une obsession identitaire, déployant des thèses islamophobes et appelant à un pouvoir fort ; harcèlement public de personnalités musulmanes et de militants antiracistes[3] ; intensification

---

1. Voir S. Maurice, « "Ratonnades" en série chez les migrants de Calais », *Libération*, 1er octobre 2015, http://www.liberation.fr/france/2015/10/01/ratonnades-en-serie-chez-les-migrants-de-calais_1395265.

2. Voir D. Albertini et D. Doucet, *La Fachosphère, comment l'extrême droite remporte la bataille du net*, Paris, Flammarion, 2016.

3. Pour une analyse de ce harcèlement, voir par exemple M. Shema, « Médine, Maryam, Rokhaya, Mennel : montrez patte blanche ou taisez-vous ! », *Bondy Blog*, 13 juin 2018, https://www.bondyblog.fr/opinions/billet-dhumeur/medine-

du quadrillage répressif des quartiers populaires et impunité des violences policières ; manifestations interdites et criminalisation croissante de toute contestation.

Sous des formes disparates et encore embryonnaires, mais dont la seule énumération dit la sclérose de la politique française à l'âge néolibéral, c'est le fascisme qui s'annonce, non comme une hypothèse abstraite mais comme une possibilité concrète. Ce retour possible du fascisme est généralement balayé d'un revers de main par les commentateurs : comment la République française, patrie autoproclamée des droits de l'homme, pourrait-elle engendrer le désastre fasciste ? La France ne s'est-elle pas montrée « allergique » au fascisme tout au long du XXe siècle, comme l'ont longtemps pensé nombre d'historiens français[4] ? Le Front national ne prétend-il pas avoir renoncé au projet politique qui le caractérisait depuis sa création ? N'est-il pas en crise depuis sa défaite au second tour de la dernière élection présidentielle, ayant conduit à la défection de plusieurs de ses dirigeants ? N'assiste-t-on pas en outre à un renouveau du capitalisme français sous les auspices d'un jeune président réalisant enfin les « réformes » prétendument nécessaires ?

C'est à démonter ces fausses évidences que s'attache ce livre, tâchant ainsi de discerner la trajectoire d'un désastre *possible*, enraciné en particulier dans la décomposition du champ politique français (dont Macron est à la fois le symptôme et l'agent), mais *résistible*, pour peu que le danger soit reconnu à temps. Précision préalable, afin de prévenir les malentendus : ceci n'est pas (seulement) un livre sur l'extrême droite. S'il faut prendre au sérieux cette dernière, il importe tout autant de replacer sa résurrection et son renforcement dans le processus historique

---

maryam-rokhaya-mennel-montrez-patte-blanche-ou-taisez-vous/ ; C. Askolovitch, « Zemmour, Mennel et l'anti-France », Slate, 10 février 2018, http://www.slate.fr/story/157513/zemmour-mennel-the-voice-anti-france.

4. Pour une critique de cette thèse « immunitaire », voir M. Dobry (dir.), *Le Mythe de l'allergie française au fascisme*, Paris, Albin Michel, 2003.

de radicalisation – néolibérale, autoritaire et raciste – de la classe dirigeante française dans son ensemble[5]. Produit et productrice d'une interminable crise politique, cette radicalisation a favorisé l'ascension d'un fascisme d'un genre nouveau, qui s'incarne actuellement sous les traits du Front national sans pour autant s'y réduire. Ainsi plaiderons-nous en conclusion de cet ouvrage pour l'affirmation d'un antifascisme menant de front le combat contre ce néofascisme en gestation, et contre la triple offensive – néolibérale, autoritaire et raciste – qui en nourrit la progression.

« Lorsque les fascistes reviendront, ils auront le parapluie bien roulé sous le bras et le chapeau melon. » Voilà ce que déclarait George Orwell peu après la fin de la Seconde Guerre mondiale. On doit bien convenir que Marine Le Pen ou ses lieutenants, Louis Aliot, Nicolas Bay ou David Rachline, ne sont guère des adeptes des chemises brunes et des croix gammées, et bien qu'ils ne portent pas non plus de chapeau melon, ils apparaissent comme les figures actuelles d'une forme renouvelée de fascisme, déjà présent au cœur de la société française (et plus largement du capitalisme néolibéral), mais attendant son heure et préparant le terrain pour se déployer en tant que *pratique de pouvoir*.

Depuis 2007-2008, le capitalisme s'est enfoncé dans une crise dont on peine à voir la sortie, à tel point que, plus encore qu'avant la grande débâcle financière, ce régime de crise semble être devenu le mode normal de gestion de l'économie et des rapports sociaux. Les libertés politiques et les droits sociaux, conquis par la classe ouvrière et ses organisations depuis deux siècles, sont rognés par tous les gouvernements qui se succèdent depuis les années 1980. Les mécanismes traditionnels de la démocratie parlementaire sont systématiquement enrayés, marginalisés ou contournés par la classe dirigeante elle-même, au profit d'organes non élus ou de procédures expéditives (article 49.3 ou ordonnances) ; si bien que les formes politiques courantes de la domination

5. Comme on y insistera plus loin, ce processus est à l'œuvre dans d'autres sociétés sous des formes à chaque fois spécifiques.

capitaliste, qui garantissaient certains droits à la contestation sociale ou à l'opposition parlementaire, se décomposent. Le racisme s'affiche de plus en plus explicitement, sous la forme notamment de l'islamophobie[6]. Et des idéologues réactionnaires comme Éric Zemmour n'hésitent plus à justifier les discriminations systémiques dont sont l'objet les immigrés et descendants d'immigrés extra-européens tout en réintroduisant l'idée d'un recours possible à la déportation de millions de musulmans[7]. Enfin, les forces d'extrême droite progressent partout ou presque, sur un plan électoral notamment mais aussi idéologiquement.

Pourtant, l'hypothèse d'un danger fasciste est souvent évacuée rapidement en raison de son instrumentalisation, depuis plusieurs décennies, par un Parti socialiste devenu social-libéral puis libéral-sécuritaire, mais aussi par la droite. « Refusez de voter pour nous, au premier ou au second tour, et vous aurez sur la conscience le retour du fascisme », n'ont cessé d'affirmer leurs dirigeants. Un tel chantage, combiné à la politique menée par ces partis (empruntant par bien des aspects aux propositions du FN), n'a pas manqué de banaliser le péril spécifique que représente l'extrême droite : que vaut un danger si ceux qui l'invoquent et prétendent le conjurer s'emploient aussi manifestement à le faire advenir ? Il suffit de comparer la réaction populaire massive lorsque Jean-Marie Le Pen était parvenu au second tour de l'élection présidentielle en 2002, et son absence quasi-totale lorsque sa fille a fait de même en 2017, alors même que son score final s'est situé à

6. Voir A. Hajjat et M. Mohammed, *Islamophobie. Comment les élites françaises fabriquent le « problème musulman »*, Paris, La Découverte, 2013.

7. À la question posée par un journaliste italien du *Corriere della Sera* (dans un entretien publié le 30 octobre 2014) – « Mais alors que suggérez-vous de faire ? Déporter 5 millions de musulmans français ? » –, voici ce que répond l'auteur du *Suicide français* : « Je sais, c'est irréaliste mais l'histoire est surprenante. Qui aurait dit en 1940 qu'un million de Pieds-noirs, vingt ans plus tard, seraient partis d'Algérie pour revenir en France ? Ou bien qu'après la guerre, 5 ou 6 millions d'Allemands auraient abandonné l'Europe centrale et orientale où ils vivaient depuis des siècles ? »

un niveau beaucoup plus élevé, pour constater la dévaluation de ce pseudo-antifascisme pour soirées électorales (auquel ne se réduisait nullement l'énorme mobilisation de 2002 contre le Front national).

À faire la morale aux électeurs du FN, mais surtout à dégrader continûment les conditions de travail et d'existence de millions de salariés, à imposer et proroger l'état d'urgence afin d'entraver préventivement les mobilisations sociales, à user de procédures autoritaires pour contraindre à un grand retour en arrière en matière de droit du travail, à mener des politiques migratoires et sécuritaires de moins en moins discernables de celles prônées par l'extrême droite, et à alimenter sans cesse une islamophobie d'ores et déjà endémique dans la société française, la droite de J. Chirac puis N. Sarkozy et le PS de F. Hollande et de M. Valls (entre autres) ont favorisé une insensibilité à la menace réelle que fait peser le Front national, y compris parmi celles et ceux qui ont indéniablement le plus à craindre de la dynamique fasciste actuellement à l'œuvre en France. Pourquoi craindrait-on un parti que l'on sait violemment hostile aux musulmans, et plus largement aux minorités, alors que les gouvernements successifs ont déjà bâti les fondements d'une législation d'exception visant de prétendus « ennemis intérieurs » (dont les musulmans, les Rroms, etc.) ?

François Hollande n'a-t-il d'ailleurs pas lui-même banalisé le FN en l'invitant à l'Élysée après les terribles attentats terroristes de novembre 2015 ? Difficile, dès lors, de s'étonner qu'il n'y ait plus grand monde pour juger utile de lutter frontalement contre l'extrême droite et que la proportion d'électeurs acceptant de lui faire barrage au second tour s'érode, lentement mais sûrement. Au reste, un vote pour le PS, En Marche et *a fortiori* LR, qui se sont enfoncés de plus en plus nettement dans une synthèse néolibérale-identitaire[8], ne saurait repousser qu'illusoirement et provisoirement le danger. À

8. V. Geisser, « Le "bon filon" des primaires : la question identitaire au cœur de la future campagne présidentielle ? », *Migrations société*, 2016, vol. 4, n° 66.

terme, la logique du « moindre mal » désarme car elle renvoie systématiquement au lendemain toute tentative d'élaborer et de faire vivre une politique d'émancipation, ayant son centre de gravité parmi celles et ceux qui subissent la dégradation continue de leurs conditions d'existence mais aussi l'oppression (racisme, sexisme, homophobie), et qui ont ainsi le plus intérêt à un changement de société.

Inévitablement, à mesure que les illusions tombent, la manœuvre du « vote utile » fonctionne de moins en moins auprès des populations qu'elle se propose d'enrôler. Le PS a longtemps prétendu par ce moyen faire reculer le Front national et maintenir son assise électorale, tout en ayant joué du FN pour diviser la droite. On constatera sans contestation possible qu'il a doublement échoué : son électorat comme son corps militant (ramené peu ou prou à ses milliers d'élus locaux et à leurs obligés) se sont taris à un point difficilement imaginable il y a seulement quelques années, tandis que le FN n'a cessé de progresser, même s'il est encore loin de constituer un mouvement de masse. L'instrumentalisation électoraliste de la lutte contre l'extrême droite s'est retournée contre ses promoteurs (du PS mais aussi de la droite) : les classes populaires et les franges des classes intermédiaires en voie de précarisation aperçoivent aujourd'hui sans peine la combine, visant de manière si évidente à faire oublier une politique soumise, autant qu'il est possible, aux diktats du capital et aux intérêts des classes possédantes.

Un renouveau de la lutte antifasciste est de ce fait nécessaire et urgent. Il suppose toutefois de se défaire de l'idée, confortable mais impuissante, qu'il suffirait d'opposer au FN soit les « valeurs républicaines » dont la réalité est démentie quotidiennement pour la majorité de la population, soit un « front républicain » constitué d'organisations directement impliquées dans la destruction des conquêtes sociales et démocratiques, dans la banalisation du racisme et, ainsi, dans la progression de l'extrême droite. L'antifascisme n'a de chances de succès que s'il renonce à se situer sur un terrain strictement défensif et s'il inscrit son action dans la construction, patiente mais déterminée, d'un mouvement capable de mettre fin aux politiques néolibérales, autoritaires et racistes, de stopper le cycle d'appauvrissement qui affecte les classes populaires, et d'engager une rupture avec l'organisation capitaliste de la production, des échanges et de la vie[9].

9. Sur l'alternative au capitalisme, voir notamment (parmi un grand nombre d'ouvrages) : S. Kouvélakis (dir.), *Y a-t-il une vie après le capitalisme ?*, Paris, Le Temps des cerises, 2008.

1

Le retour du (concept de) fascisme

C'est au prix d'importants malentendus que la catégorie de fascisme a pu sembler faire consensus au sortir de la Seconde Guerre mondiale, non seulement au sein de la gauche – réformiste et révolutionnaire, stalinienne et antistalinienne, libertaire et trotskiste –, mais aussi entre la gauche et la droite (du moins celle qui n'avait pas collaboré avec les régimes fascistes). L'unité antifasciste, en France et en Italie notamment, ne pouvait durer que le temps de l'action contre le nazisme et ses alliés. Avec son délitement se décomposa également une appréhension du phénomène fasciste qui correspondait à l'existence manifeste de mouvements et de régimes ennemis et qui permettait de s'entendre *a minima* sur ce qui relevait ou non du fascisme et sur la nécessité de le combattre[1].

1. Ce ne fut pas toujours le cas : on sait qu'avant le tournant de l'Internationale communiste qui, au milieu des années 1930, mit à l'ordre du jour la politique dite des « fronts populaires » (consistant dans la recherche d'alliances avec la social-démocratie mais aussi avec des partis bourgeois, c'est-à-dire procapitalistes, mais considérés comme « progressistes », comme le Parti radical et radical-socialiste en France), le mouvement communiste international – sauf les dissidents, notamment trotskistes – considérait la social-démocratie comme un « social-fascisme ». Sur la diversité des théorisations du fascisme au sein du mouvement communiste, voir J. M. Cammett, « Communist Theories of Fascism, 1920-1935 », *Science & Society*, 1967, vol. 31, n° 2.

La guerre froide fit exploser cet apparent consensus : la droite et la social-démocratie tendirent de plus en plus à mettre sur le même plan communisme et fascisme en les pensant comme différentes variétés d'un même phénomène, le « totalitarisme » ; de son côté, le mouvement communiste se montra prompt à voir une résurgence du fascisme dans la droite conservatrice renaissante – qui d'ailleurs renâclait alors au qualificatif de « droite », aussi bien du côté de la démocratie chrétienne en Italie que de celui du gaullisme en France. Le concept de fascisme perdit ainsi en puissance descriptive et explicative ce qu'il gagna en capacité polémique, dans des contextes nationaux où l'extrême droite, réduite à une myriade de groupuscules, semblait condamnée pour longtemps à la marginalité politique. La persistance jusque dans les années 1970 des dictatures franquiste et salazariste, clairement situées dans le « champ magnétique du fascisme[2] », de même que les coups d'État militaires en Grèce et au Chili[3], eurent néanmoins pour effet de maintenir vivantes la mémoire et la lutte antifascistes, du moins au sein de la gauche. Pour autant, les débats sur le fascisme – dont les termes avaient été posés dans l'entre-deux-guerres – ne furent pas renouvelés.

Lorsque les héritiers du fascisme historique refirent surface dans les années 1970 – le Mouvement social italien (MSI) puis le Front national en France –, la prégnance de la culture antifasciste héritée de la Résistance permit pendant un temps d'offrir une vision partagée de ces forces. Le militantisme antifasciste pouvait ainsi se réclamer d'une continuité politique et théorique avec l'antifascisme de l'entre-deux-guerres. Toutefois, les organisations de gauche et antifascistes ne parvinrent pas véritablement à renouveler leur compréhension

2. Voir P. Burrin, *La Dérive fasciste*, Paris, Seuil, 1986, p. 61-94.

3. Le coup d'État de Pinochet mit en place une dictature militaire qui ne fut pas à proprement parler fasciste mais constitua un laboratoire pour l'imposition à marche forcée – en collaboration avec l'économiste Milton Friedman et ses élèves (« Chicago boys ») – de la cure néolibérale. Sur ce point, voir notamment N. Klein, *La Stratégie du choc*, Arles, Actes Sud, 2008.

du fascisme. Elles furent en effet incapables de s'approprier les travaux comprenant le racisme non comme simple préjugé (mais en tant qu'ensemble de discriminations et d'opérations de racialisation faisant système) et ses mutations, en particulier l'abandon tendanciel de la thématique de l'inégalité des races au profit de celle de l'incompatibilité des cultures (dont dérive l'islamophobie), qui auraient permis de mieux comprendre et combattre un parti comme le Front national. En outre, parmi les spécialistes français de l'extrême droite, historiens ou politistes, ce sont d'autres concepts – notamment ceux de « populisme » ou de « national-populisme » – qui furent rapidement employés pour caractériser les idées et les organisations d'extrême droite réalisant alors une percée électorale[4].

La conceptualisation en termes de fascisme semble ne s'être jamais relevée de cette conjonction d'une désorientation politique face aux mutations de l'extrême droite et du consensus académique et médiatique autour de la catégorie de « populisme ». Le mot même de « fascisme » est devenu pour beaucoup imprononçable et, quand il ne l'est pas, il apparaît davantage comme un slogan que comme un outil d'analyse.

En finir avec le concept de « populisme »

Le concept de « populisme », si vague et si général qu'il permet d'englober des courants que presque tout oppose (par exemple le Front national et la France insoumise actuellement en France), joue aujourd'hui un rôle de mise en équivalence de l'extrême droite et de la gauche radicale dévolu

4. C'est notamment Pierre-André Taguieff qui, dès les années 1980, a créé la notion de « national-populisme », qui fut rapidement reprise par d'autres. Parmi de nombreux exemples, voir M. Winock (dir.), *Histoire de l'extrême droite en France*, Paris, Seuil, 1994 ; J.-Y. Camus et N. Lebourg (dir.), *Les Droites extrêmes en Europe*, Paris, Seuil, 2015. Concernant la première élaboration de P.-A. Taguieff, par ailleurs intéressante à bien des égards, voir « La rhétorique du national-populisme. Les règles élémentaires de la propagande xénophobe », *Mots*, 1984, n° 9.

autrefois, au temps de la guerre froide, au concept de « totalitarisme »[5]. La catégorie de « populisme » tend ainsi à être appliquée indifféremment à tous les mouvements considérés comme ennemis de la « démocratie ». On se souvient que, lorsque Syriza parvint au pouvoir en Grèce en janvier 2015, Alexis Tsipras fut qualifié de « populiste » par tout ce que l'Europe compte d'idéologues néolibéraux, voire parfois de « national-populiste »[6], en raison de la rupture que son parti préconisait alors avec les politiques d'austérité d'une brutalité inouïe imposées à la Grèce depuis 2009. Que ces accusations de « populisme » aient cessé dès la trahison par A. Tsipras du programme sur lequel il avait été élu[7], démontre s'il le fallait qu'une telle catégorisation – ou du moins l'usage qui en est fait dans le débat public – a (notamment) pour fonction de couvrir d'un même opprobre toutes les forces qui contestent la mondialisation et/ou l'Union européenne, avec des motivations et des objectifs politiques qui peuvent être radicalement opposés.

La gauche modérée n'échappe d'ailleurs pas au stigmate dès qu'elle remet en cause la cage d'acier néolibérale : le nouveau leader du Parti travailliste de Grande-Bretagne, Jeremy Corbyn, a ainsi été accusé de succomber au « populisme » parce qu'il rompait avec le tournant imposé par Tony Blair à ce même parti dans les années 1990 (et aux Britanniques

5. Pour une discussion approfondie de ce concept, voir notamment E. Traverso, « Le totalitarisme. Histoire et apories d'un concept », *L'Homme et la Société*, 1998, n° 129. Voir également le recueil de textes coordonné par E. Traverso : *Le Totalitarisme. Le XXe siècle en débat*, Paris, Seuil, 2001.

6. Parmi de nombreuses déclarations d'éditocrates entre janvier et juillet 2015, on pourra lire l'article symptomatique de Jean-Marie Colombani (ancien directeur du *Monde*) : « L'imposture Tsipras », 29 juin 2015, http://www.slate.fr/story/103643/imposture-tsipras-crise-grece.

7. Fournissant une illustration parfaite de ce revirement des élites politiques et médiatiques vis-à-vis d'Alexis Tsipras, le journal *Le Monde* a récemment publié un éditorial dans lequel il fait son éloge, passant sous silence le fait que les conditions de vie de la majorité de la population n'ont pas cessé de se détériorer en Grèce : « Grâce au courage des Grecs et de Tsipras, la Grèce a survécu », *Le Monde*, 22 juin 2018.

lorsqu'il était au pouvoir), alors même que son programme s'inscrit dans une orientation keynésienne traditionnelle au centre gauche. On dira qu'il s'agit là d'usages polémiques et militants, et qu'ils sont surtout le fait d'hommes politiques et d'idéologues soucieux d'esquiver toute critique. Ce serait faire peu de cas du succès que la notion a rencontré dans le monde universitaire[8]. Or on ne peut manquer de constater l'extraordinaire hétérogénéité du phénomène que le concept prétend englober : des populismes russe et états-unien du XIXe siècle à l'islamisme du XXIe siècle, en passant par le fascisme mussolinien, le stalinisme, des mouvements autoritaires dans le Brésil de la seconde moitié du XXe siècle, les gauches française et italienne (dans toutes leurs composantes), le régime de Sukarno, etc. Pourtant, si le caractère passablement vague d'une telle catégorisation est souvent reconnu, bien peu en tirent la conséquence (pourtant logique) de son inutilité en tant que concept générique.

Pierre-André Taguieff est sans doute l'un de ceux qui, en France du moins, ont milité de la manière la plus constante depuis les années 1980 pour imposer l'usage du concept de « populisme ». Il s'agissait non seulement de remplacer le concept de « fascisme », mais de désigner plus largement toute tendance « démagogique » dans la politique contemporaine. Ainsi Taguieff a-t-il pu assimiler gauche radicale et extrême droite pour ne les distinguer qu'au regard du type de populisme que l'une et l'autre pratiqueraient : un « populisme protestataire » d'un côté et un « populisme identitaire » de l'autre. Lui non plus ne manque pourtant jamais de déplorer le vague du concept et son instrumentalisation « diabolisante »[9], mais il le fait à la manière d'une formalité (épistémologique) ne prêtant guère à conséquence. Après avoir formulé de justes

8. Voir par exemple *Vingtième siècle*, 1997, n° 56, dossier dirigé par Jean-Pierre Rioux intitulé « Les populismes ».

9. Voir notamment P.-A. Taguieff, *L'Illusion populiste. Essai sur les démagogies de l'âge démocratique*, Paris, Flammarion, 2007, p. 93-118.

critiques, il en arrive ainsi à une définition qui n'évite aucun des pièges et des défauts recensés par lui : « Par le mot de "populisme", je désigne la forme prise par la démagogie dans les sociétés contemporaines dont la culture politique est fondée sur les valeurs et les normes démocratiques traitées comme des absolus. Il s'agit d'une forme spécifique de la démagogie, présupposant le principe de la souveraineté du peuple et la norme de son rassemblement dans la nation unie[10]. »

On voit mal comment une telle définition pourrait ne pas s'appliquer à un ensemble excessivement vaste de phénomènes politiques et permettrait des distinctions utiles, tant la qualification de « démagogie » est mobilisée en permanence en tant qu'instrument de disqualification dans la lutte politique et idéologique. Il serait ainsi aisé de démontrer qu'il existe une démagogie néolibérale très puissante et intensivement utilisée par les éditocrates et nombre d'hommes politiques. Pour justifier des régressions sociales touchant les secteurs les plus combatifs de la société (cheminots, fonctionnaires, etc.), cette forme de démagogie flatte le sentiment répandu dans la population que le voisin disposerait de « privilèges ». Le thatchérisme était passé maître dans cet art qui vise plus profondément à occulter l'antagonisme capital/travail au profit des clivages internes au salariat, et le macronisme ne fait guère qu'actualiser cette rhétorique. L'accusation de « démagogie » désigne donc toujours le discours de l'adversaire et l'on ne saurait fonder la définition d'un courant politique sur une notion aussi incertaine et instable.

Taguieff ajoute quelques pages plus loin que le populisme « peut être sommairement défini comme l'acte de prendre publiquement le parti du peuple contre les élites, ou encore le "culte du peuple"[11] » : « sommairement », on ne saurait mieux dire. Les mouvements « populistes » se distingueraient

10. *Cf.* P.-A. Taguieff, *Le Nouveau National-Populisme*, Paris, CNRS Éditions, 2012, p. 23.

11. *Ibid.*, p. 39.

par un appel appuyé et répété au « peuple », mais comment ne pas y voir une dimension de toute politique à l'âge démocratique ? Quiconque aspire à exercer le pouvoir politique dans des sociétés où c'est l'élection au suffrage universel qui en commande l'accès aura tendance à recourir à la rhétorique de l'appel au peuple et à s'en prétendre le porte-parole naturel[12]. Rarement soupçonné de « populisme », François Fillon n'a pourtant cessé d'en appeler au verdict du peuple contre les médias alors qu'il était mis en examen en pleine campagne présidentielle, affirmant par exemple : « Au-delà de la procédure judiciaire, c'est au peuple français et à lui seul que j'en appelle désormais[13]. » De même si l'on fait de l'opposition aux « élites » ou au « système » un trait inhérent au populisme qui le distinguerait d'autres mouvements politiques : Emmanuel Macron, généralement présenté comme une alternative au « populisme », n'a-t-il pas lui-même affirmé lors de ses meetings que son ascension venait « contrarier l'ordre établi, parce qu'elle inquiète le système[14] » ?

En réalité, personne ne sait véritablement de quoi le « populisme » est – ou pourrait être – le nom. C'est d'ailleurs sans doute l'une des (mauvaises) raisons, outre sa fonction de démonisation de certains courants politiques, pour lesquelles le concept a connu un tel succès politique, médiatique et académique. Réputé partout présent de l'extrême droite à l'extrême gauche, précisément parce qu'il ne serait ni de droite ni de gauche, définissable à partir de considérations si générales qu'il en devient indéfinissable, le populisme n'est finalement nulle part : il est « introuvable », comme l'affirme

12. Voir P. Bourdieu, « La délégation et le fétichisme politique », *Actes de la recherche en sciences sociales*, 1984, n° 52-53.

13. Voir B. Bouniol, « "L'appel au peuple" de François Fillon décrypté », *La Croix*, 3 mars 2017, https://www.la-croix.com/France/Politique/Lappel-peuple-Francois-Fillon-decrypte-2017-03-03-1200829036.

14. Voir F. Piliu, « Macron ou la fausse naïveté », *La Tribune*, 31 août 2016, https://www.latribune.fr/economie/france/macron-ou-la-fausse-naivete-595434.html.

justement Jacques Rancière[15]. La seule manière scientifiquement raisonnable d'en user consisterait à en circonscrire très fortement l'usage, donc à abandonner purement et simplement le concept dans sa prétention englobante et globalisante[16]. En effet, que l'on définisse le concept par une obsession identitaire de l'unité culturelle ou de la pureté raciale, par un certain style d'intervention politique prétendant en appeler au peuple ou communier directement avec le peuple, ou par une orientation idéologique opposant le peuple vertueux aux élites corrompues, on voit mal ce qui justifierait d'y mêler Le Pen et Tsipras, Trump et Sanders, Grillo et Mélenchon, Berlusconi et Corbyn, Sarkozy et Iglesias, ou encore Thatcher et Chávez[17]. Même Ségolène Royal a pu être considérée, à l'occasion de sa campagne présidentielle en 2007, comme une figure « populiste »[18].

Il faut remarquer en outre que la logique de disqualification politique évoquée plus haut fonctionne également comme une mise à distance – sinon une diabolisation – des classes populaires : le recours au concept de « populisme » se fonde généralement sur le préjugé élitaire d'un peuple ignorant et irrationnel, impulsif et incohérent, prompt à se laisser manipuler et disposé, par essence, aux délires xénophobes et aux excès autoritaires[19]. Bien qu'étant reconnu formelle-

---

15. Voir sa contribution dans *Qu'est-ce qu'un peuple ?*, Paris, La Fabrique, 2013, p. 137-143.

16. Même les tentatives de typologie sont problématiques dans la mesure où on ne sait jamais très bien pourquoi ils se trouvent rapprochés les uns des autres et pensés ensemble. Pour un exemple classique de ce type de démarche, voir M. Canovan, *Populism*, New York et Londres, Harcourt Brace Jovanovich, 1981.

17. Même dans sa version légèrement sophistiquée de « national-populisme » ou de « populisme de droite », le concept tend à mêler des organisations ou des leaders ancrés dans des traditions politiques bien différentes et défendant des projets distincts (FN et UKIP, Haider et Berlusconi, Le Pen et Sarkozy, etc.).

18. Voir P.-A. Taguieff, *L'Illusion populiste*, *op. cit.*, p. 51-66.

19. Voir A. Collovald, *Le « Populisme » du FN, un dangereux contresens*, Bellecombe-en-Bauges, Le Croquant, 2004 ; F. Tarragoni, « La science du populisme au crible de la critique sociologique : archéologie d'un mépris savant du peuple », *Actuel Marx*, 2013, 2. Pour une réflexion approfondie et stimulante sur

ment comme la source de toute légitimité politique, le peuple devrait donc demeurer passif et se contenter d'élire les bergers seuls à même de le conduire, parfois malgré lui, vers son bonheur. Les « populistes » seraient alors de ces mauvais guides usant de la démagogie, c'est-à-dire de la flatterie et de la ruse, afin d'entraîner les classes populaires vers des revendications déraisonnables et de les détourner de la raison (dont la classe dirigeante aurait le monopole). On sait à quel point une telle rhétorique est courante, sous des formes variées selon les éditocrates et les hommes politiques, lors de chaque mouvement social d'ampleur ou lorsque le peuple contredit par son vote la volonté plus ou moins unanime du personnel politique (pensons à la victoire du « non » français, en 2005, à l'occasion du référendum sur le traité constitutionnel européen).

Scientifiquement inutile et politiquement confuse[20], la catégorie de populisme n'a pas seulement pour effet de rendre les classes populaires seules responsables du retour en force de l'extrême droite ; elle permet aussi à cette dernière de se dissocier du fascisme historique. Être diabolisé en tant que « fasciste » n'est certainement pas équivalent de ce point de vue à se voir disqualifié comme force « populiste » : dans le premier cas, l'accusé se trouve renvoyé à une étiquette quasi universellement honnie en raison de crimes commis par des mouvements dont il aurait hérité un

---

les multiples usages et sens du mot « peuple », voir G. Bras, *Les Voies du peuple. Éléments d'une histoire conceptuelle,* Paris, Amsterdam, 2018.

20. Cette confusion a été encore accentuée par le fait que des courants de gauche – en particulier Podemos mais à sa suite la France insoumise – ont pu récemment se réclamer du « populisme de gauche » théorisé par E. Laclau et C. Mouffe, sans que la définition du « populisme » sur laquelle ils se fondent ait grand-chose à voir avec celle généralement retenue par les spécialistes de l'extrême droite, sinon l'opposition très commune entre « peuple » et « élites ». Il nous semble en outre que s'autodésigner comme « populiste » relève bien souvent d'une opération de retournement du stigmate, voire d'un simple renouvellement du langage politique, qui ne rend pas plus légitime, politiquement et scientifiquement, d'englober dans une même catégorie ces mouvements et l'extrême droite, tant leurs programmes sont foncièrement antagonistes.

certain patrimoine idéologique et politique ; dans le second, on peut très bien faire avec ce stigmate en le renversant pour s'affirmer seul représentant authentique du peuple. Ce n'est donc pas la diabolisation en elle-même qui aurait paradoxalement favorisé le FN, comme on l'avance parfois, en lui permettant d'apparaître comme la seule alternative aux élites politiques, mais sa diabolisation en tant que force prétendument « populiste ». Il en a retiré un double bénéfice : être débarrassé de l'encombrante étiquette fasciste, qui lui collait à la peau depuis sa fondation par des nostalgiques du pétainisme et de l'Algérie française, et être rangé implicitement du côté du peuple.

Quelle approche du fascisme ?

Si nous pensons nécessaire de recourir à une conceptualisation qui maintient un lien avec la catégorie de fascisme (que l'on parle de néofascisme, de protofascisme ou de fascisation), c'est d'abord parce qu'elle renvoie à une caractérisation politique beaucoup plus juste de l'extrême droite contemporaine, de ce qui continue à la distinguer d'autres forces politiques et du type de danger que son ascension fait peser : un mélange d'ultra-autoritarisme et de nationalisme extrême, toujours couplé à la xénophobie et généralement au racisme (dont les formes et les cibles sont variables selon les contextes nationaux). On remarquera que ces caractéristiques idéologiques sont dissoutes dans le concept générique de « populisme ».

L'usage du concept de fascisme charrie à l'évidence un danger d'anachronisme, du moins si l'on pense la résurgence du fascisme comme une répétition trait pour trait ou comme le produit d'une continuité revendiquée. L'historien Robert Paxton note ainsi : « Si nous comprenons la renaissance du fascisme comme l'émergence d'un équivalent fonctionnel, et non comme une répétition à l'identique, son retour est possible[21]. » L'histoire ne repasse jamais tout à fait les mêmes plats, assaisonnés de la même manière, dans le même ordre et avec les mêmes noms sur le menu. Cela est d'autant plus vrai dans le cas du fascisme : en raison de la répulsion quasi universelle que celui-ci suscite depuis 1945 (en particulier dans sa variété nazie), les dirigeants d'extrême droite ont été contraints – afin de redonner une actualité aux idées qui firent florès dans l'entre-deux-guerres – de passer maîtres dans l'art de la dissimulation oratoire, des euphémismes, clins d'œil et autres détournements plus ou moins subtils. Reste à discerner ce qui se répète et ce qui diffère dans la répétition, au-delà des inévitables variations dans les formes politiques et les trajectoires historiques. Ce qui suppose de se mettre d'accord sur une définition préalable du phénomène fasciste.

Parmi celles et ceux qui persistent à user du concept, son sens tend en effet trop souvent à être dissous. Dans ses usages les plus caricaturaux, il peut ainsi être assimilé purement et simplement à l'État, parfois réputé fasciste par essence ou par destination, voire à toute forme de pouvoir. Certains courants – tels les maoïstes de la Gauche prolétarienne (GP) dans les années 1970 – ont pu aller jusqu'à qualifier de « nouveau fascisme » la droite, de Pompidou à Giscard ; ils méconnaissaient ainsi la différence entre l'État fort, ou ce que Poulantzas nommait l'« étatisme autoritaire », et l'État fasciste. Cette distinction n'est pas une simple lubie de savant car elle a des conséquences politiques immédiates : on ne lutte pas dans les mêmes conditions et avec les mêmes stratégies dans (et contre) un État fasciste et dans (et contre) un État libéral, même en voie de durcissement[22]. Le fascisme a pu en outre être théorisé comme l'effet d'une caractéristique psychologique particulière

---

21. R. O. Paxton, « The Future of Fascism », Slate, 6 avril 2017, http://www.slate.com/articles/news_and_politics/fascism/2017/04/fascism_didn_t_die_in_1945_it_evolved_and_took_new_form.html.

22. « Nouveau fascisme, nouvelle démocratie », *Les Temps modernes*, mai 1972, n° 310 bis.

(« personnalité autoritaire[23] » ou « microfascisme[24] »), quand il ne fut pas décrit comme le produit de tendances agressives inhérentes à la nature humaine elle-même. Cela a inévitablement deux conséquences : d'un côté, décontextualiser le fascisme, c'est-à-dire l'isoler des dynamiques et des forces sociopolitiques qui l'engendrent ; de l'autre, faire croire qu'il s'agirait d'abord et avant tout de se débarrasser du fasciste qui sommeille en nous, comme certains conseillaient autrefois, en guise de lutte contre l'État policier, de « chasser le flic de sa tête ».

Par ailleurs, depuis le 11 septembre 2001, un néologisme à la vie dure a fait son apparition : l'« islamofascisme ». Qu'on l'invoque afin de légitimer des politiques islamophobes ici ou des interventions militaires menées notamment dans les anciennes colonies de l'impérialisme français ou au Moyen-Orient, qu'on assimile l'extrême droite européenne aux organisations terroristes se réclamant de l'islam ou qu'on restreigne le fascisme contemporain à ces organisations, comme le font tant d'idéologues réactionnaires (d'ailleurs souvent venus de la gauche), le raisonnement procède toujours d'analogies superficielles et de généralisations hâtives. Au-delà de l'usage d'une violence extrême que personne ne songe à minimiser mais

23. On peut penser ici évidemment à Wilhelm Reich, à Erich Fromm ou à certains travaux de l'École de Francfort. Reich écrit ainsi dans *La Psychologie de masse du fascisme* que le fascisme ne constitue rien de plus que l'« expression politiquement organisée de la structure caractérielle de l'homme moyen, structure universelle et internationalisation qui n'est nullement le propre de races, nations ou partis déterminés [...], l'attitude émotionnelle fondamentale de l'homme opprimé par la civilisation machiniste autoritaire et son idéologie mécaniste-mystique ». Nous ne prétendons pas ici discuter en détail ces positions, mais relevons qu'elles tendent à sous-estimer les forces et tendances sociales objectives telles qu'elles se sont constituées historiquement, l'ensemble des rapports sociaux (d'exploitation et d'oppression), mais aussi les luttes sociales et politiques, en particulier l'intensité et l'issue des luttes de classes. Reich conclut d'ailleurs en affirmant que « le fascisme international ne sera pas éliminé par des manœuvres politiques. Il cédera à l'organisation naturelle, internationale du travail, de l'amour et de la connaissance ». Voir Wilhelm Reich, *La Psychologie de masse du fascisme*, Paris, Payot, 1998, p. 16-20.

24. Voir G. Deleuze et F. Guattari, *Mille Plateaux*, Paris, Minuit, 2001.

qui n'est nullement l'apanage du fascisme (qu'on pense à la traite négrière ou aux massacres coloniaux), on voit mal en effet ce qui pourrait permettre de rapprocher politiquement Daech du NSDAP d'Hitler ou du PNF de Mussolini – dont les régimes ont beaucoup plus en commun, par ailleurs, avec les dictatures baasistes d'Irak et de Syrie qu'avec leurs adversaires intégristes[25]. Moins le fascisme est utilisé de manière rigoureuse comme catégorie d'analyse, plus se développent ses usages strictement polémiques, ce qui tient sans aucun doute au fait que le fascisme représente encore dans la conscience majoritaire le sommet de l'abjection politique.

Il arrive encore que l'on se débarrasse de l'hypothèse d'un danger fasciste en raison de la menace immédiate que constitue le néolibéralisme, dans une logique hiérarchisant « ennemi principal » et « ennemis secondaires ». Comme une manière d'enfoncer le clou, le néolibéralisme est parfois même assimilé à une forme de fascisme[26]. À l'évidence, une telle assimilation est davantage utilisée pour son pouvoir de dénonciation et d'interpellation qu'en raison de sa précision analytique. Elle ne procède pas seulement d'un oubli, ou d'une minimisation, de certains des traits fondamentaux du fascisme (ne serait-ce que la suspension des libertés politiques et civiles, la destruction par la violence de toute opposition et de tout contre-pouvoir, ou encore l'épuration de l'État), mais également de la grande variété des configurations politico-institutionnelles à travers lesquelles le capitalisme peut assujettir les populations à ses logiques. Toute forme autoritaire de capitalisme, tout État fort, tout accroissement du pouvoir de l'exécutif, n'équivalent pas

25. Pour une discussion plus serrée de ce point, voir E. Traverso, *Les Nouveaux Visages du fascisme*, Paris, Textuel, 2017. Voir également A. Alexander et H. Cero, « Fascism and ISIS », *International Socialism*, 5 octobre 2015, isj. org. uk/fascism-and-isis/.

26. Voir par exemple cette tribune de Manuela Cadelli, présidente de l'Association syndicale des magistrats : « Le néolibéralisme est un fascisme », *Le Soir*, 3 mars 2016, http://www.lesoir.be/archive/recup/1137303/article/debats/cartes-blanches/2016-03-01/neoliberalisme-est-un-fascisme.

au fascisme et l'on n'a d'ailleurs nullement besoin de la catégorie de fascisme pour pointer, analyser et dénoncer les dérives autoritaires du capitalisme néolibéral[27]. Enfin, en prétendant que le seul adversaire contre lequel il importerait de lutter est le néolibéralisme (ou plus largement le capitalisme), voire que nous serions déjà soumis à une forme de fascisme, on masque justement les raisons précises pour lesquelles le néolibéralisme pourrait, s'il n'est pas combattu et vaincu, mener au fascisme, ainsi que les marges de manœuvre dont nous disposons pour enrayer une telle dynamique.

Éviter des usages aussi caoutchouteux du concept de fascisme suppose d'en retrouver – ou plutôt d'en reconstruire – le sens. D'une manière extrêmement générale, le fascisme renvoie d'abord à une *pratique politique* spécifique émergeant dans des circonstances socio-historiques précises (qu'il importera justement de caractériser) ; il ne peut donc être considéré comme l'essence de toute forme de pouvoir, et encore moins comme le produit d'une tendance psychologique régressive et répressive. Si son profil programmatique, ses modes d'action et ses formes d'apparition sont variables – non seulement le fascisme comme mouvement se distingue fortement du fascisme comme régime, mais il varie également selon les contextes nationaux et selon son degré de développement[28] –, on ne saurait y inclure toute organisation centrée autour d'un leader charismatique, tout mouvement conservateur et autoritaire, ou tout État d'exception (les dictatures militaires par exemple), sous peine là encore d'en perdre la signification propre.

S'il fallait s'accorder sur une définition – même minimale et provisoire – du fascisme[29], sans doute pourrait-on le consi-

---

27. Voir le troisième chapitre de cet ouvrage.

28. Sur ce point, voir notamment R. O. Paxton, *Le Fascisme en action*, Paris, Seuil, 2004.

29. La tâche est ardue et périlleuse, tant elle dépend des variétés de fascisme que l'on décide d'intégrer (autrement dit de l'extension que l'on souhaite donner

dérer comme un mouvement de masse qui prétend œuvrer à la régénération d'une « communauté imaginaire » considérée comme organique (nation, « race » et/ou civilisation)[30], par la purification ethno-raciale, par l'anéantissement de toute forme de conflit social et de toute contestation (politique, syndicale, religieuse, journalistique ou artistique), autrement dit par l'évidement de tout ce qui paraît mettre en péril son unité imaginaire (en particulier la présence visible de minorités ethno-raciales et l'activisme d'oppositions politiques). Une précision importante s'avère toutefois nécessaire. Le principe de l'unité sans faille que le fascisme prétend imposer et sur laquelle se fonde la communauté mythifiée qu'il prétend régénérer n'est pas nécessairement racial, au sens pseudo-biologique que ce terme prit dans le cas du nazisme. Il peut être culturel (on exclut alors au nom d'une prétendue communauté ethnolinguistique et/ou religieuse qui plongerait ses racines dans un passé millénaire) ou même politique : le nationalisme mussolinien reposait ainsi pour l'essentiel sur un mélange peu cohérent de références à l'Empire romain et d'une conception absolutiste et exclusiviste de la Volonté générale.

La mise en œuvre d'un tel projet implique une pratique politique centrée autour d'une répression et d'une violence systématiques. Plus précisément, il s'agit de mettre en place une *terreur* combinant l'étatique et l'extra-étatique, les appareils répressifs d'État et la mobilisation de secteurs de la population enrôlés au sein de milices de masse. Cette « militarisation de la politique », pour parler comme l'historien Emilio Gen-

---

au concept lui-même). Une grande partie des débats historiographiques autour du fascisme portent notamment sur cette question.

30. S'appuyant sur de nombreux travaux menés à partir de mouvements très divers, Roger Griffin a de manière convaincante insisté sur l'idéal de régénération ou de renaissance (nationale, raciale et/ou civilisationnelle), considéré par lui comme l'élément idéologiquement fondamental du fascisme, dont procéderait en partie son caractère dynamique. Voir notamment R. Griffin, *The Nature of Fascism*, Londres/New York, Rootledge, 1991. Voir également R. Eatwell, *Fascism. A History*, Londres, Penguin, 1997 [1996] ; S. G. Payne, *A History of Fascism*, Londres/New York, Routledge, 1996.

tile, distingue la tyrannie fasciste des dictatures militaires, et repose sur l'alliance très instable entre la petite bourgeoisie en déclin (son cœur sociologique), les fractions des classes possédantes les plus conservatrices ou ayant le plus intérêt au fascisme, ainsi que des éléments plébéiens paupérisés par les transformations du capitalisme, généralement déconnectés du mouvement syndical et des partis de gauche. Mais elle suppose plus profondément une crise économique et sociale se muant en crise politique particulièrement aiguë, brutale et profonde, que Gramsci nommait « crise organique » ou « crise d'hégémonie »[31], accompagnée de la disponibilité d'une force d'extrême droite, indépendante politiquement de la droite bourgeoise traditionnelle et à laquelle adhère – plus ou moins activement – une partie importante de la population. Seule une crise de ce type conjuguée à la présence d'une telle force peut mettre à l'ordre du jour une dynamique fasciste.

Si une telle définition évite une caractérisation purement idéologique ou culturelle du phénomène fasciste[32], en mettant l'accent sur la pratique du fascisme-mouvement comme du fascisme-régime (en particulier sur l'usage de la violence[33]), elle prend néanmoins au sérieux les idées, les symboles et les mythes – en un mot l'idéologie – du fascisme. Il importe ainsi de trouver un point d'équilibre entre l'indifférence à l'idéologie fasciste, qui interdit de s'interroger sur la persistance ou les transformations d'un « projet » fasciste (puisque le fascisme se trouve alors ramené à des méthodes d'intimida-

31. L'historien Geoff Eley insiste à juste titre sur ce type de crise, qu'il nomme « fascism-producing crisis ». Voir *Nazism as Fascism. Violence, Ideology, and the Ground of Consent in Germany 1930-1945*, New York, Routledge, 2013.

32. Tendance que l'on retrouve notamment, bien que sous des formes différentes, chez plusieurs spécialistes éminents du fascisme, qu'il s'agisse de Zeev Sternhell, George L. Mosse ou encore Roger Griffin. Pour une analyse des conséquences d'une telle focalisation sur les aspects idéologiques et/ou culturels du fascisme, notamment la minimisation de la violence, Voir E. Traverso, *L'Histoire comme champ de bataille*, Paris, La Découverte, 2012, p. 112-125.

33. Sur cet aspect central du nazisme, voir l'ouvrage fondamental d'Enzo Traverso : *La Violence nazie*, Paris, La Fabrique, 2002.

tion, des pratiques violentes voire de terreur), et la focalisation exclusive sur l'idéologie, qui peut amener à prendre au mot ce que les fascistes disent de ce qu'ils sont, de ce qu'ils font et de leurs objectifs, ou du moins à manquer de distance vis-à-vis des discours qu'ils tiennent ou ont pu tenir. Il faut à ce propos rappeler avec Mihály Vajda, dont l'analyse du phénomène fasciste constitue sans doute l'une des plus propositions théoriques les plus convaincantes dans le champ du marxisme, que l'opportunisme absolu des fascistes en matière de programme – Mussolini affirmait « notre doctrine, c'est le fait » – ne signifie ni que le fascisme serait dépourvu d'idéologie ni que cette idéologie aurait joué un rôle marginal dans son ascension : « le fascisme n'a jamais hésité à modifier de la façon la plus radicale son programme déclaré, allant jusqu'à le bouleverser complètement, lorsque les intérêts du pouvoir exigeaient une telle tactique. Mais il ne renonça jamais à sa propre idéologie[34]. »

La définition proposée plus haut permet également d'éviter une conception instrumentaliste, discernable dans de nombreuses approches se réclamant du marxisme et qui empêche de saisir la complexité et l'autonomie du fascisme. Celui-ci y est ainsi trop souvent réduit à un simple outil manié par la classe capitaliste ou une fraction de celle-ci[35], lui permettant de faire face à une menace révolutionnaire imminente. Il constituerait un phénomène purement réactif (une simple réponse à une montée du mouvement ouvrier révolutionnaire en somme)[36], et dépourvu de toute autonomie politique

34. M. Vajda, *Fascisme et mouvement de masse*, Paris, Le Sycomore, 1979, p. 17.

35. On se souvient de la définition devenue canonique, proposée par Dimitrov dans son célèbre rapport de 1935 pour l'Internationale communiste stalinisée, selon laquelle le fascisme constitue la « dictature terroriste ouverte des éléments les plus réactionnaires, les plus chauvins, les plus impérialistes du capital financier ».

36. On notera que ce fut aussi, paradoxalement, la thèse promue par l'historien allemand Ernst Nolte, que son anticommunisme notoire avait amené à proposer la thèse révisionniste et apologétique selon laquelle le nazisme aurait constitué une réaction compréhensible au « danger bolchevik », et n'aurait fait

vis-à-vis des classes dominantes. Cette thèse est aujourd'hui contredite par toutes les études historiques sérieuses du fascisme et du nazisme, lesquelles insistent au contraire, non seulement sur le rôle central qu'y a joué la petite bourgeoisie en déclin[37], mais aussi sur son caractère multiclassiste, donc sur la variété des soutiens sur lesquels il a pu compter, à divers moments de son ascension et de l'établissement de son pouvoir : la petite bourgeoisie à l'origine, puis des franges déclassées de la classe ouvrière et certains secteurs de la bourgeoisie (et même la quasi-totalité du grand patronat après la conquête du pouvoir)[38].

On a raison d'insister sur le fait que le fascisme, contrairement à ses prétentions « socialistes », ne révolutionna le système économique ni en Italie ni en Allemagne. Il accrut au contraire dramatiquement la brutalité du capitalisme en supprimant les droits et les organisations de défense des salariés[39]. Il accentua la dynamique de concentration du capital et détruisit non seulement le mouvement communiste, qui constituait alors une véritable menace pour le système capitaliste, mais l'ensemble du mouvement ouvrier (y compris ses franges les plus modérées). On ne saurait pour autant le

---

qu'emprunter en les radicalisant les méthodes de ce dernier. Outre l'effacement des racines proprement allemandes du nazisme, en particulier de son pangermanisme et de son antisémitisme génocidaire, E. Nolte ne prend jamais au sérieux le fait que la violence qu'il impute aux bolcheviks fut elle-même une réaction à l'invasion de la Russie par une dizaine d'armées étrangères (représentant des dizaines de milliers de soldats), qui furent déployées en Russie pour appuyer la Réaction blanche et combattre le nouveau pouvoir issu de la Révolution.

37. C'est l'un des grands mérites de Léon Trotski, dans des textes sur le nazisme qui constituent un sommet de l'analyse politique marxiste au XXe s. d'avoir insisté sur ce point. Voir L. Trotski, *Contre le fascisme*, Paris, Syllepse, 2015.

38. Voir notamment J. Banaji, « Le fascisme en tant que mouvement de masse », *Contretemps*, avril 2013, https://www.contretemps.eu/fascisme-en-tant-que-mouvement-masse. Sur les rapports entre le fascisme et les différentes classes et fractions de classe, voir N. Poulantzas, *Fascisme et dictature*, Paris, Seuil/Maspero, 1974 [1970].

39. D. Guérin, *Fascisme et grand capital*, Paris, Libertalia, 2014.

réduire à cette fonction contre-révolutionnaire de répression accomplie pour le compte du grand capital une fois parvenu au pouvoir[40]. Ce serait méconnaître les raisons du dynamisme propre au fascisme, nier l'autonomie relative de l'instance politico-idéologique, et donc sous-estimer le rôle éminent joué par le nationalisme et le racisme – en particulier l'antisémitisme – dans l'Europe de l'entre-deux-guerres. Dans un contexte différent par bien des aspects, ce sont également le nationalisme et le racisme – cette fois sous la forme de l'islamophobie – qui, au cours des quinze dernières années, ont constitué les facteurs décisifs du retour en force de l'extrême droite dans les pays occidentaux[41].

Au XXe siècle, le fascisme ne triompha pas seulement en raison de son financement par des magnats de l'industrie allemande ou des propriétaires terriens italiens, ni simplement grâce aux bandes armées harcelant les partis de gauche et les syndicats de travailleurs. De même, il ne se maintint pas au pouvoir du seul fait de la répression brutale, même si celle-ci lui permit d'affaiblir, de démoraliser et de bâillonner rapidement le mouvement ouvrier, la seule force sociale et politique qui aurait pu enrayer la dynamique fasciste. Il ne se contenta pas de profiter d'une crise économique et politique d'une magnitude exceptionnelle, qui put donner le sentiment que le capitalisme était en voie de succomber à ses contradictions internes. Le fascisme se développa en transformant le désespoir de couches sociales déclassées en l'espoir millénariste d'un ordre nouveau, alternatif à l'ordre établi[42]. Il stimula ainsi un

---

40. Pour une critique, ancienne mais percutante, de la réduction du fascisme à une simple variante de pouvoir capitaliste, voir C. Lefort, « L'analyse marxiste et le fascisme », *Les Temps modernes*, 1945, n° 2.

41. Sur la comparaison entre l'antisémitisme politique de l'entre-deux-guerres et l'islamophobie aujourd'hui, voir notamment E. Traverso, « La fabrique de la haine. Xénophobie et racisme en Europe », *Contretemps*, avril 2011, https://www.contretemps.eu/la-fabrique-de-la-haine-xenophobie-et-racisme-en-europe.

42. Comme l'écrivit Trotski en 1933 à propos du nazisme, « le désespoir les a fait se dresser, le fascisme leur a donné un drapeau ». Voir L. Trotski, *Contre le fascisme*, *op. cit.*

dynamisme concurrent de celui des mouvements socialiste et communiste. Parfois considéré comme une « révolution conservatrice », il se laisse mieux comprendre à notre sens comme une *contre-révolution accomplie par des moyens révolutionnaires*[43] – qu'il s'agisse de la symbolique de l'« ordre nouveau », de la rhétorique de la rupture, ou encore du recours aux mobilisations de masse. Son adversaire principal ne fut jamais l'État ou le capital[44], mais le mouvement ouvrier et ses conquêtes : libertés publiques, droits politiques fondamentaux, acquis sociaux, etc.

Une fois constitué en mouvement de masse, le fascisme parvint à se hisser au pouvoir politique et à s'y maintenir en nouant une alliance solide avec les puissances conservatrices (le patronat, les institutions religieuses ou encore la monarchie en Italie), et en forgeant un consentement dans la majorité de la population. Si celui-ci ne fut jamais sans faille, s'il put prendre des formes très variées (de l'adhésion enthousiaste à la résignation en passant par l'acceptation critique ou bienveillante), il n'en fut pas moins réel dans toutes les classes sociales[45]. Si par exemple le nazisme put obtenir la passivité

---

43. Auteur d'un livre fondamental et précoce sur le fascisme italien, Angelo Tasca insiste à raison sur le fait que cette contre-révolution ne constitua pas une réaction à une offensive déterminée du mouvement ouvrier mais fut à la fois « préventive et posthume » : préventive parce qu'elle visait à empêcher par avance toute révolution ouvrière future, et posthume parce qu'elle enterrait l'expérience préinsurrectionnelle des « deux années rouges » (1919-1920), durant lesquelles les organisations ouvrières se montrèrent incapables de briser le pouvoir bourgeois et d'imposer une solution politique socialiste. Voir A. Tasca, *Naissance du fascisme*, Paris, Gallimard, 2003 [1938].

44. Seul le capital financier fait généralement l'objet de la critique fasciste, avec toujours des relents antisémites puisque, dans cette idéologie, la finance est systématiquement, de manière explicite ou implicite, associée aux juifs.

45. Ni Mussolini ni Hitler ne réussirent à satisfaire au même degré la bourgeoisie, la petite bourgeoisie et le prolétariat. Dans le cas des relations entre le nazisme et la classe ouvrière, voir l'étude classique de T. Mason : *Nazism, Fascism, and the Working Class*, Cambridge, Cambridge University Press, 1995. Voir également A. Lüdtke, « La domination au quotidien. "Sens de soi" et individualité des travailleurs en Allemagne avant et après 1933 », *Politix*, 1991, n° 13.

de la classe ouvrière industrielle, ce fut d'abord en résorbant le chômage par le recours à l'intervention étatique dans l'économie (notamment *via* l'industrie militaire). *A contrario*, il suscita la satisfaction du grand patronat, en particulier dans l'industrie lourde, par l'accroissement faramineux des profits. Par ailleurs, les fascismes assirent leur pouvoir en se livrant à une offensive idéologique tous azimuts, bricolant une variété extrêmement puissante de nationalisme à partir de matériaux culturels, esthétiques et intellectuels puisés à des sources très diverses[46]. Ce nationalisme fut encore radicalisé à l'aide du racisme (surtout dans le cas du nazisme, même si l'on ne devrait pas minimiser sa place dans le fascisme italien[47]), qui leur permit d'électriser leurs partisans en les dressant contre un ennemi absolu, considéré comme inférieur mais menaçant.

Cet attrait pour les idées nationalistes et racistes fut bien souvent minimisé à gauche, du fait d'un économisme réducteur (le nationalisme et le racisme ne divisent-ils pas celles et ceux qui auraient *économiquement* intérêt à s'unir ?) ou en raison d'un rationalisme incapable de tenir compte des charmes de la mystique nationaliste. On considérait ainsi que nationalisme et racisme ne pouvaient tromper que superficiellement les travailleurs. Leur séduction par le fascisme ne pouvait s'expliquer autrement que par la trahison des directions de la gauche et du mouvement ouvrier. C'était là méconnaître la puissance des idéologies qui, dans des circonstances historiques de décomposition des équilibres anciens, peuvent s'emparer des masses et devenir « une force matérielle » – selon le mot de Marx.

46. Voir G. L. Mosse, *La Révolution fasciste. Vers une théorie générale du fascisme*, Paris, Seuil, 2003.

47. Sur cet aspect, voir notamment la dernière partie du récent livre de M.-A. Matard-Bonucci, *Totalitarisme fasciste*, Paris, CNRS Éditions, 2018.

L'actualité du danger fasciste

Notre approche du fascisme se distingue donc par la volonté de saisir le fascisme à la fois comme expression de la crise du capitalisme, et plus spécifiquement d'une *crise d'hégémonie*[48], et comme un mouvement de masse doté d'une autonomie relative. À ce titre, il doit être considéré comme un acteur politique à part entière pouvant apparaître, à un stade avancé de développement de cette crise, comme une solution pour certaines fractions des classes possédantes mais aussi pour de vastes franges de la population. Cela suppose une rupture avec l'instrumentalisme économiciste auquel a trop souvent succombé le marxisme orthodoxe[49]. La conquête du pouvoir politique par les fascistes et la construction d'un État fasciste n'a pas répondu à une simple « exigence » ou « volonté » de la bourgeoisie. On ne devrait donc jamais postuler l'inexistence d'un danger fasciste en prétextant que la bourgeoisie française n'en aurait nul « besoin » à l'heure actuelle et pourrait se satisfaire de la « démocratie ». Il fallut une situation de crise d'ensemble du système capitaliste pour que la bourgeoisie, à travers ses représentants politiques organiques (la droite traditionnelle), permette l'accès des fascistes au pouvoir d'État. Il fallut aussi que ces derniers, dans un contexte de crise idéologique généralisée qu'ils alimentèrent habilement, aient conquis préalablement une audience de masse dans la population, en promettant tout et à tout le monde, en faisant valoir leur dynamisme militant et leur capacité à faire contrepoids au mouvement ouvrier, et en popularisant l'horizon d'une renaissance nationale.

Une question surgit inévitablement : le concept (générique) de fascisme, tel que défini plus haut, ne désignerait-il pas une

48. Pour des développements sur ce point, voir chapitre 2.

49. On trouvera chez Nicos Poulantzas une critique énergique et sans concessions, à partir du marxisme, de cette dérive : *Fascisme et dictature*, *op. cit.*

réalité trop singulière historiquement pour nous être utile aujourd'hui ? Ne faudrait-il pas, en conséquence, en réserver l'usage pour cette époque, aujourd'hui révolue ? À pousser un tel raisonnement jusqu'au bout, on en vient nécessairement à ne l'utiliser que pour le seul cas italien. Pour Ernst Nolte et Renzo de Felice, deux historiens du fascisme dont les travaux ont été âprement débattus et critiqués, les mouvements et régimes fascistes constituaient des phénomènes indissociables d'un contexte particulier, celui de la « guerre civile européenne » (1914-1945). R. de Felice en vint d'ailleurs à considérer, comme Zeev Sternhell, que le mussolinisme et l'hitlérisme ne relèveraient pas d'une même catégorie en raison de la centralité de l'antisémitisme dans le second[50].

Au nom de définitions ou d'interprétations restrictives du phénomène fasciste, on se condamne souvent à un simple recensement des singularités. Sous sa forme non simplement biologique mais génocidaire, l'antisémitisme constitue assurément une spécificité du nazisme et, si on isole cette dimension, il sera difficile de considérer qu'il relève d'un même *type* de mouvement ou de régime que le fascisme italien, dans lequel l'antisémitisme d'État ne s'imposa que tardivement[51]. De même pourra-t-on alors avancer que l'extrême droite contemporaine ayant rompu, quoique partiellement et verbalement, avec l'antisémitisme viscéral qui lui était consubstantiel depuis la fin du XIXe siècle, rien ne saurait justifier

---

50. Sur les débats historiographiques et politiques auxquels ont donné lieu le fascisme, voir notamment le livre classique de Renzo de Felice : *Les Interprétations du fascisme*, Paris, Éditions des Syrtes, 2000 [1969]. Voir également la synthèse beaucoup plus récente proposée par Olivier Forlin : *Le Fascisme. Historiographie et enjeux mémoriels*, Paris, La Découverte, 2013.

51. M.-A. Matard-Bonucci insiste néanmoins sur les racines proprement italiennes de cet antisémitisme d'État, qui ne fut pas qu'un simple sous-produit de l'alliance avec l'Allemagne nazie. Voir *Totalitarisme fasciste, op. cit.* On notera que, de son côté, le régime de Vichy fut antisémite de bout en bout et, contrairement à une idée longtemps reçue, sans que cela soit le produit direct d'une exigence allemande. Voir sur ce point M. R. Marrus et R. O. Paxton, *Vichy et les Juifs*, Paris, Calmann-Lévy, 1981.

qu'on la compare au nazisme. Mais ce serait oublier que ce ne sont pas les groupes qu'il prend spécifiquement pour cibles qui caractérisent politiquement le fascisme. Ce qui autorise *a minima* à les penser ensemble, c'est que le mussolinisme et l'hitlérisme, mais aussi la plupart des mouvements de l'extrême droite contemporaine, constituent essentiellement des variantes d'un nationalisme extrême. Or, si le nationalisme n'est pas raciste par essence, il tend néanmoins vers des formes d'exclusivisme qui, dans certaines circonstances historiques, entrent en affinité avec le racisme : celui-ci vient alors fournir aux nationalismes un « contre-type pour aiguiser leur propre sens de la communauté[52] ». Le racisme fut le « catalyseur qui fit basculer le nationalisme allemand de la discrimination à l'extermination de masse[53] », et rien n'indique que seul le racisme antijuif pouvait – et peut encore – jouer ce rôle de catalyseur. Dans l'Europe occidentale contemporaine, en particulier en France, en Italie ou encore en Allemagne, la démonisation des musulmans s'est ainsi largement substituée à la haine des juifs, en particulier à l'extrême droite, et l'on peut craindre que l'islamophobie ait le même potentiel de radicalisation des nationalismes que l'antisémitisme autrefois.

Certains historiens du fascisme, en particulier George L. Mosse et Emilio Gentile, insistent, pour en comprendre la genèse, sur le processus de brutalisation extrême initié par la Première Guerre mondiale et l'aiguisement des nationalismes qu'elle a engagé[54]. Dès lors, sans un événement du même type, point de résurgence possible du fascisme. C'est un argument qu'on ne saurait esquiver mais, si l'on se garde de penser le néofascisme comme le simple retour d'un fascisme toujours identique à lui-même, comment ne pas envisager que des formes renouvelées de brutalisation puissent produire des

52. Voir G. L. Mosse, *La Révolution fasciste*, *op. cit.*, p. 96.

53. *Ibid.*, p. 98.

54. G. L. Mosse, *De la Grande Guerre aux totalitarismes. La brutalisation des sociétés*, Paris, Hachette, 1999 [1990].

effets équivalents à ceux observés dans l'entre-deux-guerres ? François Cusset souligne dans un livre récent que la violence n'a pas régressé mais prend des formes nouvelles[55] : alors que les violences physiques entre personnes sont de moins en moins acceptées, les violences de masse perpétrées par des États, de plus en plus souvent à distance[56], semblent largement tolérées, dans la mesure où elles ciblent des populations ou des groupes préalablement constitués en ennemi (intérieur ou extérieur). Là encore, c'est sans doute le racisme qui joue un rôle fondamental : en permettant une déshumanisation de cet ennemi, il légitime par avance les traitements d'exception dont fera l'objet celui-ci, et par extension toutes celles et tous ceux qui pourront lui être assimilés (dans la logique proliférante, et bien souvent délirante, du racisme), et il garantit l'indifférence dont la majorité fera preuve à leur égard, voire le soutien qu'elle apportera à l'oppression.

Les théories explicatives du fascisme alternent ainsi trop souvent entre des approches philosophiques d'une extrême généralité et des approches historiques qui singularisent à l'excès chaque variété de fascisme[57]. Les premières tendent à dissoudre la spécificité historique du fascisme, donc à le banaliser et à méconnaître les conditions dans lesquelles il peut naître, s'enraciner et conquérir le pouvoir. Les secondes amènent nécessairement à affirmer l'inactualité radicale du fascisme, l'impossibilité de sa résurgence dans le contexte présent. Plus généralement, le concept de fascisme et les théories explicatives du fascisme n'échappent pas au destin

55. F. Cusset, *Le Déchaînement du monde. Logique nouvelle de la violence*, Paris, La Découverte, 2018.

56. Voir G. Chamayou, *Théorie du drone*, Paris, La Fabrique, 2013.

57. Toute une tradition d'analyse du fascisme en fait par exemple le produit de la survivance de traditions et de couches sociales préindustrielles, en Italie comme en Allemagne (*Sonderweg*), et plus généralement le produit d'un « retard » de la démocratie bourgeoise et de l'« État de droit » sur le processus de modernisation capitaliste. Plus généralement, sur les problèmes posés par la caractérisation politique du nazisme, voir I. Kershaw, *Qu'est-ce que le nazisme ?*, Paris, Gallimard, 1992 [1985], chapitres 1 et 2 notamment.

de tout concept et de toute théorie prétendant subsumer des phénomènes politiques nécessairement disparates et en proposer une interprétation. Incapables de saisir chaque mouvement politique et chaque situation nationale dans leurs complexités et singularités, ils sont voués à laisser en partie insatisfait. La mise en parallèle du fascisme classique et de l'extrême droite contemporaine nous paraît pourtant utile et productive, contrairement à nombre de politistes qui tendent à n'y voir que la manifestation d'une « paresse intellectuelle »[58]. Paresse à n'en pas douter si l'on se contente de penser le FN, la Liga ou Pegida comme une simple reproduction du fascisme de l'entre-deux-guerres. Or, comme on l'a dit, notre objectif est tout autre : il s'agit de cerner le danger fasciste de notre temps, à travers les conditions économiques et sociales qui rendent le fascisme possible, à travers les dynamiques politiques qui sont mises en branle, mais aussi à travers les idées qui permettent à l'extrême droite de toucher, et parfois de mobiliser, une partie du corps social[59].

La plupart des spécialistes de l'extrême droite contemporaine, mais aussi d'importants historiens du fascisme classique, refusent par principe de lier l'analyse scientifique au combat politique antifasciste. Dans la mesure où l'entre-deux-guerres est la seule période durant laquelle des organisations fascistes ou parafascistes se sont développées jusqu'à parvenir au pouvoir et à installer des dictatures plus ou moins stables et durables (en Espagne et au Portugal elle se sont maintenues durant près d'un demi-siècle), il y a à notre sens quelque chose d'irresponsable à refuser de mettre en parallèle le fascisme classique et l'extrême droite contemporaine. On renonce ainsi à apprendre des modalités selon lesquelles des mouvements de ce type, une fois créés, parviennent à s'enraciner, à se dévelop-

58. J.-Y. Camus et N. Lebourg : « Face au FN, sortons de la paresse intellectuelle », *Libération*, 29 novembre 2015.

59. F. Lordon, *Les Affects de la politique*, Paris, Seuil, 2016.

per jusqu'à exercer le pouvoir[60] : quelles furent les conditions de possibilité du désastre fasciste ? Comment les mouvements fascistes parvinrent-ils à conquérir le pouvoir et à s'y maintenir ? Pourquoi leurs opposants furent-ils vaincus ? Quelles furent les forces et les faiblesses des régimes fascistes ? Pourquoi et comment finirent-ils par être eux-mêmes vaincus ?

D'un point de vue scientifique mais aussi politique, l'intérêt de la comparaison nous paraît donc difficile à nier, à moins d'imaginer que cette extrême droite n'aurait rien hérité du passé ou que les conditions présentes seraient à ce point inédites qu'elles rendraient inutile tout parallèle historique. En outre, travailler à partir du concept de fascisme peut permettre de découvrir une continuité dans une histoire apparemment chaotique mais aussi de bâtir une compréhension commune et une mémoire partagée, renouant le fil entre les luttes passées et les combats présents ou futurs. Sans un tel effort, la détermination d'un point d'ancrage potentiel et la formulation d'hypothèses stratégiques paraissent impossibles, car sans objet : comment savoir où l'on se trouve et où aller si l'on se complaît dans l'illusion que l'on vient de nulle part et que l'on repart de zéro à chaque moment ? À l'opposé, Daniel Bensaïd aimait rappeler – citant Deleuze – qu'« on recommence toujours par le milieu », récusant tout autant le leurre d'un commencement absolu que l'idée, non moins illusoire, de modèles politiques légués clé en main par l'histoire, mode d'emploi compris[61].

C'est à une telle comparaison qu'ont procédé Enzo Traverso et Gaspar Miklos Tamas[62]. Mais, lorsqu'ils justifient l'emploi de la catégorie de « postfascisme » plutôt que de celle de « néo-

60. On aura ici reconnu les trois étapes de la dynamique fasciste selon R. O. Paxton. Voir *Le Fascisme en action, op. cit.*

61. Sur ce point, voir D. Bensaïd, U. Palheta et J. Salingue, *Stratégie et parti*, Paris, Les Prairies ordinaires, 2016.

62. Gaspar Miklos Tamas, « On post-fascism. The degradation of universal citizenship », *Boston Review*, juin 2000, http://bostonreview.net/world/g-m-tamas-post-fascism.

fascisme »[63], ils referment trop rapidement le double débat nécessaire sur la caractérisation des mouvements d'extrême droite et de notre situation historique. Tout d'abord, ne demeure-t-il pas, au sein de l'extrême droite contemporaine et non simplement dans ses mouvances explicitement néofascistes presque partout marginales[64], un projet stratégique et politique qui relève d'une variante rénovée de la « synthèse fasciste » ? Ensuite, la période dans laquelle nous nous trouvons rend-elle si improbable la renaissance du fascisme, du moins conçu dans les termes d'un « équivalent fonctionnel » ?

Il ne suffit pas de remarquer que les mouvements d'extrême droite en général, et le FN en particulier, « ne revendiquent plus cette filiation » avec le fascisme ou d'affirmer que leurs transformations idéologiques équivaudraient à une défascisation parce qu'ils ne présenteraient « plus de continuité visible, sur le plan idéologique, par rapport au fascisme classique »[65]. Si des mutations du parti lepéniste sont effectivement à l'œuvre, elles en font un objet politique contradictoire et instable dont il est difficile de prévoir le devenir. Il est vrai qu'il s'est éloigné du fascisme historique sur certains points. Ainsi, le FN a mis en sourdine l'antisémitisme, l'homophobie et l'antiféminisme qui le caractérisaient jusqu'aux années 2000, à des fins évidentes de respectabilité. Cela lui a aussi permis de mieux stigmatiser les musulmans, auxquels se voit donc attribuée, contre toute évidence[66], la persistance des préjugés antisémites, des actes

---

63. Voir E. Traverso, *Les Nouveaux Visages du fascisme*, *op. cit.*, 2017, p. 12-15.

64. Aucun des mouvements d'extrême droite disposant d'une audience actuellement en Europe n'affirme une continuité avec l'héritage fasciste, y compris Aube dorée en Grèce, qui semble le plus proche « stylistiquement » du fascisme classique mais nie cette proximité. Sur Aube dorée, voir notamment D. Psarras, *Aube dorée. Le Livre noir du parti nazi grec*, Paris, Syllepse, 2014. On pourrait également mentionner le Jobbik hongrois, qui a mis en œuvre depuis quelques années une stratégie de « dédiabolisation » impliquant de renoncer à toute marque de continuité avec le fascisme ainsi qu'à tout discours explicitement antisémite.

65. E. Traverso, *Les Nouveaux Visages du fascisme*, *op. cit.*, p. 13.

66. Outre les nombreuses études qui rappellent que l'homophobie et le sexisme ne sont nullement l'apanage d'un groupe social ou ethno-racial, il faut rappeler que

ou discours homophobes et de l'oppression des femmes en France. Mais cet éloignement du fascisme mussolinien ou hitlérien se lit peut-être surtout dans son renoncement à constituer des milices usant de la violence contre les mouvements de contestation (ce que tentent néanmoins les petits groupes qui gravitent non loin du FN[67]).

D'autres éléments montrent cependant que le FN s'est rapproché du fascisme par d'autres biais. Il a ainsi couplé à son nationalisme xénophobe et à son ultra-autoritarisme des éléments idéologiques qui relèvent davantage du registre fasciste que certains des positionnements qui le caractérisaient autrefois : le « ni droite ni gauche » de Marine Le Pen la ramène davantage à Doriot, donc au fascisme français, que la volonté de Jean-Marie Le Pen, dans les années 1970-1980, d'incarner la « droite nationale, sociale et populaire » ; la revalorisation et même l'éloge de l'État, en tant qu'ils rompent avec l'antiétatisme forcené qui caractérisait le FN jusqu'aux années 1990, le rapprochent davantage du fascisme qu'ils ne l'en éloignent, même si cela n'atteint pas la « statolâtrie » de Mussolini[68] ; l'*antilibéralisme* de Marine Le Pen, et sa défense verbale des travailleurs nationaux, s'apparentent davantage

---

c'est parmi les catholiques que s'est recrutée l'écrasante majorité des participants au mouvement contre l'égalité des droits (et plus spécifiquement contre l'ouverture du mariage aux homosexuels), mais aussi pour la « journée de retrait de l'école » (en 2014) qui protestait contre des formations en faveur de l'égalité hommes-femmes.

67. Voir N. Lebourg, « Bastion Social, le mouvement néofasciste qui s'implante en France », *Slate*, 28 mars 2018, http://www.slate.fr/story/159568/bastion-social-neofascisme-france.

68. Voir notamment le texte corédigé par Mussolini et le philosophe officiel du régime fasciste Giovanni Gentile, dans lequel ils prétendent exposer la « doctrine fasciste » : *Le Fascisme de Mussolini*, Paris, Demopolis, 2017. On doit néanmoins montrer une certaine prudence puisque, à l'époque où il recherchait l'alliance avec les milieux conservateurs et les grands industriels, Mussolini pouvait s'adonner à une critique féroce de toute intervention de l'État dans l'économie voire se déclarer ennemi de l'État. Ainsi va l'opportunisme programmatique du fascisme. Sur ce point, voir A. Tasca, *Naissance du fascisme, op. cit.* On ne saurait donc, comme Michael Mann, faire de l'étatisme déclaré un critère absolu de l'appartenance de tel ou tel mouvement au fascisme. Voir M. Mann, *Fascists*, Cambridge, Cambridge University Press, 2004.

aux prétentions qui étaient celles de tous les mouvements se situant dans l'orbite fasciste que le néolibéralisme brutal, d'inspiration reaganienne, promu autrefois par le FN. Enfin, sa rupture tactique avec l'antisémitisme et le négationnisme masque la virulence de son islamophobie, beaucoup plus rentable électoralement puisque faisant figure, dans le champ politique français actuel, de « racisme respectable[69] ».

Ce n'est pas tel ou tel élément pris isolément mais la totalité politique qu'ils composent qui importe et qui nous amène à caractériser le FN comme un parti néofasciste en gestation et non, à la manière de la quasi-totalité des experts de l'extrême droite, comme la variante française d'un « national-populisme » ou d'un « populisme de droite ». Mais qu'en est-il de la période ? Le fascisme était inscrit dans la « galaxie » moderniste de son temps. Il prétendait constituer une rupture et mobilisait l'utopie d'un « homme nouveau » dans un monde transformé de fond en comble ; c'est d'ailleurs cela qui le distinguait du conservatisme autoritaire. Or Enzo Traverso ou Michael Mann[70] insistent à raison sur l'effacement actuel de tout « horizon d'attente », de toute « transcendance », autrement dit l'affaiblissement de la capacité des populations et des mouvements politiques à se projeter dans un futur désirable et possible. La domination de l'idéologie néolibérale, dont l'un des traits particuliers est de présenter son règne comme celui de la « fin des idéologies », aurait ouvert une ère où se trouvent délégitimés par avance tout projet politique de rupture avec l'ordre établi, réputée impensable, et toute utopie, qui mènerait implacablement au totalitarisme.

L'extrême droite contemporaine serait donc incapable de faire renaître une telle impulsion utopique de rupture et devrait se contenter de plaider le retour à la stabilité d'autre-

69. Voir notamment S. Bouamama, *L'Affaire du voile, ou la production d'un racisme respectable*, Lille, Éditions du Geai Bleu, 2004 ; P. Tevanian, *Dévoilements. Du hijab à la burqa, les dessous d'une obsession française*, Paris, Libertalia, 2012.

70. Voir M. Mann, *Fascists*, *op. cit.*, p. 364.

fois : aux « Trente Glorieuses », à l'État gaullien, aux monnaies nationales, etc. C'est sans doute là encore aller vite en besogne. La domination de l'idéologie néolibérale, si elle a pu apparaître totale immédiatement après la chute du Bloc de l'Est, se trouve aujourd'hui ébréchée ; le capitalisme ne connaît pas actuellement d'adversaire à sa mesure mais il est de plus en plus contesté, souvent partiellement, dans tel de ses aspects ou tel de ses effets, parfois dans sa logique même. À mesure que se dissipe l'illusion de la fin des idéologies renaissent peu à peu de nouvelles utopies : émancipatrices pour certaines, régressives pour d'autres. Il faut ainsi se garder d'une lecture statique de l'extrême droite et de la situation politique : non seulement le renouveau du nationalisme et le renforcement du racisme, en particulier de l'islamophobie, n'en sont sans doute, malheureusement, qu'à leurs balbutiements[71] ; mais la crise d'accumulation du capital, l'instabilité hégémonique au niveau mondial (consécutive, notamment, au déclin relatif de l'hyperpuissance états-unienne et à l'affirmation de la Chine), ainsi que la relance de la contestation sociale et politique, pourraient inciter les classes possédantes à accentuer leur tournant autoritaire et xénophobe.

Certes, il ne s'agit pas d'un « retour des années 1930 », formulation contre-productive tant elle laisse entendre un recommencement à l'identique, mais le fascisme s'inscrit dans notre époque comme une possibilité concrète. C'est en ce sens que nous parlons ici d'*actualité* du fascisme, en distinguant fortement cette catégorie de celle d'*imminence*, qui postulerait la survenue sans délai de dictatures de type fasciste. Parler d'actualité du fascisme signifie que l'engrenage est d'ores et déjà enclenché et que le temps nous est donc compté. Mais cela permet de souligner que cette dynamique n'a rien de fatal et peut encore être enrayée, même si nous sommes pour l'instant bien mal armés – d'un point de vue politique, intellectuel

71. Voir chapitre 4.

et organisationnel – pour y faire face. La conscience et la compréhension de la menace doivent permettre d'engager un rassemblement des forces et leur convergence pour une transformation sociale de grande ampleur. Sans cela, le capitalisme – dans sa configuration néolibérale, autoritaire et raciste – a toutes les chances de nous entraîner vers l'abîme.

Les conditions de possibilité du fascisme

On n'aspire donc nullement ici à formuler une énième prophétie et à satisfaire ainsi le goût de s'effrayer ou le besoin de se rassurer à peu de frais. Pas plus que l'insurrection, le fascisme ne vient à la manière d'une force irrésistible. Il importe donc moins d'interpréter ses signes annonciateurs que de mettre au jour ses conditions de possibilité sans céder à la tentation d'un catastrophisme qui désarme plutôt qu'il ne mobilise. Il ne s'agit donc pas de proposer un scénario de politique-fiction mais de saisir ce qui, dans la situation actuelle, se présente encore en pointillés. Au centre de cette étude se trouve ainsi la catégorie de *possible*, qui permet d'enrichir notre compréhension du réel[72]. Elle met en évidence certaines virtualités cachées de la transformation des sociétés, et fait toute sa place à la dynamique incertaine et imprévisible des rapports de force sociaux et politiques. Si cette catégorie a fait l'objet ces dernières années d'une réévaluation éminemment positive[73], on devrait prendre garde de ne pas en restreindre l'usage à l'irruption d'une politique d'émancipation. Le possible, ce peut être aussi la survenue brutale du désastre ou le glissement progressif vers la catastrophe. Si « le chapitre des bifurcations reste ouvert à l'espérance », comme l'affirmait

72. Bachelard écrit dans *La Valeur inductive de la réalité* que « c'est par le possible qu'on découvre le réel ».

73. Pour une discussion de cette catégorie, voir en particulier L. Jeanpierre, F. Nicodème et P. Saint-Germier, « Possibilités réelles », *Tracés*, 2013, n° 24.

Blanqui au sortir de la Commune[74], il l'est également au chaos et au désespoir.

Ce livre s'enracine donc dans cette conception d'une histoire qui n'oppose pas la contingence de l'événement (salvateur ou désastreux) à l'inertie des structures économiques, sociales, politiques, idéologiques : c'est précisément lorsque les structures sont mises en crise que l'événement devient possible. « L'histoire ne fait rien », écrivait Marx ; elle constitue un champ des possibles, dont certains relèvent à l'évidence du cauchemar pour des millions d'individus et pour des peuples entiers, nous condamnant à agir en urgence, sans garantie ni promesse. L'histoire ne propose de modèle(s) qu'aux orphelins des grandes prophéties (religieuses ou séculières), qui cherchent désespérément un chemin balisé une fois pour toutes et la promesse d'un avenir radieux. Aux autres, elle donne à voir des trajectoires possibles et circonstancielles, sous conditions – y compris des trajectoires désastreuses comme celle que nous décrirons dans ce livre. Or c'est déjà beaucoup ! Car l'un des déterminants majeurs de ces trajectoires, c'est bien la possibilité de l'action collective de ces millions d'exploités et opprimés qui, à l'échelle nationale comme à celle de l'humanité tout entière, composent une majorité sociale. Si les hommes et les femmes « font l'histoire » dans des circonstances qu'ils n'ont pas choisies, nul doute qu'une compréhension commune de ces circonstances (et une conscience aiguë des dangers) peut constituer un instrument utile, sinon irremplaçable, pour l'action.

On aura sans doute compris que ce livre n'a donc la prétention de constituer ni un traité théorique sur le fascisme ni un livre d'enquête sur l'extrême droite contemporaine, mais un essai qui s'arme de théories et se fonde sur des enquêtes pour proposer une analyse de la situation politique en France en posant les questions suivantes : comment expliquer le retour

74. Cette formule est citée par Daniel Bensaïd dans de nombreux textes.

au premier plan puis le développement de l'extrême droite française, à partir des années 1980 ? Comment les transformations des rapports de classes et du champ politique, consécutives à la transformation néolibérale du capitalisme, y ont-elles contribué ? Quelles relations se nouent entre cette dynamique politique, la dérive autoritaire de l'État capitaliste et les transformations du nationalisme et du racisme ? Plus généralement, qu'est-ce qui, dans la situation présente, redonne une actualité à un projet de régénération d'une nation considérée comme « en déclin », de restauration par la force d'une unité perçue comme « menacée », et de rétablissement d'un ordre hiérarchique réputé « naturel » ? On cherchera donc principalement ici à proposer une analyse conjoncturelle en explorant les conditions qui engendrent la menace fasciste, en se demandant en particulier ce qui – dans la société française contemporaine – a pu (et peut) rendre crédible une offre politique de type néofasciste.

Si le FN sera fortement présent dans cet essai, il n'en constitue pas le cœur[75]. On chercherait d'ailleurs en vain une essence du Front national, et il ne suffit pas de rappeler ses origines fascistes pour lui attribuer une nature ou lui assigner un destin. Selon les rapports de force politiques et sociaux tels qu'ils s'établiront en France dans les mois et années à venir, selon ce qui se jouera au sein du parti de Marine Le Pen, mais aussi selon l'attitude des classes possédantes et l'action des classes subalternes, le FN pourrait progresser encore ou décliner ; il pourra se muer en parti néofasciste achevé ou au contraire

75. Sur le FN, son histoire et sa sociologie, ont été publiés plusieurs livres de qualité dans la période récente. Voir notamment S. Crépon, *Enquête au cœur du nouveau Front national*, Paris, Nouveau Monde Éditions, 2012 ; A. Dézé, *Le Front national. À la conquête du pouvoir ?*, Paris, Armand Colin, 2012 ; S. Crépon, A. Dézé et N. Mayer (dir.), *Les Faux-Semblants du Front national*, Paris, Presses de la FNSP, 2015 ; V. Igounet, *Le Front national. De 1972 à nos jours, le parti, les hommes, les idées*, Paris, Seuil, 2014. Notons également des études plus anciennes : A. Bihr, *Le Spectre de l'extrême droite*, Paris, Éditions de l'Atelier, 1998 ; G. Birenbaum, *Le Front national en politique*, Paris, Balland, 1992.

s'intégrer au jeu politique traditionnel. Le FN importe donc comme véhicule – peut-être provisoire – d'une dynamique historique qui le dépasse. Mais, dans la mesure où il s'est imposé au cours des trente dernières années comme le principal représentant politique et organisateur collectif des ressentiments sociaux, parvenant à leur donner un sens national/racial plutôt qu'anticapitaliste et de classe, il apparaît nécessaire d'analyser son discours et son action, son recrutement militant et son influence électorale.

Reste que focaliser l'attention sur le FN, c'est se condamner à ne rien comprendre aux forces souterraines qui sont les vecteurs de son ascension et qui renvoient en particulier à la crise du capitalisme néolibéral (particulièrement aiguë dans le cas de la France). Seule une analyse des transformations des rapports de classe et du champ politique, de l'État et de l'idéologie, peut rendre raison de ces forces. Et seule une dynamique d'appropriation populaire de la politique et de socialisation de l'économie pourrait permettre de surmonter cette crise dont ont resurgi les « monstres » et les « phénomènes morbides » qu'évoquait Gramsci, lui-même emprisonné par une dictature fasciste. Comme l'écrivait avec force l'un des fondateurs de l'École de Francfort, Max Horkheimer, « celui qui ne veut pas parler du *capitalisme* doit se taire à propos du *fascisme* ». Mais le capitalisme en tant que mode de production ne saurait être qu'un point de départ ; aller au-delà et produire une analyse concrète suppose d'appréhender la manière dont les rapports, les conflits et les luttes de classe inhérents au capitalisme se retraduisent, de manière déformée (et parfois méconnaissable), sous la forme de rapports, de conflits et de luttes politiques. Ce livre a donc pour objet central, non le Front national lui-même, mais la manière dont un danger fasciste – incarné par le FN – s'est engendré et renforcé à partir d'une certaine configuration politique du capitalisme français.

Cette configuration est le produit d'une série de dynamiques : le tournant néolibéral des politiques publiques ; le durcissement autoritaire de l'État ; le renforcement du nationalisme et du racisme ; la montée du Front national, devenu capable de structurer en grande partie l'agenda politique autour de ses obsessions (l'immigration, l'identité nationale, l'insécurité et l'islam) ; et enfin l'affaiblissement *politique* du prolétariat (forte baisse de son niveau d'organisation, notamment syndicale, désorientation idéologique, effondrement du mouvement communiste, conversion néolibérale du PS, etc.). La menace fasciste surgit de l'interaction entre ces différentes dynamiques, qui renvoient chacune à des logiques, des temporalités et des acteurs spécifiques tout en s'entretenant les unes les autres, dans un cercle vicieux dont il paraît actuellement impossible de s'extraire. L'accumulation des contre-réformes néolibérales engendre l'appauvrissement des classes populaires et la croissance des inégalités mais aussi, indirectement, la colère et la contestation. Or, pour y faire face, la classe dirigeante française a intensifié la répression visant les mouvements sociaux ainsi que les quartiers où se concentre la misère. Elle a aussi recouru à une démagogie nationaliste et raciste qui n'a cessé d'alimenter les succès électoraux de l'extrême droite. En retour, l'audience de cette dernière a justifié l'accentuation des politiques sécuritaires par les partis qui se succèdent au pouvoir, tout en favorisant et légitimant l'emploi d'une rhétorique qui cible les musulmans, les Rroms et les migrants, et qui vise à reconquérir les parts du gâteau électoral grignoté par l'extrême droite.

Précisons pour finir que cette étude portera spécifiquement sur la France. C'est en effet à l'échelle nationale que continuent à se cristalliser les rapports de force politiques mais aussi idéologiques et à se déployer l'essentiel des mouvements sociaux, malgré la mondialisation capitaliste et les formes d'intégration régionale (en particulier l'Union européenne) ; c'est donc à cette échelle que doit d'abord être saisi et décrit le danger néofasciste. Néanmoins, la menace s'exprime à une échelle bien plus vaste et s'affirme dans de nombreux pays, donnant lieu à des débats importants sur la caractérisation des forces en présence et la nature des transformations à l'œuvre.

L'accès au pouvoir de Donald Trump aux États-Unis[76], de la Lega en Italie ou de Narendra Modi en Inde[77], la politique menée par Viktor Orbán en Hongrie[78], la radicalisation de la droite israélienne[79], l'accélération autoritaire impulsée par Recep Tayyip Erdoğan en Turquie[80], ou encore l'offensive réactionnaire des droites brésilienne, argentine et vénézuélienne[81] : une telle accumulation signale que les conditions de développement de forces néofascistes ou de fascisation de forces existantes sont présentes dans de nombreuses sociétés. Mais elle indique plus profondément que les bourgeoisies, ou du moins des fractions conséquentes de celles-ci, sont disposées à recourir à des moyens de plus en plus autoritaires pour résoudre, sur le dos des classes populaires et des minorités, la crise de leur système économique[82].

---

76. Voir notamment J. Caplan, « Trump and Fascism. A view from the Past », 17 novembre 2016, http://www.historyworkshop.org.uk/trump-and-fascism-a-view-from-the-past/ ; R. O. Paxton, « Le régime de Trump est une ploutocratie », 6 mars 2017, http://www.lemonde.fr/idees/article/2017/03/06/robert-o-paxton-le-regime-de-trump-est-une-ploutocratie_5089711_3232.html ; G. Eley, « Is Trump a Fascist ? », 19 mars 2018, https://www.versobooks.com/blogs/3697-broadside-for-the-trump-era-is-trump-a-fascist ; D. Tanuro, *Le Moment Trump. Une nouvelle phase du capitalisme mondial*, Paris, Demopolis, 2018 ; E. Traverso, *Les Nouveaux Visages du fascisme*, *op. cit.*, p. 23-32.

77. Voir en particulier A. Ahmad, « India. Liberal democracy and the extreme right », *Socialist Register*, 2016, n° 52 ; K. Chandra, « Authoritarian India. The State of the World's Largest Democracy », *Foreign Affairs*, 16 juin 2016, https://www.foreignaffairs.com/articles/india/2016-06-16/authoritarian-india ; R. Desai, « Hindutva and Fascism », *Economic & Political Weekly*, 31 décembre 2016.

78. Voir notamment J. Rupnik, « La démocratie illibérale en Europe centrale », *Esprit*, 2017/6 ; G. M. Tamas, « This is post-fascism », *Arbetet*, 26 septembre 2015, https://arbetet. se/2015/09/26/gaspar-miklos-tamas-this-is-post-fascism/.

79. Voir par exemple D. Vidal, « La droite et l'extrême droite israéliennes en pleine radicalisation », *Mediapart*, 2 octobre 2017, https://blogs.mediapart.fr/dominique-vidal/blog/021017/la-droite-et-lextreme-droite-israeliennes-en-pleine-radicalisation.

80. Voir E. Öngün, « Turquie : une dérive autoritaire sans fin », *Contretemps*, 22 février 2017, https://www.contretemps.eu/turquie-erdogan-autoritarisme.

81. Voir A. Saad-Filho et A. Boito, « Brasil : the failure of the PT and the rise of the new right », *Socialist Register*, 2016, n° 52.

82. Voir notamment G. Achcar, *Le Choc des barbaries. Terrorismes et désordre mondial*, Paris, Syllepse, 2017 [2002], avec une préface inédite.

Du côté de l'extrême droite proprement dite, on a vu émerger et s'affirmer depuis une quinzaine d'années un sens commun néofasciste – un ensemble de pseudo-évidences partagées, non seulement par des forces politiques, mais bien au-delà. De ce point de vue, la présence au dernier congrès du Front national de Steve Bannon – ancien conseiller stratégique de Donald Trump et adepte du philosophe fasciste Julius Evola – ne révèle pas simplement une dynamique idéologique frontiste bien éloignée de ses dehors respectables. Elle témoigne également de circulations qui, si elles n'ont jamais cessé entre les extrêmes droites occidentales[83], incluent plus que jamais aujourd'hui les franges radicalisées des droites. Si ces forces sont à la fois partenaires et concurrentes, leur objectif est suffisamment clair et dangereux pour être pris au sérieux : la formation d'une nouvelle hégémonie.

---

83. Sous la forme de partage d'expériences et de réflexions stratégiques mais aussi de financements : le FN bénéficia ainsi à sa naissance d'importants subsides provenant de la principale organisation néofasciste italienne, le MSI. Voir V. Igounet, *Le Front national, op. cit.*

2

Une crise d'hégémonie

Les idéologues libéraux ont généralement pensé le fascisme comme un phénomène radicalement étranger à la modernité capitaliste, un virage irrationnel dans une marche linéaire vers le progrès. Le principal intellectuel libéral italien de la première moitié du XXe siècle, Benedetto Croce, dont il faut rappeler que, sénateur, il vota la confiance à Mussolini en 1924[1], fit ainsi du fascisme une parenthèse. Prenant le contre-pied de ce refoulement[2], le

1. Zeev Sternhell rappelle non seulement cet épisode mais également la justification qu'en donna Croce lui-même dans un article publié à l'époque, dans lequel il affirmait notamment – dans le contexte de l'assassinat par les fascistes du député socialiste Matteotti – qu'« il n'est pas dit [...] que l'avalanche des coups de poing ne soit, dans certains cas, utilement et opportunément administrée ». L'historien rappelle également combien « Croce n'a pas cessé de mener une âpre polémique de tous les jours contre la démocratie, la philosophie des Lumières, le droit naturel et les idéologies humanistes ». Voir Z. Sternhell, *Ni droite ni gauche. L'idéologie fasciste en France*, Paris, Gallimard, 2012 [1983], p. 25-29.

2. L'invention du concept de « totalitarisme » – qui avait le grand mérite pour les libéraux, particulièrement dans le contexte de la guerre froide, d'associer fascisme et « communisme » dans ce grand Autre de la « Démocratie » et des valeurs dites « occidentales » – a été un instrument de ce refoulement, puisqu'il traçait une frontière insubmersible entre d'un côté les « démocraties occidentales » ou « libérales », ou encore le « monde libre », et de l'autre le « totalitarisme » (fasciste ou « communiste »). Pour un retour sur les controverses autour du concept de « totalitarisme », voir E. Traverso, *Le Totalitarisme, op. cit.*

mouvement communiste et certains intellectuels marxistes ont parfois eu tendance à tordre le bâton dans l'autre sens, en décrivant les rapports entre capitalisme et fascisme selon une logique mécanique et simpliste : faisant face à la montée révolutionnaire des masses, les classes possédantes auraient été contraintes de faire appel au fascisme. Elles lui auraient confié la « mission » d'annihiler une fois pour toutes les mouvements d'émancipation et l'auraient autorisé pour ce faire à employer les moyens les plus brutaux, de ceux dont les bourgeoisies impérialistes n'avaient auparavant usé que dans le cadre des conquêtes coloniales[3].

Le patronat finançant et armant des bandes fascistes afin de briser ou de prévenir une insurrection populaire, voilà l'image d'Épinal à laquelle se réduit trop souvent la compréhension critique du fascisme. Dans cette vision, le fascisme n'est guère plus qu'un instrument du capital, dont la nature et la force propre se résumeraient à la fonction unique qui lui est assignée : écraser la gauche, le mouvement ouvrier et toute forme de contestation sociale. Incapable de se développer par ses propres moyens, ses premiers succès jusqu'à sa victoire finale ne pourraient s'expliquer que comme l'effet d'une conspiration bourgeoise. Se trouvent ainsi niés non seulement le dynamisme propre du fascisme et son autonomie relative, idéologique et politique, à l'égard des classes possédantes, mais aussi le danger fasciste contemporain. Si seule la pression d'une révolution imminente peut amener la classe dominante à recourir au fascisme, la faiblesse des forces

3. Il faut se souvenir des mots d'Aimé Césaire rappelant au « très distingué, très humaniste, très chrétien bourgeois du XXe siècle qu'il porte en lui un Hitler qui s'ignore, qu'Hitler *l'habite*, qu'Hitler est son *démon*, que s'il le vitupère, c'est par manque de logique, et qu'au fond, ce qu'il ne pardonne pas à Hitler, ce n'est pas le *crime* en soi, le *crime contre l'homme*, ce n'est pas *l'humiliation de l'homme en soi*, c'est le crime contre l'homme blanc, et d'avoir appliqué à l'Europe des procédés colonialistes dont ne relevaient jusqu'ici que les Arabes d'Algérie, les coolies de l'Inde et les nègres d'Afrique ». Voir A. Césaire, *Discours sur le colonialisme*, Paris, Présence Africaine, 2004 [1955], p. 13-14.

révolutionnaires aujourd'hui équivaudrait nécessairement à l'inexistence d'un péril fasciste.

Renvoyant tout aux besoins et à la volonté présumés de la bourgeoisie (sans considération d'ailleurs pour les clivages qui la structurent), ce récit réductionniste et économiciste est inadéquat pour saisir aussi bien les fascismes « classiques » que les forces d'extrême droite qui se développent dans les sociétés capitalistes contemporaines. Si le fascisme entretient effectivement des rapports étroits avec le capitalisme, contrairement au postulat libéral d'une affinité naturelle entre celui-ci et la démocratie, ce n'est pas au sens où le fascisme constituerait le simple produit d'une volonté maligne de la classe capitaliste. C'est avant tout comme expression d'une époque de décomposition du capitalisme, plus spécifiquement comme effet de sa vigueur économique déclinante, de l'intensification des concurrences entre puissances impérialistes, de l'affaiblissement des institutions politiques, de l'atomisation des populations, de la montée du racisme et de la xénophobie, et de l'aiguisement de la conflictualité sociale.

Cette décomposition, sur laquelle on reviendra plus loin, ne signifie ni que le capitalisme serait voué à succomber sous la seule pression de ses contradictions internes ni que le fascisme serait implacablement au bout du chemin. Elle crée néanmoins les conditions d'une crise aiguë et multiforme – économique, sociale, politique, idéologique, environnementale, etc. –, qui rend possible, dans certaines configurations politiques (nationales et régionales), ce qui, il y a quelques années, aurait semblé tout droit sorti d'une imagination apocalyptique. Ce que nous souhaitons examiner dans ce chapitre, c'est la forme spécifique prise par la crise politique dans le contexte du capitalisme français, qui présente cette particularité importante d'occuper une position déclinante au sein de l'économie-monde capitaliste. D'où la nécessité d'une analyse de la conjoncture politique en France et, en particulier, de la réorganisation du champ politique au cours des dix dernières années.

La thèse que nous défendrons ici est simple : c'est le triomphe du capitalisme dans les années 1980-1990, engageant une série de régressions sociales majeures, qui a permis la renaissance et l'enracinement de l'extrême droite[4] ; c'est sa crise qui met à nouveau, et sous des formes nouvelles, le fascisme à l'ordre du jour. Plus précisément, si une possibilité néofasciste existe dans la France contemporaine, c'est en premier lieu que – pour faire face à la crise du capitalisme initiée dès la fin des années 1960 – la classe dominante a opté pour des solutions néolibérales destructrices à partir de ces « années d'hiver » que furent les années 1980. Du moins le furent-elles pour les classes populaires, en particulier pour les immigrés et descendants d'immigrés postcoloniaux, ainsi que pour le mouvement ouvrier[5]. Ces politiques ont eu par ailleurs pour effet d'éroder les fondements matériels et idéologiques de l'hégémonie bourgeoise en décomposant les équilibres sociaux et politiques hérités de l'après-guerre. Le danger fasciste s'avère ainsi incompréhensible si on ne prend pas au sérieux ce que l'offensive néolibérale fait, depuis plus de trois décennies, à la société française.

Si le capitalisme n'engendre pas mécaniquement le fascisme, c'est que s'interposent non seulement des luttes sociales et politiques dont l'issue s'avère imprévisible, mais aussi un ensemble touffu d'institutions et d'organisations : « une chaîne solide de fortifications et de casemates » pour parler comme Gramsci. Afin de se reproduire en tant que système, le capitalisme n'a pas simplement besoin que s'accroisse à long terme la masse des profits réalisés par les capitalistes

4. Sous des formes très diverses selon les configurations politico-idéologiques propres à chaque pays et selon la place de chaque pays dans la division internationale du travail.

5. Voir F. Guattari, *Les Années d'hiver. 1980-1985*, Paris, Les Prairies ordinaires, 2009 [1992]. Voir également F. Cusset, *La Décennie*, Paris, La Découverte, 2008.

pris dans leur ensemble[6]. Il importe encore que soient obtenus la subordination effective des salariés – et l'imagination patronale s'avère particulièrement féconde, pour ne pas dire inépuisable, en la matière – et même leur consentement actif à un système qui, objectivement, exploite leur force de travail et aboutit à de monstrueuses inégalités. Or l'engagement des travailleurs dans le processus de production ne peut être conquis réellement et entretenu durablement par la seule coercition physique ni par une action, aussi habile et raffinée soit-elle, d'endoctrinement idéologique au service de l'accumulation du capital.

Il faut donc au capitalisme une série de médiations culturelles, idéologiques, politiques et institutionnelles pour assurer non seulement la coordination des intérêts parfois contradictoires des différentes fractions de la classe dominante, mais aussi la prise en compte, même limitée, des besoins et des aspirations des travailleurs salariés (ou du moins d'une majorité d'entre eux). C'est principalement à travers ce que Pierre Bourdieu avait nommé la « main gauche de l'État », c'est-à-dire l'ensemble des services publics d'éducation, de santé et du social, qu'ont été bâties ces médiations[7]. Un véritable travail d'intégration symbolique et matérielle a ainsi été réalisé par la bourgeoisie au cours du XXe siècle, sans lequel il lui aurait été impossible de construire un « bloc historique » (Gramsci), incorporant certains segments des classes subalternes – évidemment en position subordonnée – dans l'organisation et

6. Cela suppose que s'intensifie l'exploitation ou que s'étende la base, spatiale et/ou temporelle, sur laquelle les capitalistes extraient (ou volent, pour parler sans euphémisme) la survaleur produite par les travailleurs salariés.

7. On ne saurait voir ces médiations comme de simples ruses déployées par la bourgeoisie afin de tromper les travailleurs salariés en leur faisant méconnaître l'exploitation de leur force de travail et la nature de classe du pouvoir d'État. Ces médiations constituent aussi, de manière toujours contradictoire, le produit des luttes menées depuis plus de deux siècles par les classes populaires et un ensemble de conquêtes qui valident sur le plan institutionnel leur participation à la vie politique et sociale du pays – partiellement puisque cette « validation » ne saurait remettre en cause la domination capitaliste.

le fonctionnement de la machinerie capitaliste, et d'exercer ainsi sa domination aussi pacifiquement que possible. Lorsque ces médiations font défaut, ou lorsqu'elles sont mises à mal par des transformations politico-institutionnelles, s'ouvre alors une *crise d'hégémonie*. Celle-ci peut être durable et se muer dans certaines conjonctures très particulières en crise de régime, voire en crise de l'État lui-même, c'est-à-dire en crise révolutionnaire[8].

Or c'est bien à une telle « crise d'hégémonie prolongée[9] » qu'est confronté le capitalisme français, du fait de transformations souhaitées et engagées par la classe dirigeante française. En cherchant à imposer une nouvelle configuration – *néolibérale* – du capitalisme, celle-ci n'a pas seulement sapé les fondements du compromis social sur lequel s'appuyait l'accumulation capitaliste en France depuis l'après-guerre ; elle a aussi fortement ébranlé les structures établies du champ politique. Toutefois, le facteur décisif qui caractérise spécifiquement la France, et la distingue par exemple de la Grande-Bretagne ou de l'Allemagne, c'est la combativité manifestée par les classes subalternes, non simplement depuis la grève de l'hiver 1995, mais depuis le milieu des années 1980[10]. Suffisantes pour retar-

8. Sur la notion de crise révolutionnaire, qu'il faut distinguer fortement de celle de crise d'hégémonie, voir D. Bensaïd, « La notion de crise révolutionnaire chez Lénine », 1968, http://danielbensaid.org/La-notion-de-crise-revolutionnaire-chez-Lenine.

9. Voir S. Kouvélakis, « Une crise d'hégémonie prolongée », *Contretemps*, 2009, n° 1. Dès les années 1990, Alain Bihr avait analysé l'ascension du FN comme une expression de la crise d'hégémonie : *Le Spectre de l'extrême droite*, *op. cit.*

10. Stathis Kouvélakis montre en effet que les luttes étudiantes et dans les services publics de la séquence 1986-1988 ont eu un rôle crucial et structurant en faisant la jointure entre la séquence ouverte par Mai 68 et celle qui s'amorce à une échelle plus vaste à partir des grandes grèves de l'hiver 1995. Voir S. Kouvélakis, *La France en révolte*, Paris, Textuel, 2007. Sur ces questions de combativité des salariés, voir également S. Béroud, J.-M. Denis, G. Desage, B. Giraud et J. Pélisse, *La Lutte continue ? Les conflits du travail dans la France contemporaine*, Bellecombe-en-Bauge, Le Croquant, 2008. Sur les luttes de l'immigration et antiracistes en France des années 1970 aux années 2000, voir notamment la description qu'en propose Sadri Khiari : *La Contre-Révolution coloniale. De De Gaulle à Sarkozy*, Paris, La Fabrique, 2009.

der l'imposition intégrale de l'agenda néolibéral à la société française, les luttes de masse se sont révélées trop faibles pour ouvrir une voie au-delà du néolibéralisme, et encore moins – à ce stade en tout cas – pour constituer un véritable défi au capitalisme. Elles ont ainsi constitué un élément d'accentuation, plutôt que de résolution, de l'instabilité hégémonique en France.

Néolibéralisme triomphant, capitalisme pourrissant

Toute analyse de la situation politique doit prendre pour point de départ la situation du capitalisme lui-même. Près de dix ans après l'éclatement de la crise des « subprimes », qui a rapidement muté en crise financière généralisée puis en crise de la dette publique (à mesure que les États se soumettaient presque intégralement à la finance capitaliste[11]), le néolibéralisme paraît avoir triomphé sur toute la ligne, profitant de la crise pour approfondir son règne[12]. Pierre Dardot et Christian Laval affirment ainsi que « la crise de 2008 qui, dans l'esprit de beaucoup, aurait dû inaugurer une *modération postnéolibérale*, a permis une *radicalisation néolibérale*[13] ».

---

11. Sur la finance et les crises financières, voir notamment, parmi une bibliographie extrêmement riche : S. de Brunhoff, F. Chesnais, G. Dumesnil, M. Husson et D. Lévy, *La Finance capitaliste*, Paris, PUF, 2006 ; F. Lordon, *Jusqu'à quand ? Pour en finir avec les crises financières*, Paris, Raisons d'agir, 2008 ; C. Durand, *Le Capital fictif*, Paris, Les Prairies ordinaires, 2014 ; F. Chesnais, *Finance Capital Today*, Leiden/Boston, Haymarket Books, 2017.

12. Là encore, parmi de très nombreux travaux sur le néolibéralisme, qui optent pour des entrées différentes (plus ou moins centrées sur l'économie ou sur l'idéologie), voir D. Harvey, *Brève histoire du néolibéralisme*, Paris, Les Prairies ordinaires, 2014 ; P. Dardot et C. Laval, *La Nouvelle Raison du monde*, Paris, La Découverte, 2009 ; F. Denord, *Le Néo-Libéralisme à la française. Histoire d'une idéologie politique*, Marseille, Agone, 2016 ; F. Cusset, T. Labica et V. Rauline, *Imaginaires du néolibéralisme*, Paris, La Dispute, 2016.

13. P. Dardot et C. Laval, *Ce cauchemar qui n'en finit pas*, La Découverte, 2016, p. 25.

Sans même parler d'une alternative politique au néolibéralisme, qui n'est pas parvenue à émerger dans la période, aucune réforme de structure n'est ainsi venue contester sérieusement la toute-puissance de la finance capitaliste. En particulier, toute réglementation sérieuse de l'activité des acteurs financiers – banques d'investissement, fonds de pension, fonds souverains, etc. – a été systématiquement repoussée par les gouvernements, en particulier en France. Aux États-Unis, Donald Trump a entrepris de revenir sur les (modestes) régulations du secteur financier qu'avait introduites Barack Obama (*Dodd-Frank act*). Dans le cas français, la loi qui devait séparer les activités de dépôt et d'investissement, une réforme très modérée qui figurait dans le programme de François Hollande en 2012, est devenue une mesurette « à peine mieux que rien » selon le mot de Frédéric Lordon. Comme le rappelle ce dernier, « Frédéric Oudéa, le patron de la Société générale, [...] a fini par lâcher le morceau en avouant que la loi de "séparation" n'allait le séparer que de 1,5 % du total de ses activités[14] ».

Passé donc les frémissements, les larmes de crocodile et les promesses de « moralisation du capitalisme », c'est au contraire l'approfondissement de la cure néolibérale qu'ont imposé les gouvernements depuis une dizaine d'années. De réformes des retraites en réformes de « modernisation » des services publics[15], de loi Macron en loi El-Khomri puis en ordonnances Macron, ce sont toutes les conquêtes sociales des classes subalternes qui sont – de plus en plus explicitement – la cible des gouvernements : les services publics (privatisés, vendus à la découpe, libéralisés ou encore soumis au « nouveau management public », c'est-à-dire aux recettes managériales issues des entreprises privées) ; le code du travail (progressivement détruit dans sa capacité à protéger les salariés de l'arbitraire

14. Voir F. Lordon, « La régulation bancaire au pistolet à bouchon », http://blog.mondediplo.net/2013-02-18-La-regulation-bancaire-au-pistolet-a-bouchon.

15. Voir L. Bonelli et W. Pelletier, *L'État démantelé. Enquête sur une révolution silencieuse*, Paris, La Découverte, 2010.

patronal et à limiter un tant soit peu l'intensité de l'exploitation) ; la Sécurité sociale (dont les différentes branches sont consciencieusement affaiblies au profit des assurances privées et des complémentaires).

Le programme sarkozyste d'anéantissement du compromis social d'après-guerre fut critiqué par François Hollande lors de sa campagne présidentielle de 2012. Comme tant de candidats du PS avant lui, il s'agissait à l'évidence d'une pure manœuvre tactique, lui permettant de se constituer une clientèle électorale en profitant de la colère suscitée par les politiques menées par la droite de 2002 à 2012. Tant de fois cité pour pointer la trahison des promesses du candidat Hollande, le discours du Bourget avait précisément pour fonction de raviver minimalement l'espoir d'une « autre politique » en pointant l'inféodation des politiques publiques à la finance. En la matière, ce qui devrait surprendre n'est pas tant la taille de la ficelle, même si indéniablement celle-ci était grosse, mais qu'elle ait pu fonctionner une nouvelle fois, tant le Parti socialiste n'a cessé, depuis les années 1980, de décevoir les attentes placées en lui. La politique de transformation néolibérale a donc été poursuivie et même accélérée par F. Hollande, celui-ci cherchant à sanctuariser les profits des entreprises et à satisfaire les exigences patronales, de libéralisation du marché du travail en particulier. Abandonnant tout effort de pudeur dans le reniement, Michel Sapin – alors ministre des Finances – déclara d'ailleurs, seulement deux ans après l'élection de F. Hollande, « notre amie, c'est la finance[16] ».

À première vue du moins, la victoire d'Emmanuel Macron sonne comme un triomphe inattendu du néolibéralisme. Que l'ancien conseiller de F. Hollande, secrétaire général adjoint de l'Élysée devenu ministre de l'Économie et des Finances, ait pu échapper – quoiqu'en partie seulement – à l'hostilité générale entourant le PS, ne manque d'ailleurs pas de surprendre, tant

16. Voir « Sapin : "Notre amie c'est la finance : la bonne finance" », *AFP*, 6 juillet 2014.

il a été l'un des principaux inspirateurs et acteurs de la politique menée durant cinq ans. Ce triomphe s'avère pourtant fragile, pour des raisons qui ne tiennent pas simplement à l'épuisement politique du camp néolibéral (dont l'élection de Macron est paradoxalement un symptôme, comme on le verra plus loin), mais renvoient fondamentalement à l'affaissement, sur le temps long, de la capacité d'expansion du capitalisme. La crise de 2007-2008 s'affirme de ce point de vue comme une *crise des solutions néolibérales à la crise* qu'a connue le capitalisme il y a plus de quarante ans[17]. Les contre-réformes de structure préconisées et mises en œuvre par les néolibéraux depuis la fin des années 1970 n'ont pas relancé fortement et durablement le moteur du capitalisme. Elles ont différé l'éclatement de ses contradictions et préparé le terrain pour une crise d'une ampleur tout autre : celle de 2007-2008, dont l'économie mondiale n'est toujours pas véritablement sortie et pour laquelle les classes dirigeantes se retrouvent privées de solutions.

La croissance de l'économie capitaliste mondiale a considérablement ralenti au cours des cinquante dernières années. Selon les données de la Banque mondiale[18], elle s'établissait en moyenne aux alentours de 6 % dans les années 1960, à environ 4 % dans les années 1970, avant de diminuer à 3 % dans les années 1980, et de stagner depuis les années 1990 en dessous de 3 %[19]. En d'autres termes, ni la baisse des salaires dans le PIB mondial, ni la financiarisation des économies, ni la mondialisation des échanges (de capitaux et de marchandises), pas plus d'ailleurs que les nouvelles technologies ou

17. Nous reprenons ici l'expression utilisée par Michel Husson. Voir « La crise en perspective », *Inprecor*, n° 556-557, janvier 2010.

18. Voir http://donnees.banquemondiale.org/indicateur/NY.GDP.MKTP.KD.ZG?end=2015 & start = 1961.

19. Voir C. Durand et P. Légé, « Vers un retour de la question de l'état stationnaire ? Les analyses marxistes, postkeynésiennes et régulationnistes face à la crise », *in* A. Diemer et S. Dozolme (dir.), *Les Enseignements de la crise des* subprimes, Paris, Clément Juglar, 2011.

l'endettement croissant des ménages, n'ont permis d'impulser une nouvelle *onde longue expansive*[20]. Pire, pour la première fois depuis 1945, le PIB mondial a connu une baisse en 2009. Or la bonne santé économique et politique du capitalisme dépend en grande partie de sa capacité à faire croître sans cesse la production et à écouler les marchandises produites sur le marché. Cela suppose non seulement une demande solvable suffisante, condition difficilement réalisable quand la compression des salaires devient la loi suprême, mais aussi de révolutionner en permanence les techniques de production et d'ouvrir sans cesse de nouveaux champs à l'accumulation capitaliste[21].

À ces données de temps long, ajoutons que le capitalisme peine à retrouver sa respiration et semble même à bout de souffle depuis la crise financière de 2007-2008. Il est d'ailleurs placé sous assistance respiratoire par les Banques centrales, à coup de *quantitative easing*[22] et de taux d'intérêt nuls voire négatifs visant à stimuler l'investissement – sans résultat probant pour l'instant sinon celui d'alimenter la spéculation financière. Face à ce manque de dynamisme et en l'absence de rebond significatif (sans même parler des menaces persistantes de nouveaux krachs boursiers), certains économistes discutent l'hypothèse d'une *stagnation séculaire*, remise au jour par l'ancien secrétaire d'État au Trésor états-unien, Lawrence Summers, en 2013[23]. D'après ce dernier, qu'on ne saurait soupçonner de sympathies pour la théorie marxiste, seul un nouvel interventionnisme d'État pourrait permettre au capitalisme de

20. Voir E. Mandel, *Les Ondes longues du développement capitaliste. Une interprétation marxiste*, Paris, Syllepse, 2014.

21. Voir D. Harvey, *The Limits to Capital*, Londres, Verso, 2007 [1982].

22. Il s'agit d'une politique monétaire consistant pour une Banque centrale à acheter massivement des titres de dette à des acteurs financiers, donc à injecter des liquidités pour inciter les banques à accorder des crédits et relancer ainsi l'activité.

23. Cédric Durand revient sur cet épisode et discute cette thèse dans cet article : « L'économie à l'ère de la grande stagnation. Quand les capitalistes ne croient plus au capitalisme », *Revue du Crieur*, 2016, n° 5.

sortir du marécage dans lequel il se trouve englué. Il s'agirait notamment de stimuler la demande solvable, de réduire drastiquement les inégalités, d'investir dans les infrastructures et d'engager la lutte contre le changement climatique.

D'autres vont plus loin en affirmant que le capitalisme n'a aucune chance d'être sauvé par des politiques économiques mieux ajustées car il est en passe de rencontrer des « limites infranchissables[24] ». Loin de se réduire à de simples données extérieures, ces limites lui seraient immanentes, associées à la fois à l'extension de l'automatisation et au réchauffement climatique, qui menace la survie même de l'humanité et dont la responsabilité revient, non pas à « l'homme » en général, mais au capital et à la manière dont celui-ci a réorganisé intégralement la nature (« capitalocène »)[25]. La fin du capitalisme est également pronostiquée par l'historien des systèmes-monde Immanuel Wallerstein et le sociologue Randall Collins. Le premier avance que le capitalisme ne pourra faire face aux coûts sociaux et environnementaux qu'il a lui-même engendrés, tandis que le second fait de l'explosion prévisible du chômage technologique, voué à affecter des fractions de plus en plus larges de la population, la cause principale d'une crise que le capitalisme sera incapable de surmonter[26].

En tout état de cause, le capitalisme mondial paraît s'enfoncer dans l'impasse d'une crise sans fin. La raison ne tient pas aux soubresauts passagers dérivant du mimétisme irrationnel des marchés financiers, ou d'un simple défaut de régulation

---

24. Voir F. Chesnais, *Finance Capital Today*, *op. cit.*

25. Voir J. Moore, *Capitalism in the Web of Life. Ecology and the Accumulation of Capital*, Londres, Verso, 2015. Pour une réflexion stratégique et programmatique sur la « catastrophe silencieuse en marche », voir D. Tanuro, « Face à l'urgence écologique : projet de société, programme et écologie », *Contretemps*, 25 septembre 2015, https://www.contretemps.eu/face-a-lurgence-ecologique-projet-de-societe-programme-et-ecologie/.

26. I. Wallerstein, R. Collins, M. Mann, G. Derluguian et C. Calhoun, *Le capitalisme a-t-il un avenir ?*, Paris, La Découverte, 2016.

voire de la folie criminelle d'escrocs sans scrupules[27], mais au régime néolibéral d'accumulation, lui-même mis en place précisément pour répondre à la crise du précédent régime d'accumulation dit « fordiste »[28]. Le déclin du capitalisme n'équivaut pourtant en rien à une quelconque voie royale vers l'émancipation, ne serait-ce que pour des raisons de temporalités discordantes : la temporalité des limites du capitalisme n'est celle ni de la finance, ni du champ politique. Comme l'écrit Cédric Durand, ce « blocage structurel de la dynamique capitaliste » pourrait donc engendrer un basculement « vers un postcapitalisme stagnant, toujours dominé par les échanges marchands, mais où des formes pleinement autoritaires s'imposeraient pour contenir l'intensification des frustrations socioéconomiques »[29].

Encore faut-il spécifier ce constat au niveau national car, si le capitalisme est un système mondial, il demeure hautement différencié par des dynamiques de développement inégal. Claude Serfati a montré de manière convaincante que, si la France demeure « une grande puissance financiaro-rentière » et « un des grands pays exportateurs » (dans des secteurs comme l'aéronautique, les télécoms, le nucléaire ou les armes), le capitalisme français est bien en déclin. En effet, sa spécialisation – liée au rôle central de l'État – l'a rendu mal armé pour répondre à l'accroissement de la demande dans des

27. Les condamnations « exemplaires » de Kerviel et *a fortiori* de Madoff ont ainsi constitué d'utiles contre-feux et un bon moyen de rendre crédible le récit moraliste de la crise économique et de sa genèse, que tous les gouvernements ont adopté au moment de son éclatement, promettant de « moraliser la finance ». Face à ces tentatives de dissimuler la question des structures économiques et sociales derrière une prétendue question morale, et de reporter ainsi la responsabilité de la crise économique sur quelques brebis galeuses dûment diabolisées, il faut rappeler que le diable loge au cœur du système, dans sa logique même – d'exploitation et de dépossession.

28. Sur le régime d'accumulation néolibérale, voir notamment M. Husson, *Un pur capitalisme*, Genève, Page-deux, 2008. Sur sa crise, Voir I. Johsua, *La Grande Crise du XXIe siècle. Une analyse marxiste*, Paris, La Découverte, 2009.

29. C. Durand, « L'économie à l'ère de la grande stagnation », *loc. cit.*, p. 16.

secteurs en forte expansion au niveau mondial (biens d'équipement industriels et biens de consommation destinés aux classes moyennes)[30]. Cédric Durand met quant à lui l'accent sur la désynchronisation des capitalismes français et allemand, liée notamment aux conditions de la création de l'euro[31]. La France apparaît ainsi comme une puissance dominante-dominée – dominante vis-à-vis des pays du Sud mais dominée par l'Allemagne, nouvel *hegemon* en Europe –, ce qui n'est pas sans favoriser un cocktail très dangereux politiquement : un sentiment de puissance – lié à son histoire impériale mais aussi à la persistance de sa puissance militaro-financière et de l'emprise sur son ancien pré-carré colonial – mêlé à une peur, non infondée, du déclin.

Offensive néolibérale et polarisation de classe

Qu'une institution comme le FMI s'inquiète depuis quelques années de la croissance des inégalités de richesse au niveau mondial[32] ne manque pas de surprendre, mais démontre sans nul doute qu'un seuil a été franchi dans l'injustice sociale. Au sein même d'une des institutions qui, depuis les années 1980, ont œuvré aussi constamment que brutalement en faveur de contre-réformes néolibérales, on s'inter-

30. Voir « L'insertion du capitalisme français dans l'économie mondiale », *La Brèche/Carré rouge*, avril 2008, http://labreche.org/wp-content/uploads/2011/04/Rev02_France.pdf. On trouvera également des données empiriques appuyant la thèse d'un capitalisme français en crise structurelle, ainsi qu'une interprétation de cette crise, dans le premier chapitre du dernier ouvrage de Bruno Amable : *Structural Crisis and Institutional Change in Modern Capitalism. French Capitalism in Transition*, Oxford, Oxford University Press, 2017.

31. Voir C. Durand, « Introduction : qu'est-ce que l'Europe ? », *in* C. Durand, *En finir avec l'Europe*, Paris, La Fabrique, 2013.

32. Voir « Le FMI s'inquiète que 0,5 % de la population détienne plus de 35 % des richesses », *Le Monde*, 15 mai 2013, http://www.lemonde.fr/economie/article/2013/05/15/le-fmi-s-inquiete-que-0-5-de-la-population-detienne-plus-de-35-des-richesses_3238419_3234.html.

roge (tardivement) sur la viabilité d'un régime d'accumulation engendrant une telle polarisation sociale. Qui l'aurait cru il y a seulement dix ans ?

En 2013, l'organisation internationale prétendait ainsi – par la voix de sa directrice générale Christine Lagarde – que « l'aggravation des inégalités de revenus est une préoccupation croissante des dirigeants politiques à travers le globe ». Elle esquissait même une explication de cette tendance par la propension des gouvernements à réduire les aides sociales et à diminuer l'imposition des plus riches. Et interprétait la vague de soulèvements révolutionnaires dans le monde arabe et le mouvement Occupy comme une expression de l'explosion des inégalités. Voilà donc une ancienne ministre de l'Économie du gouvernement de Nicolas Sarkozy, chargée de formuler de telles inquiétudes au nom d'une institution qui n'a jamais ménagé sa peine pour imposer aux peuples du Sud global, mais aussi à la Grèce et au Portugal dans la période récente, des politiques dévastatrices pour les plus pauvres et réjouissantes pour le capital[33].

Il est vrai que le niveau atteint par les inégalités de richesse est devenu si obscène qu'il est difficile pour les responsables politiques nationaux et les dirigeants des organisations internationales d'en nier l'évidence. Selon le rapport annuel de l'ONG Oxfam de 2017[34], les huit hommes les plus riches du monde posséderaient à présent autant que la moitié de l'humanité, autrement dit 3,6 milliards d'êtres humains ; le précédent rapport avançait en outre que le patrimoine des 1 % les plus riches au niveau mondial excéderait celui des 99 % restants. Un rapport récent a également montré que ces inégalités sont

---

33. Évidemment, les grandes déclarations ne coûtent pas grand-chose et elles ont pour fonction de dissimuler la responsabilité écrasante du FMI, de la Banque mondiale et des gouvernements des pays riches. Reste qu'elles signalent un tournant dans l'esprit du temps et laissent entrevoir un espace idéologique où mener bataille pour l'hégémonie.

34. Le rapport est disponible ici en français : https://www.oxfam.org/fr/rapports/une-economie-au-service-des-99.

clairement croissantes, les 1 % les plus riches accaparant 27 % du cumul de la croissance mondiale depuis le début des années 1980 contre seulement 12 % pour les 50 % les plus pauvres[35]. Ces chiffres fournissent une illustration saisissante des effets immanquablement produits par les politiques néolibérales depuis près de quarante ans. Cela témoigne aussi du défi posé aux gouvernements ainsi qu'aux institutions internationales pour continuer à justifier la mise en œuvre – et même la radicalisation – de telles politiques.

L'augmentation des inégalités est également à l'œuvre en France, même si elle se trouve amortie par des mécanismes de redistribution issus des conquêtes de l'après-guerre et des années 1970. Thomas Piketty estime que les 10 % les plus riches posséderaient à présent en France environ 60 % de la richesse nationale[36]. L'économiste précise d'ailleurs que ce chiffre est sans doute sous-estimé en raison de la difficulté à évaluer le patrimoine des familles les plus riches – du fait des stratégies de dissimulation, plus ou moins légales, largement mises en œuvre dans ces milieux[37]. Concernant les revenus, l'Observatoire des inégalités constate que, « en onze ans [entre 2003 et 2014], le niveau de vie mensuel moyen des plus riches a progressé de près de 272 euros quand celui des plus pauvres a diminué de 31 euros (après inflation) ». En particulier, « l'écart entre le niveau de vie mensuel moyen des 10 % les plus riches et celui des 10 % les plus pauvres s'est fortement accru entre 2003 et 2011, du fait de la hausse des revenus des plus riches. De 3 700 euros par mois en 2003, l'écart est passé à 4 400 euros en 2011[38] ».

---

35. Voir F. Alvaredo, L. Chancel, T. Piketty, E. Saez et G. Zucman, *Rapport sur les inégalités mondiales*, Paris, Seuil, 2018.

36. Voir T. Piketty, « Repenser l'impôt sur le patrimoine », http://piketty.blog.lemonde.fr/2016/06/14/repenser-limpot-sur-le-patrimoine/.

37. Voir A. Spire, *Faibles et puissants face à l'impôt*, Paris, Raisons d'agir, 2012 ; M. Pinçon et M. Pinçon-Charlot, *Tentative d'évasion (fiscale)*, Paris, Zones, 2015.

38. Voir « Les écarts de revenus entre les plus pauvres et les plus riches continuent d'augmenter », http://www.inegalites.fr/spip.php?page=article & id_article = 632 & id_groupe = 9 & id_mot = 130 & id_rubrique = 1.

Avant la crise de 2007-2008, l'augmentation des inégalités procédait par stagnation des revenus de la majorité des salariés tandis que ceux des plus riches augmentaient rapidement. À partir de 2008, on assiste à une baisse absolue des revenus du côté des 50 % les plus pauvres. Pour ne prendre que les déciles aux extrémités, entre 2008 et 2011, les 10 % les plus pauvres ont perdu 360 euros par an quand les 10 % les plus riches voyaient leur revenu annuel moyen augmenter de 1 795 euros (après impôts et prestations). Cette tendance inégalitaire devient évidemment de plus en plus nette à mesure que l'on va vers les 1 % les plus riches et *a fortiori* les 0,1 % ou les 0,01 %. Selon l'INSEE, les revenus des 0,01 % ont ainsi progressé de 243 000 euros entre 2004 et 2011, contre 48 400 euros pour les 0,1 %, 9 800 euros pour les 1 % et « seulement » 2 600 euros pour les 10 % les plus riches[39]. Les inégalités ne s'accroissent pas simplement entre bourgeois et prolétaires, propriétaires de capital et salariés, 1 % et 99 % : les cadres et professions intellectuelles supérieures – catégorie composée très majoritairement de salariés mais, il est vrai, hautement hétérogène[40] – ont ainsi vu leurs revenus augmenter de 1 030 euros entre 2008 et 2011, quand dans le même temps les ouvriers et employés perdaient respectivement 231 et 493 euros[41]. Si l'on pourrait démontrer que l'intérêt fondamental des cadres, du moins des cadres non dirigeants,

39. Voir « Les très hauts revenus s'envolent », 3 juillet 2014, http://www.observationsociete.fr/revenus/inegalites-revenus/les-tres-hauts-revenus-senvolent.html.

40. Sur les cadres, voir notamment P. Bouffartigue (dir.), *Cadres. La grande rupture*, Paris, La Découverte, 2001 ; G. Flocco, *Des dominants très dominés. Pourquoi les cadres acceptent leur servitude*, Paris, Raisons d'agir, 2015.

41. Pour ne pas trop allonger la démonstration, on a choisi d'approcher ici les inégalités sous le seul angle des inégalités de patrimoine et de revenus, ce qui donne nécessairement une idée appauvrie de ce qui se joue depuis trente ans. Comme l'ont en effet bien montré Alain Bihr et Rolland Pfefferkorn, les inégalités font système et se prêtent donc à des dynamiques cumulatives (à la hausse mais aussi, potentiellement, à la baisse) ; d'où la nécessité de prendre au sérieux les interactions entre inégalités économiques – de patrimoine et de revenus – et inégalités devant l'instruction, la santé, le logement, l'environnement, le

tient dans la défense des intérêts du salariat (dont ils font partie), il y a bien des bases matérielles au soutien d'une frange importante des cadres au macronisme, qui satisfait les intérêts immédiats d'au moins une partie d'entre eux[42].

Comme l'a mis en évidence David Harvey[43], le néolibéralisme constitue un *projet de classe* visant à restaurer le pouvoir du capital et les revenus des propriétaires, après les secousses des années 1970 liées à l'intensité des luttes menées par les travailleurs salariés dans de nombreux pays. Mais la mise en œuvre de ce projet stratégique – qu'on ne doit pas confondre, même s'il lui est évidemment lié, avec la doctrine néolibérale (dont l'origine remonte à l'entre-deux-guerres) – n'a donc pas eu seulement pour effet une telle restauration et l'accroissement concomitant des inégalités entre les hyper-riches et le reste des populations. Elle a également engendré une augmentation des inégalités parmi les 99 %, une segmentation du marché du travail[44] et une différenciation accrue du salariat[45]. Si les 99 % ne constituent pas

---

champ politique, etc. Sur ce point, voir les travaux de A. Bihr et R. Pfefferkorn, notamment *Le Système des inégalités*, Paris, La Découverte, 2009.

42. Une étude récente a montré que 47 % des cadres du privé s'estimaient satisfaits de l'action d'Emmanuel Macron contre seulement 21 % des ouvriers non qualifiés. Voir L. Rouban, « Qui est satisfait d'Emmanuel Macron ? », *The Conversation*, 15 mai 2018, https://theconversation. com/qui-est-satisfait-demmanuel-macron-96602.

43. Voir « Le néolibéralisme comme "projet de classe". Entretien avec David Harvey », *Contretemps*, mars 2013, https://www.contretemps.eu/le-neoliberalisme-comme-projet-de-classe-entretien-avec-david-harvey.

44. Pour des travaux récents sur cette question, voir T. Amossé, C. Perraudin et H. Petit, « Mobilité et segmentation du marché du travail : quel parcours professionnel après avoir perdu ou quitté son emploi ? », *Économie et statistiques*, 2011, n° 450 ; C. Picart, « Trois segments pour mieux décrire le marché du travail », *Insee Références*, édition 2017.

45. Cette segmentation traverse les classes populaires mais ne paraît pas s'être accentuée au cours des deux dernières décennies. Au contraire, certaines études montrent qu'avec l'extension de la précarité à des franges croissantes des mondes populaires et l'accroissement des mobilités (ascendantes et descendantes) internes au salariat subalterne, elle tend plutôt à régresser. Voir ainsi S. Béroud, P. Bouffartigue, H. Eckert et D. Merklen, *En quête des classes populaires. Un essai politique*, Paris, La Dispute, 2016. On notera néanmoins que les données

le support possible d'une mobilisation sociale et politique contre l'indécente rapacité des 1 %, ce n'est pas simplement en raison d'une « servitude volontaire » ; c'est d'abord qu'ils ne constituent nullement un ensemble homogène. Des cadres supérieurs aux classes populaires (ouvriers et employés au sens de l'INSEE), ni les conditions de travail ni les revenus ne sont équivalents, sans même parler des positions de pouvoir occupées par une partie de premiers, qui font souvent d'eux des alliés fidèles des 1 %.

Bruno Amable et Stefano Palombarini rappellent en effet que le néolibéralisme n'a pu s'imposer, politiquement et socialement, que par « une segmentation croissante, mais variable selon les pays, entre le cœur et la périphérie de la main-d'œuvre[46] ». Les thuriféraires de la libéralisation du marché du travail ont beau jeu de s'insurger contre les prétendus « privilèges » dont bénéficieraient certaines catégories de salariés (dits *insiders*). En réalité, ce sont les politiques néolibérales qui, en imposant la précarité à certaines franges du salariat, ont transformé en « privilèges » de quelques-uns ce qui, antérieurement, relevait de droits fondamentaux pour l'ensemble des salariés. On ne saurait dire jusqu'où peut aller la généralisation de la précarité. Celle-ci dépend non seulement des besoins patronaux en main-d'œuvre qualifiée et stable, mais aussi de la capacité des salariés à opposer une résistance efficace au délitement de leurs droits.

Certaines catégories de travailleurs pouvant être brusquement soumises à la précarité, la frontière entre stables et

disponibles ne permettent guère de tester empiriquement l'hypothèse d'une segmentation ethno-raciale accrue des classes populaires, rendue vraisemblable en raison notamment du développement puis de l'installation du chômage de masse, dont on sait qu'il affecte de manière disproportionnée les immigrés et descendants d'immigrés postcoloniaux. Sur ce point, voir M. Safi, *Les Inégalités ethno-raciales*, Paris, La Découverte, 2013.

46. B. Amable et S. Palombarini, *L'Illusion du bloc bourgeois. Alliances sociales et avenir du modèle français*, Paris, Raisons d'agir, 2017, p. 101-106.

précaires est devenue de plus en plus mouvante. Elle est pourtant bien présente et produit des effets très profonds – matériels et symboliques – de segmentation du salariat, d'autant plus qu'elle recoupe en partie les divisions de genre et ethno-raciales. Les salariés ne sont en effet pas tous devenus précaires : les classes populaires, et en leur sein les femmes, les non-Blancs et les moins diplômés, subissent bien plus fréquemment que les autres les situations de sous-emploi, d'instabilité, de temps partiel subi et de bas salaires, qui se sont généralisées dans le monde du travail[47]. Or cette précarité sélective a un double effet, positif du point de vue des classes dominantes : elle rend à l'évidence très difficile aux précaires de s'organiser collectivement, tant leur quotidien est dominé par l'insécurité sociale[48], mais elle discipline également les stables, en suscitant chez eux une peur du déclassement.

L'aiguisement de l'antagonisme de classe mais aussi des clivages internes au salariat est pour beaucoup dans la montée d'un danger fasciste. Produit inévitable des politiques patronales et gouvernementales, cet aiguisement a en effet sapé les conditions d'un soutien actif de la majorité de la population aux partis ayant gouverné la France depuis les années 1980 et généralement considérés, *à juste titre*, comme responsables de la situation présente. Mais les politiques néolibérales, parce qu'elles ont ce faisant accentué la concurrence entre salariés et écrasé en partie les formes établies de solidarité collective, empêchent pour l'instant que la désaffection généralisée envers les partis dominants se mue en opposition collective à la classe dont ces par-

---

47. Ces inégalités sont généralement dissimulées par la mise en avant et l'exploitation, à des fins purement idéologiques, des cas d'enfants d'ouvriers, de femmes ou de non-Blancs parvenant à des positions d'artistes ou de sportifs reconnus, mais aussi de cadres supérieurs, d'élus ou de dirigeants d'entreprise.

48. Voir notamment R. Castel, *L'Insécurité sociale. Qu'est-ce qu'être protégé ?*, Paris, Seuil, 2003 ; S. Paugam, *Le Salarié de la précarité*, Paris, PUF, 2000.

tis servent obstinément les intérêts. Elles l'orientent au contraire vers le ressentiment et la nostalgie d'une unité imaginaire, qui disposent davantage au désespoir qu'à la révolte, à la suspicion vis-à-vis des minorités qu'aux solidarités antiracistes, et se prêtent donc aisément à toutes les récupérations d'extrême droite, qui visent à faire de ce ressentiment, de ce désespoir et de cette suspicion une force active ou, du moins, à les instrumentaliser électoralement pour parvenir au pouvoir.

Décomposition et reconfiguration du champ politique

Pour les raisons que l'on vient d'indiquer, il était sans doute inéluctable, à terme, que s'effondrent électoralement les grands appareils ayant dominé la vie politique en France depuis près de quarante ans. Si LR a mieux résisté que le PS lors de la récente élection présidentielle, ce n'est pas simplement que François Fillon a pu bénéficier des avantages de se trouver dans l'opposition. C'est que la pratique gouvernementale de la droite est beaucoup moins éloignée de ses discours de campagne et qu'au pouvoir elle continue de satisfaire une frange significative de l'électorat qui lui est largement acquise (patrons, cadres du privé, professions libérales, petits indépendants).

À l'opposé, la déroute du PS traduit trente-cinq ans de promesses trahies et d'attaques inassumées contre les conquêtes de la gauche et du mouvement ouvrier. Ces trahisons et ces attaques lui ont donc logiquement aliéné l'électorat qui avait massivement voté pour François Mitterrand en 1981 (ouvriers et employés, travailleurs du secteur public, professions intellectuelles) : incapable de convertir la base électorale traditionnelle de la gauche aux vertus d'un néolibéralisme très vaguement teinté de « social », le PS n'est pas parvenu à rejouer avec succès la sérénade des lendemains qui chantent à cet électorat désabusé. Ce n'est d'ailleurs pas faute d'avoir essayé, la campagne de Benoît Hamon ayant constitué une tentative désespérée de réorienter à gauche le PS (ambition à laquelle l'ancien candidat a lui-même renoncé depuis).

On doit noter au passage que les contre-réformes néolibérales les plus fondamentales imposées depuis les années 1980 – déréglementation des marchés financiers, libre circulation des capitaux et des marchandises, flexibilisation du marché du travail, etc. – l'ont été par le PS[49]. Plus que la droite, il était en effet en position de gagner l'adhésion, ou du moins d'obtenir la passivité, de certaines directions syndicales et de diviser ainsi le mouvement social. Du point de vue du Medef, Lionel Jospin et François Hollande – pour ne citer qu'eux – ont ainsi réussi là où Alain Juppé et Nicolas Sarkozy ont partiellement échoué. Le premier est parvenu à imposer non seulement bien davantage de privatisations que les gouvernements de droite avant lui, mais aussi la flexibilisation/annualisation du temps de travail que réclamait le patronat (loi Aubry 2). Quant au second, il a porté l'Accord national interprofessionnel[50], puis les lois Macron et El-Khomri[51], qui constituent un véritable point de rupture. Ces derniers impliquent en effet une réorganisation complète du droit du travail et modifient structurellement le rapport de forces en faveur du patronat, notamment par la décentralisation au niveau de l'entreprise de la négociation collective.

Au nom de la « compétitivité » du capitalisme français et du « nécessaire rétablissement des marges des entreprises »,

---

49. Sur le rôle crucial des socialistes français, y compris au niveau international (*via* notamment Jacques Delors et Pascal Lamy), voir notamment S. Halimi, *Le Grand Bond en arrière*, Marseille, Agone, 2012 [2004] ; R. Abdelal, *Capital Rules. The Construction of Global Finance*, Cambridge, Harvard University Press, 2007.

50. Voir L. Garrouste, « Accord national interprofessionnel : vers un régime néolibéral du travail ? », *Contretemps*, 19 février 2013, https://www.contretemps.eu/accord-national-interprofessionnel-vers-un-regime-neoliberal-du-travail.

51. G. d'Amicelli, P. Khalfa et W. Pelletier, *Un président ne devrait pas faire ça ! Inventaire d'un quinquennat de droite*, Paris, Syllepse, 2017.

F. Hollande, M. Valls et E. Macron se sont dévoués corps et âme aux intérêts patronaux pendant cinq ans. Pour appliquer la feuille de route néolibérale, ils n'ont d'ailleurs pas hésité à entraîner le PS vers une déroute électorale aussi prévisible qu'historique, en le ramenant au rang de supplétif d'une politique jamais discutée dans les instances du parti. Embourgeoisé, dépolitisé et bureaucratisé[52], le PS s'est montré incapable durant tout le quinquennat de faire entendre une voix propre.

On ne peut guère reprocher à F. Hollande d'avoir péché par électoralisme, tant la débâcle du PS aux élections présidentielles était annoncée par une série de signes avant-coureurs : les élections toutes perdues entre 2012 et 2017, l'impossibilité pour le PS d'organiser un quelconque événement public sans qu'il soit menacé par une contestation d'ampleur (y compris sa traditionnelle université d'été en 2016), et évidemment sa propre impopularité. Celle-ci a atteint de tels sommets que, pour la première fois dans l'histoire de la Ve République, un président sortant a dû renoncer à se présenter à nouveau et s'est vu contraint de passer la main, non à son Premier ministre ni même à une figure moins compromise de son parti, mais à un ancien banquier d'affaires reconverti dans les affaires politiques, à savoir Emmanuel Macron[53]. C'est à ce prix – la liquidation du PS au profit d'une nouvelle organisation (En Marche), dont les prétentions à la rupture ne résisteront pas à l'épreuve du pouvoir tant elle ne fait que recycler de vieilles idées (et des politiciens rassis) – qu'il est permis au patronat d'espérer, non simplement le maintien de ce qui

52. Voir R. Lefebvre, « "Dépassement" ou effacement du Parti socialiste (2012-2017) ? », *Mouvements*, n° 89, 2017. Voir également R. Lefebvre et F. Sawicki, *La Société des socialistes. Le PS aujourd'hui*, Bellecombe-en-Bauge, Le Croquant, 2006.

53. Voir F. Denord et P. Lagneau-Ymonnet, « Les vieux habits de l'homme neuf », *Le Monde diplomatique*, mars 2017 ; C. Georgiou, « La candidature de Macron et la recomposition politique à l'œuvre », *Contretemps*, 14 mars 2017, https://www.contretemps.eu/candidature-macron-recomposition-politique.

est, mais l'amplification de la refonte néolibérale du modèle social français.

La décrépitude du PS signe la fin d'un long processus de décomposition qui a affecté, inégalement il est vrai, tous les partis de centre gauche en Europe. En effet, toutes ces organisations se sont converties au néolibéralisme – à des rythmes divers et à des degrés inégaux[54]. L'épuisement de l'onde longue expansive d'après-guerre a limité drastiquement les marges de manœuvre dont disposaient auparavant les gouvernements pour mener, dans le cadre du capitalisme, des politiques favorables à certaines franges du salariat. La stagnation du capitalisme, depuis sa crise amorcée au début des années 1970, a ainsi élevé le coût politique de telles mesures, antérieurement mises en œuvre y compris par des gouvernements de droite. Ainsi, la politique consistant à servir le patronat tout en accordant des concessions aux salariés, plus ou moins amples selon la combativité manifestée par ces derniers, est devenue de plus en plus impraticable.

Entre conduire l'offensive néolibérale et opérer la « rupture avec le capitalisme » (pour laquelle plaidait vigoureusement F. Mitterrand lors du congrès d'Épinay en 1971,

---

54. On ne saurait dès lors expliquer la transformation du PS français par des facteurs nationaux, voire purement internes à ce parti, comme le font Bruno Amable et Stefano Palombarini en invoquant la victoire idéologico-politique de la deuxième gauche. Cela ne fait que repousser un peu plus loin l'explication : comment expliquer cette victoire alors même que, comme le notent les auteurs, les positions défendues par la « deuxième gauche » n'étaient portées que par un tiers des membres du PS au congrès de Metz en 1979 et que ses représentants les plus éminents n'occupaient pas les postes clés en 1981 ? Si F. Mitterrand en est venu à adopter les politiques d'austérité néolibérale alors prônées par un J. Delors minoritaire, ce n'est pas par la seule force de conviction de ce dernier ni parce que F. Mitterrand méditait depuis fort longtemps une trahison des promesses formulées une douzaine d'années auparavant à Épinay, mais parce que refuser ces politiques aurait abouti – en raison de la situation nouvelle du capitalisme, confronté à une crise structurelle – non au retour à des politiques keynésiennes classiques dans un cadre capitaliste stable, mais à une confrontation avec le capital, français et international, que ni F. Mitterrand ni le PS n'étaient prêts à assumer.

l'associant organiquement à l'identité socialiste), les partis de centre gauche ont dû choisir. Et, contrairement à ce que n'ont cessé d'ânonner tant d'éditorialistes aussi myopes qu'oublieux (reprochant à la gauche française son prétendu « archéo-marxisme »), le PS fut parmi les plus prompts à tourner casaque et à se convaincre des vertus du marché et de la finance mondialisée[55] : dès 1983 et le « tournant de la rigueur », son choix était fait et il ne fut jamais contesté ensuite par les principaux dirigeants du parti[56].

Le camp néolibéral se sent aujourd'hui suffisamment sûr de lui pour ne plus prendre la précaution de se présenter sous les dehors purement rhétoriques d'une dénonciation (de gauche) de la finance ou d'une critique (de droite) de la « fracture sociale ». Cette arrogance, parfaitement incarnée par la figure d'Emmanuel Macron, n'est pas un simple effet de la déstructuration sociale produite par les politiques néolibérales. Elle dérive du travail proprement idéologique, accompli notamment par N. Sarkozy, qui a déporté le champ politique à droite en le reconfigurant autour d'un consensus sécuritaire et islamophobe[57]. Si E. Macron n'a guère joué sur cette corde durant la campagne présidentielle, il a très certainement profité de ce glissement qui n'a cessé d'affaiblir la gauche, trop divisée sur ces questions pour unifier les classes populaires autour d'un projet antinéolibéral et antiraciste conséquent. Il n'a d'ailleurs pas manqué, dès que les effets de ses politiques

---

55. R. Abdelal, *Capital Rules, op. cit.*

56. Au contraire, la nouvelle déclaration de principes du PS l'a gravé dans le marbre une fois pour toutes en 2008, en célébrant le capitalisme, pudiquement rebaptisé « économie sociale et écologique de marché », tout en expurgeant les références aux « classes » et surtout à leurs luttes – devenues embarrassantes pour un parti aujourd'hui à mille lieues de celui fondé par Jaurès, dont la déclaration historique de 1905 le présentait comme « un parti de classe qui a pour but de socialiser les moyens de production et d'échange ». Voir D. Bensaïd et S. Johsua, « Requiem pour un socialisme défunt », *Le Monde*, 7 mai 2008, http://www.lemonde.fr/idees/article/2008/05/07/requiem-pour-un-socialisme-defunt-par-daniel-bensaid-et-samuel-johsua_1042037_3232.html.

57. Voir les chapitres 3 et 4 de ce livre.

destructrices ont été clairement visibles, d'adopter – par l'intermédiaire notamment de Gérard Collomb – une rhétorique plus clairement xénophobe et islamophobe pour tenter de séduire les franges de l'électorat de droite et d'extrême droite.

Inattendue quelques mois avant le premier tour, la victoire de E. Macron n'a pas seulement brisé le PS, qui concentrait pourtant la quasi-totalité des pouvoirs politiques cinq ans auparavant. Elle tend à reconfigurer l'ensemble du champ politique en faisant exploser le PS, pilier de la Ve République depuis le début des années 1980, et en affaiblissant la droite (LR). Du côté du PS, il faut prendre la mesure de ce que signifie le départ des deux finalistes de la prétendue « primaire de la gauche ». Cinq années d'exercice du pouvoir l'ont rayé de la carte politique en balayant la possibilité d'une cohabitation dans la même organisation des deux lignes politico-stratégiques qu'incarnaient B. Hamon et M. Valls : social-libéralisme rénové à partir de la proposition de revenu inconditionnel (conçu davantage comme filet de sécurité qu'en tant que revendication transitoire vers un au-delà du capitalisme), et néolibéralisme autoritaire volontiers raciste. De son côté, LR affronte une situation hautement périlleuse : si E. Macron parvient à imposer la purge néolibérale envisagée tout en matant la contestation sociale, il a de bonnes chances d'attirer à lui non seulement des segments de l'électorat de la droite traditionnelle, qu'il n'est pas parvenu à conquérir au premier tour de l'élection présidentielle, mais aussi d'aspirer une partie croissante de ses cadres (ce qu'il a déjà commencé à faire).

Pour exister de manière indépendante dans ce champ politique reconfiguré, les récalcitrants à E. Macron issus de la droite ont d'ores et déjà opté pour une surenchère nationaliste et raciste, qui peut s'articuler aussi bien à un discours néolibéral radicalisé par la concurrence avec LREM (une double orientation qu'incarne à l'évidence Laurent Wauquiez) qu'à un discours « social » aux accents gaulliens (Nicolas Dupont-Aignan et Henri Gainot s'y essaient depuis des années). Ces deux options avaient d'ailleurs leurs équivalents au FN, à travers le clivage entre la ligne défendue par Marion Maréchal-Le Pen avant son départ et la ligne de Florian Philippot avant son éviction. L'unification chiraquienne réussie au sortir de l'étrange élection présidentielle de 2002 avait laissé en suspens une série de débats stratégiques lancinants : comment accélérer l'offensive néolibérale tout en obtenant le soutien d'une partie au moins des salariés ? Faut-il approfondir l'intégration européenne ou au contraire défendre une restauration de la souveraineté nationale ? Quel rôle pour l'État à l'âge de la mondialisation capitaliste ? La situation politique nouvelle pourrait contraindre la droite – mais aussi l'extrême droite, où ces débats se présentent de manière différente – à les affronter et à clarifier leurs positionnements.

Cela ouvre des possibilités – et impose des responsabilités – à la gauche radicale : à la fois construire une opposition sociale et incarner une alternative politique au néolibéralisme, au nationalisme et au racisme. Mais cette reconfiguration du champ politique autour de l'*extrême centre*, qui constitue moins la poussée d'un centrisme classique que la radicalisation et la convergence des élites autour d'une matrice néolibérale mais aussi autoritaire, impérialiste et xénophobe[58], pourrait également avoir pour effet d'ouvrir la voie à une autre convergence, entre une droite radicalisée à la fois par le sarkozysme et par sa double défaite (2012 et 2017)[59] et une extrême droite qui,

58. Tariq Ali explicite ainsi cette notion à propos de la Grande-Bretagne : « Nous vivons dans un pays dépourvu d'opposition. Westminster est aux mains d'un centre extrême, un monolithe trilatéral formé par la coalition entre conservateurs et libéraux-démocrates à laquelle s'ajoute le parti travailliste : oui à l'austérité, oui aux guerres impériales, oui à une Union européenne en échec, oui à des mesures sécuritaires croissantes, et oui pour rafistoler le modèle néolibéral détraqué. » Voir T. Ali, *The Extreme Centre. A Warning*, Londres, Verso, 2015. Voir également, pour une discussion de la notion : G. Salle, « À propos de l'extrême centre », *Contretemps*, 13 juillet 2017, https://www.contretemps.eu/extreme-centre.

59. Pour une analyse du sarkozysme et des transformations de la droite, voir F. Haegel, *Les Droites en fusion. Transformations de l'UMP*, Paris, Presses de Sciences Po, 2012.

depuis les années 1980, rêve d'arracher à la droite, non seulement ses soutiens et ses réseaux, mais son assise sociale et sa légitimité politique[60]. On a souvent perçu la « Manif pour tous » comme une survivance anachronique vouée à s'éteindre avec la marche inexorable du « progrès » et de la « tolérance », mais une telle mobilisation réactionnaire de masse, durable et vigoureuse[61], pourrait produire des effets à rebours. En suscitant ou en affermissant les liens politiques et militants entre les jeunes générations de droite et d'extrême droite, en extrémisant des pans entiers de la population – il est vrai minoritaires – contre l'égalité des droits et les minorités, ce mouvement a sans doute créé les conditions d'une alliance inédite. Or, ce que cherche à bâtir cette dernière, c'est une nouvelle hégémonie sur le terrain non seulement des valeurs traditionnelles bafouées mais de l'identité nationale menacée.

Le sacre de l'extrême centre : dernier arrêt avant bifurcation ?

L'élection d'Emmanuel Macron synthétise à elle seule la fragilité du triomphe néolibéral, dans la mesure où elle implique un resserrement du champ politique autour de l'extrême centre. Observable presque partout, ce resserrement a pris en France une forme particulière, en l'occurrence bonapartiste : étant donné la polarisation de la vie politique mais aussi les caractéristiques de la Vᵉ République (en particulier la domination du président et du pouvoir exécutif), une « grande coalition » pouvait difficilement y émerger. Il fallait donc qu'un homme parvienne à s'élever au-dessus des partis exerçant le pouvoir depuis trente ans et s'érige – ou plutôt soit érigé

60. Voir L. Boltanski et A. Esquerre, *Vers l'extrême. Extension des domaines de la droite*, Paris, 2014.

61. Voir G. Brustier, *Le Mai 68 conservateur. Que restera-t-il de la Manif pour tous ?*, Paris, Éditions du Cerf, 2015.

par tout ce que le monde médiatique compte d'idéologues néolibéraux – en sauveur, seul capable de réaliser enfin les contre-réformes néolibérales tenues pour « nécessaires ».

Bien sûr, ce transformisme d'un genre nouveau ne peut que ravir d'aise celles et ceux qui n'ont cessé d'appeler de leurs vœux depuis les années 1970 le dépassement du clivage gauche/droite, attendant désespérément la venue d'un messie capable d'incarner leurs rêves d'une modernisation néolibérale enfin achevée du capitalisme français. De Delors à Strauss-Kahn en passant par Balladur et Rocard, toute une ribambelle de politiciens firent ainsi l'objet d'éditoriaux enamourés et de tribunes passionnées dans une presse largement acquise aux vertus du « marché libre ». Aucun n'est pourtant parvenu à unifier le camp des néolibéraux de droite et de « gauche » sous un même drapeau et à emporter l'élection présidentielle. Popularisé au cours des années 1980 par les intellectuels de la Fondation Saint-Simon, porté dans tant de rapports publics par des générations de technocrates, ce projet se donnait pour objectif la domination politique du « cercle de la raison » – pour reprendre l'expression du célèbre plagiaire Alain Minc. Il s'agissait de soumettre la société française aux « lois » inflexibles de la logique néolibérale en la libérant de ses « archaïsmes », non seulement les luttes sociales et les conquêtes issues de ces luttes mais également l'opposition entre gauche et droite et, avec elle, la politique même[62]. Macron n'est donc guère que le nom privé d'un songe collectif : celui d'une « République du

---

62. Comme l'écrivaient L. Boltanski et P. Bourdieu, « l'effet le plus directement politique de l'opposition cardinale [entre le "passé" et l'"avenir", les "archaïsmes" et la "modernité"] se révèle lorsque, appliquant à l'opposition entre la droite et la gauche le nouveau système de classification, on tient que cette opposition fondamentale de l'espace politique est "dépassée", et du même coup la politique elle-même. Du point de vue d'une taxinomie qui range indifféremment dans le camp des "passéistes" les paysans et les syndicalistes, la bureaucratie d'État et les bureaucraties de partis, le "poujadisme" et le "communisme", il n'est pas de témoignage plus décisif d'une "mentalité passéiste" que le fait de refuser de renvoyer au passé le plus radicalement dépassé l'opposition entre la droite et la gauche et tout ce qui peut ressembler à quelque chose comme les classes et

centre » défendue dès 1988 par François Furet, Jacques Julliard et Pierre Rosanvallon dans ce qui apparaît rétrospectivement comme le manifeste de l'extrême centre français[63].

Seules des circonstances exceptionnelles ont permis la réalisation de ce « rêve », que la structure du champ politique en France interdisait jusqu'à maintenant. E. Macron s'est sans doute montré habile en saisissant au moment opportun les opportunités qui s'offraient à lui, et il avait indéniablement l'avantage d'incarner jusqu'à la caricature ce « conservatisme reconverti » dont Bourdieu et Boltanski avaient analysé la rhétorique dès 1975[64]. Mais il a surtout profité d'un approfondissement de la crise politique : à l'effondrement prévisible d'un PS entièrement voué à la cause patronale durant cinq ans, s'est ajouté l'ensevelissement sous les accusations de détournement de fonds publics du candidat de LR – dont il faut se souvenir qu'il était donné largement vainqueur par les sondages d'opinion suite aux primaires de la droite. Que, malgré l'accumulation des « affaires », François Fillon soit parvenu au premier tour sur les talons de Marine Le Pen (visée elle aussi par des accusations similaires), signale au passage la solidité du bloc politique néolibéral-réactionnaire.

Expression et produit de la crise d'hégémonie, l'élection de Macron a de grandes chances d'en constituer un facteur d'accentuation. Le capital n'a en effet pas grand-chose à gagner à la clarification politique que propose le nouveau président de la République. À tout prendre, l'alternance réglée entre le PS et la droite, entre une austère rigueur et une rigoureuse

la lutte des classes », *in La Production de l'idéologie dominante*, Paris, Demopolis/Raisons d'agir, Paris, 2008, p. 58-60.

63. F. Furet, J. Julliard et P. Rosanvallon, *La République du centre. La fin de l'exception française*, Paris, Calmann-Lévy, 1988. On notera que P. Rosanvallon a opéré à partir des années 2000 un tournant à gauche qui l'amène à déplorer les conséquences du néolibéralisme sans pour autant avancer une alternative au capitalisme néolibéral.

64. Voir F. Denord et P. Lagneau-Ymonnet, « Les vieux habits de l'homme neuf », *loc. cit.*

austérité, demeurait un moyen beaucoup plus commode d'imposer des régressions sociales tout en maintenant l'illusion d'un changement possible. Il est douteux que, du point de vue du patronat, les bénéfices de l'alternance sans alternative soient compensés par l'illusoire nouveauté de Macron et de son mouvement. Il apparaît en effet déjà à une partie importante de la population que, derrière le changement des costumes, c'est la même pièce qui se joue, et toujours à ses dépens. L'avènement d'un *parti unique de la contre-révolution néolibérale* – dont LREM n'est qu'un des blocs constituants, sans doute secondaire d'ailleurs par rapport à la haute administration publique – offre donc dès maintenant une cible logique et évidente à toutes celles et ceux qui subissent les effets des politiques menées depuis le début des années 1980. Ainsi une part essentielle des mécontentements est d'ores et déjà rejetée hors du Parlement et des partis dominants.

Certains membres de LREM en sont d'ailleurs conscients, comme ce député qui affirmait avant le second tour des élections législatives : « Il faudra trouver un moyen de scénariser une pluralité de tendances entre nous pour qu'il y ait un semblant de débat. Il ne faudrait pas que le seul débouché pour les idées soit la rue[65]. » Un « semblant de débat » et une scénarisation du pluralisme, voilà le pauvre expédient envisagé pour esquiver les turbulences politiques présentes et à venir. Cela d'autant plus que, contrairement à ce que n'ont cessé de proclamer en boucle les « grands » médias dans un bel exemple d'unanimisme élitaire, aucune « vague Macron » n'a déferlé sur la France lors des élections législatives. Au contraire, depuis 2002, jamais un parti vainqueur de l'élection présidentielle n'avait obtenu un si faible score au premier tour des législatives (en pourcentage et encore davantage en voix, étant donné l'abstention qui s'est élevée au niveau, inconnu

---

65. L. Bretton et G. Gendron, « L'Assemblée se prépare au parti unique », *Libération*, 16 juin 2017, http://www.liberation.fr/france/2017/06/16/l-assemblee-se-prepare-au-parti-unique_1577460.

auparavant, de 51,3 %) : 28,2 % pour LREM en 2017 (32,3 % si on ajoute le Modem), contre 39,9 % pour le PS en 2012, 45,6 % pour l'UMP en 2007 et 43,3 % pour l'UMP en 2002. Ce sont donc seulement 13,43 % des inscrits qui ont accordé leur vote au mouvement de Macron (15,39 % avec les voix du Modem), à quoi il faudrait ajouter les non-inscrits (11,4 % des électeurs potentiels, et 28 % des 18-24 ans sans diplômes)[66], ce qui ferait tomber à 1 sur 11 la proportion d'électeurs de Macron aux législatives.

Alain Badiou a parlé à ce propos de « coup d'État démocratique[67] » : la formule est séduisante mais elle saisit mal les processus en cours. Un coup d'État ? On n'observe pourtant ni prise d'assaut des pouvoirs publics ni déplacement de forces au sein de l'État au profit d'une fraction de la classe dominante qui se constituerait en nouvel acteur hégémonique, à moins de considérer que le grand capital – industriel et financier – ne dictait pas déjà ses politiques aux gouvernements successifs avant la victoire de Macron. Démocratique ? C'est accorder au gouvernement actuel une légitimité au nom de laquelle il prétend imposer – par ordonnances – la destruction de conquêtes sociales arrachées de haute lutte, mais qui est éminemment contestable. Ayant réuni seulement 24 % des votes au premier tour de l'élection présidentielle et l'ayant emporté au second tour essentiellement par défaut[68], Macron dispose pourtant

66. Voir X. Molénat, « Élections : participation inégale », *Alternatives économiques*, 19 avril 2017, https://www.alternatives-economiques.fr/elections-participation-inegale/00078390.

67. Voir son entretien sur la chaîne Public Sénat : https://www.publicsenat.fr/article/debat/pour-alain-badiou-emmanuel-macron-est-l-auteur-d-un-coup-d-etat-democratique-75128.

68. Son score de 66 % – bien loin des 82 % obtenus par Chirac en 2002 – masque non seulement l'abstention élevée (25,4 %) et le nombre record de votes blancs et nuls cumulés (8,59 % des votants), mais aussi la forte proportion d'électeurs (43 % selon un sondage) n'ayant voté en sa faveur que pour éliminer Le Pen. Voir A. Bardo, « Sondage : 43 % des électeurs de Macron ont voté en opposition à Le Pen », *Public Sénat*, 7 mai 2017, https://www.publicsenat.fr/article/politique/sondage-43-des-electeurs-de-macron-ont-vote-en-opposition-a-le-pen-60193. On ajoutera que dès le premier tour de l'élection présidentielle

d'une majorité absolue à l'Assemblée nationale. Cela suffit à démontrer le caractère minoritaire dans le pays du projet de Macron et l'ampleur de l'escroquerie *antidémocratique* permise par les institutions de la Ve République.

Celle-ci permet de dégager des majorités mais n'assure en rien leur légitimité et leur stabilité. Se trouve donc reconduit, car nullement résolu à ce stade, le problème rencontré par les classes possédantes en France depuis trente ans : construire et consolider durablement un bloc social et politique capable d'imposer jusqu'à son terme l'agenda néolibéral. Elles disposent néanmoins d'un atout : à travers la figure de Macron et en s'appuyant sur son mouvement – qui fait la part belle aux patrons (petits et grands), aux professions libérales et autres cadres supérieurs, et dont le verticalisme ferait pâlir d'envie les dirigeants staliniens d'antan[69] –, elles sont parvenues à surmonter leurs divergences internes comme jamais auparavant. Dans le même temps, elles ont obtenu de manière prévisible l'adhésion des franges les plus favorisées du salariat (cadres du privé et du public), auparavant divisées entre l'UMP et le PS[70]. Les victoires obtenues par LREM dans des arrondissements de

---

45 % des électeurs de Macron ont dit avoir voté en sa faveur pour éviter un second tour Fillon/Le Pen. Voir A. Rousset, « Le "vote utile" a joué à plein pour le leader d'En marche », 25 avril 2017, https://www.lesechos.fr/25/04/2017/LesEchos/22432-019-ECH_le---vote-utile---a-joue-a-plein-pour-le-leader-d-en-marche.htm.

69. C'est sans doute là un autre symptôme de la crise politique que de voir tant de professionnels de la politique et d'hommes de parti décréter la fin des partis politiques, faire l'éloge de l'« horizontalité » et créer des mouvements dans lesquels ils s'assurent un contrôle étroit, purement vertical, de toutes les décisions importantes et de toutes les nominations.

70. D'après un sondage Ipsos/Sopra Steria, Macron a obtenu au premier tour de l'élection présidentielle 33 % des votes parmi les cadres (Fillon n'obtenant « que » 20 %) et seulement 16 % chez les ouvriers (contre 24 % pour Mélenchon et 37 % pour Le Pen dans cette catégorie socioprofessionnelle). Voir http://www.ipsos.fr/decrypter-societe/2017-04-23-1er-tour-presidentielle-2017-sociologie-l-electorat. Au second tour, Macron a raflé 82 % du vote des cadres mais a été battu chez les ouvriers, qui ont voté à 56 % pour Le Pen. Voir http://www.ipsos.fr/decrypter-societe/2017-05-07-2nd-tour-presidentielle-2017-sociologie-electorats-et-profil-abstentionnistes.

l'ouest comme de l'est parisiens donnent à voir cette homogénéisation politique des milieux sociaux les plus favorisés sous la férule d'un patronat ravi. Plutôt qu'à un coup d'État démocratique, c'est donc à un lessivage (limité) du personnel politique de la bourgeoisie, et à son unification (partielle) sous un même drapeau, que l'on a assisté.

L'ascension de Macron et de son mouvement donne ainsi raison à Gramsci : en situation de crise politique, « la classe dirigeante traditionnelle, qui a un personnel nombreux et entraîné, change d'hommes et de programmes et récupère le contrôle qui était en train de lui échapper avec plus de célérité que ne peuvent le faire les classes subalternes » ; on notera toutefois qu'ici nul changement de programme n'a été nécessaire. Le dirigeant communiste italien ajoutait : « Le passage des troupes d'un grand nombre de partis sous le drapeau d'un parti unique, qui représente mieux et résume les besoins de la classe tout entière, est un phénomène organique et normal, même si son rythme est très rapide et quasi foudroyant en comparaison avec des périodes de calme : il représente la fusion de tout un groupe social sous une direction unique, considérée comme la seule capable de résoudre un problème majeur de l'existence[71]. » Si un « bloc bourgeois[72] » paraît s'être enfin unifié (même si des pans entiers de la droite lui échappent), ses assises sociales et politiques demeurent très étroites. Il est donc pour le moins improbable qu'il soit en capacité de devenir hégémonique au cours des années à venir : comment pourrait-il en effet intégrer et enrôler des segments larges du salariat – dépassant les seuls cadres supérieurs – alors même que tout son projet politique revient à dégrader les conditions de travail et d'existence de millions de salariés ?

---

71. A. Gramsci, « Observations sur quelques aspects de la structure des partis politiques dans les périodes de crise organique », https://www.marxists.org/francais/gramsci/works/1932/observations.htm.

72. B. Amable et S. Palombarini, *L'Illusion du « bloc bourgeois »*, *op. cit.*

Le « problème majeur » que le macronisme a pour fonction de résoudre fait en effet figure de quadrature du cercle : il s'agit de briser le « modèle social français » en écrasant les acquis des luttes passées et en annihilant la combativité présente, tout en élargissant la base sociale du néolibéralisme. Or l'expérience des deux précédents quinquennats prouve qu'il ne suffit pas de faire reculer les mouvements sociaux, particulièrement vigoureux en France depuis 1995, pour supprimer tout espoir d'alternative politique au néolibéralisme, et encore moins pour obtenir l'adhésion d'une majorité de la population à la remise en cause des conquêtes sociales. D'ailleurs, même mis en échec, les mouvements multiformes des printemps 2016 et 2018 ont montré que ni Sarkozy ni Hollande n'étaient venus à bout de cette disposition à la lutte sociale, malgré les défaites infligées durant la séquence 2007-2017[73].

L'une des coordonnées centrales de la situation politique en France tient dans cet entre-deux : les gouvernements imposent une série de régressions sociales sans pouvoir aller jusqu'au bout de leur projet de reconfiguration néolibérale, tandis que la gauche radicale et les mouvements sociaux, suffisamment puissants pour retarder la mise en œuvre de ce projet, ne le sont pas assez pour constituer une véritable alternative de pouvoir. C'est en partie dans cette faille que l'extrême droite construit son succès. Ainsi une partie des salariés peuvent-ils être séduits par la rhétorique « ni droite ni gauche » du FN, qui ne fut pas toujours la sienne puisqu'il s'est longtemps présenté comme le parti de la « droite nationale, sociale et populaire » ou encore de la « vraie droite » ; il défendait alors une politique encore plus agressivement néolibérale que le RPR, visant davantage l'électorat traditionnel de la droite, les petits patrons et les couches « moyennes », que les classes populaires et les déçus de la gauche[74].

73. Voir S. Béroud et K. Yon, « Automne 2010 : anatomie d'un grand mouvement social », *Contretemps*, 2 décembre 2010, https://www.contretemps.eu/automne-2010-anatomie-dun-grand-mouvement-social.

74. Voir chapitre 5.

Est-ce à dire que « Macron 2017 » annoncerait nécessairement « Le Pen 2022 », comme certains ont pu l'avancer dans l'entre-deux-tours de la dernière élection présidentielle ? Les enchaînements politiques ne sont jamais aussi mécaniques et les prophéties de ce genre, ni vraies ni fausses, prêtent souvent moins à l'action collective qu'au désespoir ou au cynisme. Il est plus utile de constater que le sacre de l'extrême centre ne stabilise qu'illusoirement la situation politique en France. Auparavant dissimulées, la convergence désormais officialisée et la collaboration ouverte de l'élite politique autour du même objectif – libérer le capital de toute entrave à l'accumulation et soumettre les subalternes – pourraient au contraire mener à des bifurcations radicales. Si elles risquent effectivement de favoriser l'extrême droite, tant celle-ci part avec une longueur d'avance électoralement et idéologiquement, rien n'exclut l'émergence dans les années à venir d'une force capable de populariser et de rendre crédible une perspective alternative et émancipatrice[75].

*

La configuration néolibérale du capitalisme qui s'est imposée depuis les années 1980 ne cesse d'être renforcée par les classes dirigeantes en raison même de sa crise. Pour ces dernières et leurs idéologues appointés, la réponse est invariable : si la saignée austéritaire ne suffit pas à revigorer l'économie (nationale ou mondiale), c'est qu'elle n'a pas encore été menée à son terme. À des rythmes différents selon les pays, liés notamment aux niveaux inégaux de résistance opposés par les populations, la grande transformation néolibérale visait à contenir la baisse des taux de profits, initiée aux États-Unis dès la fin des années 1960, mais aussi à faire face à l'ampleur et à la radicalité des luttes – ouvrières en particulier mais aussi étudiantes, féministes, immigrées, etc. – au cœur même de l'économie-monde

75. Sur ce point, voir la conclusion de cet ouvrage.

capitaliste. Or la prétendue solution néolibérale est entrée en crise en 2007-2008 et, sans recettes alternatives ni projet politique mobilisateur, les bourgeoisies ont choisi d'imposer au forceps une amplification des politiques néolibérales.

Parce qu'il s'agit pour elles de restructurer toutes les dimensions du système économique et social (jusqu'aux formes et aux conditions de la vie même), afin de les soumettre intégralement aux logiques de valorisation et d'accumulation capitalistes, cette fuite en avant suppose de briser toutes les conquêtes de la gauche, du mouvement ouvrier et des luttes émancipatrices. Tâche ardue puisqu'elles se sont cristallisées sur le temps long dans le droit (code du travail notamment), dans des institutions (Sécurité sociale, services publics), dans des organisations (syndicales en particulier), mais aussi dans des dispositions incorporées par les individus. On ne convertit pas en un claquement de doigts des populations à l'idée qu'elles devront, par exemple, payer pour se soigner, s'instruire, etc. D'où la double nécessité pour les classes dirigeantes de dissimuler, à court terme, leur œuvre de destruction, et aussi de travailler, à long terme, à transformer les subjectivités elles-mêmes[76].

En outre, ce sont précisément ces conquêtes qui ont permis d'amortir la crise de 2007-2008 et de faire en sorte que la société française puisse *tenir* malgré un taux de chômage culminant à des niveaux jamais atteints auparavant[77]. On a défendu avec raison que le capitalisme avait paradoxalement été sauvé au XXe siècle par le mouvement ouvrier. Cela n'a pas tenu à une simple trahison de ses directions, mais aux victoires (partielles) qui ont constitué autant de stabilisateurs sociaux atténuant les effets des crises régulières engendrées par le capitalisme, voire limitant – au moins provisoirement – la survenue

76. P. Dardot et C. Laval, *La Nouvelle Raison du monde, op. cit.*

77. On compte en France environ 5 millions de chômeurs si l'on tient compte de toutes les catégories, et même davantage en incluant celles et ceux qui ne sont pas comptabilisés parce que radiés de Pôle emploi ou ayant renoncé à chercher activement un emploi.

même de ces crises. En finir avec ces conquêtes, c'est en finir avec ces stabilisateurs et prendre le risque que la situation créée ne devienne explosive et incontrôlable sur le plan politique. Cela rendrait en tout cas encore plus difficile l'établissement d'une quelconque hégémonie de la classe dominante. Or, sans hégémonie durable et face à une contestation persistante, la politique capitaliste tend insensiblement à se muer en pure et simple police, comme on le montrera dans le chapitre suivant.

À ce stade, même si la conflictualité de classe demeure contenue dans la plupart des puissances capitalistes, la capacité des classes dirigeantes à obtenir le consentement actif d'une majorité de la population se trouve d'ores et déjà menacée. Le Brexit ou l'élection de Donald Trump, parmi les développements politiques récents, montrent que les bourgeoisies libérales ne parviennent plus à imposer les choix politiques qui leur semblent optimaux pour garantir la pérennité du système capitaliste – même si le pouvoir exorbitant dont elles disposent leur permet pour l'instant de contrôler la situation (sans compter le fait que des fractions de la bourgeoisie ont pu soutenir D. Trump ou le Brexit). S'il en est ainsi, c'est qu'elles ont fragilisé elles-mêmes, au cours des dernières décennies, les fondements de leur domination politique : leurs relais dans la société civile (notamment les liens organiques avec le salariat *via* la social-démocratie[78]) ou les concessions qui permettaient autrefois à une partie significative du corps social d'adhérer à un ordre pourtant socialement injuste[79].

Si le néolibéralisme rend possible un fascisme ajusté à l'époque, c'est donc qu'il engage les sociétés capitalistes

---

78. Certaines centrales syndicales – en particulier la direction de la CFDT, mais aussi des segments de FO, de la CFTC ou de l'UNSA – suppléent néanmoins efficacement, du moins pour l'instant, au déclin de la social-démocratie.

79. C'est aussi en ce sens que l'on peut parler, avec Neil Davidson, du néolibéralisme comme « agent de l'autodestruction capitaliste ». Voir N. Davidson, « Le néolibéralisme comme agent de l'autodestruction du capitalisme », *Contretemps*, 29 mai 2017, https://www.contretemps.eu/neoliberalisme-autodestruction-capitalisme-davidson.

dans un cycle infernal d'inégalités croissantes (et d'ores et déjà monstrueuses), de tendances autoritaires[80] mais aussi de poussées nationalistes et racistes[81]. En outre, dans des circonstances politiques singulières, rendues exceptionnellement inflammables du fait même des politiques menées par la classe dominante, certains secteurs de celle-ci pourraient être tentés de soutenir – ou de s'allier avec – des partis et des idéologues proposant de surmonter la crise par des solutions inenvisageables dans le cadre ordinaire de l'État de droit. Le XXe siècle a donné suffisamment d'exemples de telles dérives des classes possédantes, qui ne sont en rien accidentelles, pour disposer à davantage de prudence ceux pour qui le fascisme – compris ici, non simplement comme mouvement social mais comme État d'exception – appartiendrait au passé ou serait réservé à des sociétés « arriérées ».

Malgré des transformations qui l'ont rendu beaucoup plus complexe et résilient, le capitalisme peut toujours être comparé à ce train menant tout droit au *désastre* lorsque l'humanité se montre incapable de tirer les freins d'urgence – pour reprendre une image proposée par Walter Benjamin au moment où le monde s'enfonçait dans une guerre impérialiste aux conséquences apocalyptiques[82]. Le fascisme, dont les formes sont changeantes et les trajectoires sinueuses, est l'un des visages de ce désastre. Et, contrairement à ce que postulent certains observateurs les yeux rivés sur ses formes anciennes d'apparition, ou trop accoutumés à la stabilité politique propre à une époque révolue, il ne s'est pas évanoui sous les décombres d'un bunker en 1945.

---

80. Voir chapitre 3.

81. Voir chapitre 4.

82. La citation exacte est la suivante : « Marx a dit que les révolutions sont la locomotive de l'histoire mondiale. Peut-être que les choses se présentent autrement. Il se peut que les révolutions soient l'acte par lequel l'humanité qui voyage dans le train tire les freins d'urgence. »

3

Vers l'État néolibéral-autoritaire

Le renforcement des tendances autoritaires dans les puissances capitalistes dominantes constitue assurément l'un des faits politiques majeurs de notre temps. Cette dynamique s'est ouverte avec le tournant néolibéral d'abord opéré par Margaret Thatcher en Grande-Bretagne et Ronald Reagan aux États-Unis – et préfiguré sous une forme extrêmement brutale par la dictature néolibérale de Pinochet au Chili. Cette coordonnée centrale de la situation politique nationale, européenne et mondiale a d'ailleurs été saisie par les mouvements sociaux contemporains. Beaucoup de ces derniers, en France et ailleurs, ont noué solidement la dénonciation de la croissance des inégalités et la critique de la captation du pouvoir politique par une oligarchie irresponsable. Encore faut-il comprendre l'origine du phénomène et examiner ses liens avec le danger fasciste.

L'actuelle poussée d'autoritarisme peut sembler paradoxale, tant « jamais le capitalisme n'a été aussi peu confronté au défi, théorique et pratique, d'une puissante antithèse[1] » : nulle nécessité vitale de réprimer des soulèvements révolutionnaires (du moins dans les pays occidentaux). Ainsi assistons-nous

1. E. Meiksins Wood, « Redéfinir la démocratie », *Contretemps*, n° 4, septembre 2009.

moins à un virage tactique et conjoncturel de la part des classes dirigeantes qu'à une transformation durable des formes politiques de la domination capitaliste. Dans le contexte du triomphe du néolibéralisme, à la fois produit et vecteur du pourrissement du capitalisme[2], expression de sa crise et facteur de renforcement de cette crise, les classes dominantes se voient contraintes – sans que les dirigeants politiques aient généralement une claire conscience des causes profondes de leur action et des effets de déstabilisation qu'elle est susceptible de produire – de mettre elles-mêmes en péril les médiations politiques et institutionnelles à travers lesquelles le consentement des subalternes était obtenu pacifiquement dans la période antérieure. Les moyens par lesquels est assurée la perpétuation de l'ordre des choses fragilisent sa reproduction à long, voire à moyen terme.

En découle une situation de *domination sans hégémonie*[3], qui enferme les possédants dans une spirale de radicalisation autoritaire. Cela implique en particulier le recours à des formes politico-juridiques de moins en moins démocratiques[4]. Moins les classes dominantes disposent d'une assise sociale robuste et d'une légitimité politique consistante, plus elles sont amenées à employer des procédures législatives expéditives, à contourner les corps intermédiaires ou encore à user d'une répression croissante. En témoignent le recours répété au « 49-3 » pour imposer la loi Travail en 2016 ou les ordonnances dont Macron a fait usage dès les premiers mois de son mandat, non pas en dépit mais en raison même de sa (faible) légitimité électorale. Or cet abandon tendanciel des formes démocratiques libérales par les classes dirigeantes elles-mêmes, c'est-à-dire leur renoncement

2. Voir le chapitre précédent.

3. Cette formule a été employée par l'historien indien Ranajit Guha pour rendre compte d'une situation très différente, en l'occurrence celle créée par le colonialisme britannique en Inde. Voir R. Guha, *Dominance Without Hegemony. History and Power in Colonial India*, Harvard University Press, 1998.

4. P. Dardot et C. Laval, « La sortie de la démocratie est engagée », *Contretemps*, n° 31, septembre 2016.

croissant au libéralisme politique auquel le néolibéralisme est généralement associé de manière mensongère, renvoie à la crise d'hégémonie dont on a analysé précédemment les manifestations dans le champ politique. On voudrait à présent en pointer les effets sur le fonctionnement de l'État capitaliste.

Les classes dirigeantes ne parvenant pas, par les moyens ordinaires de la démocratie parlementaire, à surmonter les contradictions du capitalisme dans sa configuration néolibérale, une période de régression ouverte des droits démocratiques s'est ouverte. L'instabilité hégémonique ne bouscule donc pas simplement les équilibres établis depuis plusieurs décennies entre forces politiques et, par là, les conditions de possibilité de majorités politiques stables et durables. Elle implique une transformation des États eux-mêmes ou, plus précisément, une réorganisation – dans un sens autoritaire – des centres de pouvoir et de commandement caractéristiques du capitalisme tardif[5]. On assiste en particulier à un évidement croissant de la démocratie par la marginalisation des institutions politiques nationales, pourtant elles-mêmes à bonne distance des classes populaires, au profit d'instances supranationales non élues et ainsi hors de portée : l'enveloppe parlementaire demeure mais se trouve privée de tout contenu, tournant littéralement à vide[6]. L'Union européenne, avec son parlement croupion et son pouvoir capté par la Commission, la BCE[7] et la CJCE[8], en est sans doute la manifestation la plus aboutie.

Il est vrai que le capitalisme n'est en rien démocratique *par essence*, même au sens – tronqué et hypocrite – de la démocratie

---

5. Sur la caractérisation de ce capitalisme tardif, voir E. Mandel, *Le Troisième Âge du capitalisme*, Paris, 10/18, 1976.

6. Cela n'équivaut en rien à une obsolescence des États-nations : comme on l'a vu lors de la crise de 2007-2008, c'est bien par l'intermédiaire de ces États que les bourgeoisies sont parvenues à colmater les brèches et à amortir les effets induits par le fonctionnement anarchique, et destructeur pour les populations, des marchés financiers.

7. Banque centrale européenne.

8. Cour de justice des Communautés européennes.

libérale[9]. Rien dans ses structures fondamentales n'impose l'existence d'un gouvernement représentatif, du suffrage universel et des libertés civiques, encore moins de droits sociaux limitant un tant soit peu l'exploitation ; cela sans même parler d'une démocratie conçue selon son étymologie comme *pouvoir populaire*, proprement impensable en régime capitaliste[10]. Le capitalisme n'a au contraire cessé, au cours des deux derniers siècles, d'engendrer des dérives autoritaires, se satisfaisant bien souvent de régimes qui n'avaient rien de démocratique. Les grands industriels n'ont ainsi eu aucun scrupule à trouver des compromis avantageux avec les dictatures fascistes, que ce soit en Italie ou en Allemagne, contribuant même, pour une bonne partie d'entre eux, à les installer. L'avènement même du capitalisme a eu partie liée avec la réduction en esclavage de millions d'Africains et, plus proche de nous, la construction de la démocratie libérale, en France particulièrement, s'est payée de l'assujettissement colonial. Elle a reposé sur un pacte national/racial excluant les peuples colonisés de tout droit politique et les vouant à un traitement d'exception. Ce dernier, d'ailleurs, persiste, certes sous des formes moins visibles, pour leurs descendants vivant en France, dont il s'agit d'écraser en permanence la capacité politique autonome[11].

---

9. Il faut tout l'aveuglement associé à un anticommunisme obsessionnel pour imaginer, comme le courant « antitotalitaire » français (même dans la version, intellectuellement la plus exigeante, qu'en a donnée Claude Lefort), un lien organique entre capitalisme et démocratie. Sur ce courant qui a marqué le champ intellectuel et politique français à partir des années 1970, Voir M. S. Christofferson, *Les Intellectuels français contre la gauche. L'idéologie antitotalitaire, 1968-1981*, Marseille, Agone, 2009.

10. Cette distance entre capitalisme et démocratie, qui rend caduque l'assimilation des « révolutions démocratiques » à de simples « révolutions bourgeoises », est visible dès la Révolution française, où le peuple sans-culottes tente de conquérir une démocratie réelle et un « droit à l'existence », là où la bourgeoisie cherche, déjà, à limiter la démocratie à sa dimension strictement représentative et réprime le mouvement révolutionnaire. Voir notamment : F. Gauthier, « Critique du concept de "révolution bourgeoise" appliqué aux révolutions des droits de l'homme et du citoyen du XVIIIe siècle », *Raison Présente*, n° 123, 1997, p. 59-72.

11. Voir S. Khiari, *La Contre-révolution coloniale en France, op. cit.*

Au-delà, l'invention même de la démocratie au sens moderne – en particulier des mécanismes de représentation parlementaire – a objectivement permis aux classes dominantes de faire face à la menace représentée par l'irruption tumultueuse des classes subalternes dans une sphère publique alors en voie de constitution. Elle a notamment reconduit par d'autres moyens la domination sociale en favorisant l'obtention du consentement de nouvelles couches sociales, dites « moyennes »[12]. L'égalité politique et juridique conquise par les luttes populaires n'a pu que limiter l'arbitraire et la violence logés au cœur même du mode de production capitaliste[13]. Ce qui a ainsi pu varier au cours de l'histoire du capitalisme, c'est le degré d'arbitraire et le niveau de violence de l'État. Les gouvernements n'ont jamais hésité à employer tous les moyens nécessaires pour ouvrir de nouveaux marchés, soumettre des partenaires commerciaux récalcitrants, ou contraindre au salariat des populations entières – notamment des paysans pauvres – en les dépossédant de leurs moyens de subsistance et de production[14].

Pour toutes ces raisons, on ne saurait craindre que le capitalisme *devienne* autoritaire. Même si la démocratie libérale constitue en soi le meilleur cadre pour les capitalistes en déguisant un régime oligarchique en démocratie citoyenne, le capitalisme porte en lui l'autoritarisme « comme la nuée porte l'orage », autrement dit comme une potentialité toujours présente du fait de ses contradictions structurelles et des crises politiques qu'il ne peut manquer d'engendrer. Or, si le fascisme n'est pas un simple autoritarisme[15], il se

---

12. Sur ce point, voir E. Meiksins Wood, *Democracy Against Capitalism*, Londres/New York, Verso, 2016 [1995], p. 204-237.

13. Elle y est notamment présente sous la forme du régime de subordination des travailleurs aux propriétaires capitalistes : le « despotisme d'usine » dont parlait Marx mais qui s'étend, bien au-delà des usines, à l'ensemble des lieux de travail.

14. Qu'on relise les pages consacrées par Marx à l'accumulation primitive dans le Livre I du *Capital*. Voir également K. Polanyi, *La Grande Transformation*, Paris, Gallimard, 1983 [1944].

15. Voir le premier chapitre de cet ouvrage.

nourrit assurément du glissement des démocraties libérales vers celui-ci. Lorsque, tout en maintenant des apparences démocratiques, les centres de commandement politique se libèrent progressivement de tout contrôle populaire (même sous une forme parlementaire très limitée), lorsque s'accroît la criminalisation de la protestation sociale ou de la simple action revendicative, lorsque se rétrécit l'espace public par la soumission de l'information au capital et aux logiques de marché, lorsque la politique alterne entre le divertissement et la police[16], nul doute que la contre-révolution fasciste gagne du terrain.

Les fascistes développent en effet une critique opportuniste de ces évidentes dérives antidémocratiques tout en proposant pour y remédier l'avènement d'un pouvoir bien plus brutal que l'État fort actuel. Ils prétendent ainsi régénérer la nation par un fantasme de fusion entre ce pouvoir et un « peuple » réduit à plébisciter le chef tout en demeurant passif et subordonné. Ce rapport purement instrumental à la démocratie est un trait central du fascisme : que celle-ci soit conçue simplement comme démocratie parlementaire ou, de manière plus exigeante, comme pouvoir populaire, le fascisme use des moyens démocratiques tout en méprisant foncièrement la démocratie et en souhaitant s'en débarrasser. Présentant la « doctrine fasciste », Mussolini pouvait ainsi affirmer que « le fascisme [...] est la forme la plus pure de démocratie » et, quelques pages plus loin, manifester son dégoût pour les « manifestations qui sont le propre de l'esprit démocratique » : « Le laisser-aller, l'improvisation, le défaut du sentiment de responsabilité personnelle, l'exaltation du nombre et de cette mystérieuse divinité qu'on appelle "peuple"[17]. » On retrouve d'ailleurs le même opportunisme chez les nazis : « Dans son discours de Düsseldorf, [...], Hitler déclare que la cause principale de la crise actuelle est

16. Sur la politique comme police, voir J. Rancière, *La Mésentente. Politique et philosophie*, Paris, Galilée, 1995.

17. Voir B. Mussolini, *Le Fascisme*, Paris, Demopolis, p. 33.

l'incompatibilité totale du principe d'égalité démocratique en politique et du principe de propriété privée des moyens de production dans la vie économique, car "la démocratie en politique et le communisme en économie sont fondés sur des principes analogues"[18]. » Ainsi le fascisme souhaite-t-il fondamentalement affermir la propriété privée, en détruisant la démocratie.

Un durcissement autoritaire en France

Si la question démocratique est devenue centrale en France, c'est que les tendances autoritaires, intrinsèques au capitalisme, s'y sont renforcées puissamment au cours des dix dernières années. Ce durcissement autoritaire s'appuie sur des institutions politiques et une tradition d'exercice du pouvoir qui font indéniablement de la France l'un des pays d'Occident les plus éloignés de standards démocratiques minimaux. Depuis le coup d'État légal accompli par De Gaulle en 1958, la société française vit ainsi sous un régime qu'il n'est pas exagéré de qualifier d'*État fort*[19]. Les structures parlementaires y sont marginalisées ; le président de la République dispose d'un pouvoir démesuré (encore renforcé par son élection au suffrage universel à partir de 1962 et l'inversion du calendrier électoral en 2001), pouvant notamment déclarer la guerre sans véritable contrôle du Parlement, dissoudre ce dernier, etc. ; des procédures d'exception figurent en bonne place dans la Constitution (« état de siège » et « pleins pouvoirs »), et l'état d'urgence peut être instauré par simple décret.

Néanmoins, si la poussée autoritaire prend incontestablement appui sur les institutions de la Ve République, les partis et les dirigeants qui se sont succédé au pouvoir depuis au moins une quinzaine d'années en ont radicalisé les traits. Le quinquen-

---

18. Voir K. Polanyi, *Essais*, Paris, Seuil, 2008, p. 393.

19. Voir J.-M. Brohm *et al.*, *Le Gaullisme, et après ? État fort et fascisation*, Paris, Maspero, 1974.

nat de F. Hollande a prolongé cette trajectoire autoritaire en amplifiant l'héritage sécuritaire de N. Sarkozy, avec une évidente accélération depuis les attentats de janvier et novembre 2015. Ne disposant pas d'une majorité à l'Assemblée nationale pour plusieurs projets (dont la loi Travail), M. Valls a ainsi usé à six reprises du « 49-3 », une procédure qui marginalise ostensiblement la démocratie parlementaire. Les mêmes F. Hollande et M. Valls – et E. Macron, alors ministre – ont en outre imposé l'état d'urgence à partir de novembre 2015. Puis il a été décidé de l'étendre à nouveau pour trois mois après la tuerie de Nice de juillet 2016 – dont on sait maintenant qu'il ne s'agissait pas d'une attaque terroriste planifiée et préparée par Daech. Il y aurait peut-être lieu de rire du lapsus commis par E. Macron et son ministre de l'Intérieur G. Collomb, qui ont tous deux confondu « état de droit » et « état d'urgence » à quelques semaines de distance[20], si le gouvernement actuel n'avait pas levé l'état d'urgence pour le faire entrer aussitôt – du moins l'essentiel de ses dispositions – dans le cadre du droit commun.

L'une des conséquences concrètes de l'état d'urgence, depuis la fin de l'année 2015, ce sont des centaines d'assignations à résidence et des milliers de perquisitions brutales (dont 1 % seulement ont donné lieu à des chefs d'accusation pour activités à caractère terroriste[21]). Contournant l'institution judiciaire, ces procédures ont ciblé en particulier des musulmans, des habitants de quartiers populaires et des militants de la gauche radicale (zadistes, écologistes, syndicalistes, antiracistes, antifascistes et anticapitalistes). Cette progression inquiétante de l'arbitraire policier s'est également traduite par la brutalité de la répression qui s'est abattue sur les migrants, mais aussi sur les mobilisations sociales, à un niveau jamais

20. Voir « État d'urgence et État de droit : le lapsus d'Emmanuel Macron », LePoint.fr, http://www.lepoint.fr/politique/etat-d-urgence-et-etat-de-droit-le-lapsus-d-emmanuel-macron-20-09-2017-2158484_20.php.

21. Entre novembre 2015 et février 2016. Voir https://www.amnesty.fr/liberte-d-expression/actualites/en-france-les-victimes-de-letat-durgence.

atteint en France depuis la répression par Pasqua du mouvement étudiant de 1986. On ne comprend rien à l'hostilité radicale de nombre de manifestants vis-à-vis des forces de l'ordre – bien marquée par la popularisation dans les manifestations du slogan « tout le monde déteste la police » – si l'on ne prend pas au sérieux la systématicité des matraquages, la généralisation des « nassages », les interventions punitives de la BAC au sein même des cortèges, sans oublier l'indifférence médiatique et l'impunité judiciaire dont bénéficient presque systématiquement les violences policières (pourtant largement documentées).

La crise de la démocratie libérale s'est également exprimée ces dernières années à travers la suspension à plusieurs reprises de la liberté de manifester. On oublie d'ailleurs trop souvent que ce ne sont pas les manifestations à l'occasion de la COP21 ou contre la loi Travail qui ont d'abord fait l'objet de telles interdictions mais, avant même l'imposition de l'état d'urgence, les manifestations de l'été 2014 en solidarité avec le peuple de Gaza subissant une énième agression meurtrière israélienne. Le 19 juillet 2014, l'une des manifestations interdites s'était néanmoins tenue à Barbès : venues pour marquer leur solidarité avec le peuple palestinien et leur révolte face à la complicité du gouvernement français, des milliers de personnes – majoritairement issues de l'immigration postcoloniale – avaient alors subi une répression policière d'une violence ahurissante. Ces interdictions s'inscrivaient dans une criminalisation à l'échelle internationale du mouvement de solidarité avec la Palestine, notamment du mouvement de désobéissance civile BDS (Boycott-Désinvestissement-Sanctions), mais plus largement de toutes les formes de politisation des descendants de colonisés, souvent au premier rang des manifestations de solidarité avec les Palestiniens.

Profitant de la mise en œuvre de l'état d'urgence depuis novembre 2015, les pouvoirs publics ont interdit 155 manifestations et ordonné 639 interdictions individuelles de manifester en seulement un an et demi[22]. Cela a notamment permis au gouvernement de limiter l'ampleur de la mobilisation de masse pour la justice climatique qui devait se tenir à l'automne 2015 durant la COP21 à Paris[23]. Si l'état d'urgence n'a pas permis d'empêcher que des attentats terroristes soient commis en France, les moyens pour lutter contre le terrorisme existant déjà dans le cadre des services de renseignement et de la justice classique, il s'est donc avéré efficace pour contenir et réprimer la contestation sociale. François Hollande a lui-même affirmé[24] : « C'est vrai, l'état d'urgence a servi à sécuriser la COP21, ce qu'on n'aurait pas pu faire autrement. [...] Imaginons qu'il n'y ait pas eu les attentats, on n'aurait pas pu interpeller les zadistes pour les empêcher de venir manifester. Cela a été une facilité apportée par l'état d'urgence, pour d'autres raisons que la lutte contre le terrorisme, pour éviter qu'il y ait des échauffourées. On l'assume parce qu'il y a la COP. »

L'état d'urgence a donc permis opportunément de neutraliser, par des assignations à résidence et des interdictions de manifester, les militants pour la justice climatique, mais il ne se réduit pas à cet usage opportuniste et conjoncturel. Il constitue l'aboutissement d'un processus de convergence des élites politiques autour d'une nouvelle *doxa* sécuritaire, la gauche s'alignant à partir de la fin des années 1990 sur les positions de la droite[25]. Dans le contexte des attaques ter-

---

22. Ces chiffres sont issus de l'enquête menée par Amnesty International et publiée en mai 2017. Voir https://www.amnesty.fr/liberte-d-expression/actualites/droit-de-manifester-en-france.

23. Quelques mois plus tard, le même gouvernement a de nouveau tenté d'interdire une manifestation, cette fois syndicale, contre la loi Travail. Rappelons qu'aucune manifestation syndicale n'a été interdite en France depuis celle de 1962 contre la guerre d'Algérie, au cours de laquelle neuf manifestants, dont huit militants de la CGT, furent tués par la police.

24. Voir G. Davet et F. Lhomme, *Un président ne devrait pas dire ça. Les secrets d'un quinquennat*, Paris, Stock, 2016.

25. Sur ce point, voir notamment L. Mucchielli, *La Frénésie sécuritaire. Retour à l'ordre et nouveau contrôle social*, Paris, La Découverte, 2008 ; L. Bonelli, *La France*

roristes de novembre 2015, et de la surenchère des droites, le gouvernement Hollande-Valls a approfondi la mise en œuvre de cet agenda autoritaire sur lequel se rejoignent les principaux partis français depuis au moins deux décennies, qu'il s'agisse du PS, de LR (antérieurement RPR puis UMP) ou encore de l'UDI (anciennement UDF), sans même parler ici du FN dont le programme ultra-autoritaire est connu et joue un rôle d'épouvantail, faisant apparaître raisonnables les mesures imposées par les partis dits « de gouvernement ».

Dans un nouvel exemple de *stratégie du choc*[26], la sidération provoquée par les attentats a été utilisée pour renforcer les capacités d'action, réactive mais aussi préventive, des appareils répressifs d'État – un processus indissociable de la construction d'une nouvelle figure de l'« ennemi intérieur », sur laquelle on reviendra dans le prochain chapitre[27]. Cela était particulièrement visible dans la loi Urvoas votée en juin 2016 qui, sous couvert de lutter contre le terrorisme, donnait de nouvelles libertés pour les policiers d'user de leurs armes, confinant à un véritable permis de tuer, et de nouveaux pouvoirs aux autorités administratives. En inscrivant l'état d'urgence dans le droit commun (à travers une nouvelle loi antiterroriste qui ne figurait d'ailleurs pas dans son programme présidentiel)[28], Macron se contente ainsi de compléter l'œuvre méticuleusement accomplie par ses prédécesseurs, notamment par l'empilement de lois antiterroristes – pas moins d'une quinzaine

---

a peur. Une histoire sociale de l'insécurité, La Découverte, 2008 ; V. Sizaire, *Sortir de l'imposture sécuritaire*, Paris, La Dispute, 2016.

26. N. Klein, *La Stratégie du choc*, *op. cit.*

27. Voir D. Bigo, L. Bonelli et T. Deltombe, *Au nom du 11 Septembre... Les démocraties à l'épreuve du totalitarisme*, Paris, La Découverte, 2008 ; M. Rigouste, *L'Ennemi intérieur. La généalogie coloniale et militaire de l'ordre sécuritaire dans la France contemporaine*, Paris, La Découverte,

28. J.-B. Jacquin, « Antiterrorisme : le gouvernement veut mettre l'état d'urgence dans le droit commun », *Le Monde*, 7 juin 2017, http://www.lemonde.fr/police-justice/article/2017/06/07/le-gouvernement-compte-faire-entrer-l-etat-d-urgence-dans-le-droit-commun_5140018_1653578.html.

depuis 1986[29] – et l'imposition d'une série de dispositions liberticides[30].

La poussée autoritaire a également des implications décisives sur les lieux de travail. Stéphane Beaud et Michel Pialoux avaient donné à voir dès la fin des années 1990 les formes précises de cette offensive au niveau de la production, à partir d'une enquête de long terme sur les transformations de la classe ouvrière[31]. Ils montraient notamment que les bouleversements impulsés par le patronat – sous-traitance en cascade, néomanagement inspiré du « toyotisme »[32], précarisation, etc. – ont essentiellement pour enjeu de faire reculer, jusqu'à l'écrasement, toutes les formes d'insubordination, de contestation et de contre-pouvoir ouvrier qui s'étaient généralisées et renforcées dans les « années 68 »[33]. Associées au « nouvel esprit du capitalisme[34] », ces transformations s'étendent bien au-delà de l'usine[35]

---

29. Voir la liste publiée dans *Le Monde diplomatique* en février 2015 : http://www.monde-diplomatique.fr/2015/02/A/52640. Surtout, voir l'exploration des dispositifs antiterroristes et de la justice d'exception que propose Vanessa Codaccioni : *Justice d'exception. L'État face aux crimes politiques et terroristes*, Paris, CNRS éditions, 2015.

30. Qu'on pense à la loi relative au renseignement promulguée en juillet 2015, renforçant l'appareil de surveillance déjà existant ; un amendement a d'ailleurs été voté qui permet de « mettre sous surveillance l'ensemble des données de communication », non plus seulement des 11 700 personnes « fichées S », mais aussi de leur « entourage », donc potentiellement des centaines de milliers de personnes. Voir l'analyse de La Quadrature du net : https://www.laquadrature.net/fr/etat-d-urgence-surenchere-dans-la-surveillance-de-masse.

31. S. Beaud et M. Pialoux, *Retour sur la condition ouvrière*, Paris, La Découverte/Poche, 2012 (1999).

32. Voir D. Linhart, *La Modernisation des entreprises*, Paris, La Découverte, 2004.

33. Pour une description de ces formes de contre-pouvoir, voir notamment M. Durand, *Grains de sable sous le capot. Résistance & contre-culture ouvrière : les chaînes de montage de Peugeot (1972-2003)*, Marseille, Agone, 2006 ; X. Vigna, *L'Insubordination ouvrière dans les années 68. Essai d'histoire politique des usines*, Rennes, PUR, 2007 ; C. Corrouge et M. Pialoux, *Résister à la chaîne. Dialogue entre un ouvrier de Peugeot et un sociologue*, Marseille, Agone, 2011 ; F. Gallot, *En découdre. Comment les ouvrières ont révolutionné le travail et la société*, Paris, La Découverte, 2015 ; L. Bantigny, *1968. De grands soirs en petits matins*, Paris, Seuil, 2018.

34. L. Boltanski et È. Chiapello, *Le Nouvel Esprit du capitalisme*, Paris, Gallimard, 1999.

35. Voir en particulier C. Brochier, « Des jeunes corvéables. L'organisation du travail et la gestion du personnel dans un fast-food », *Actes de la recherche*

et renvoient à toute une gamme de tactiques patronales : de formes intensifiées de répression antisyndicale[36] jusqu'à la montée de dispositifs d'enrôlement – dits de « participation » – des salariés et de leurs organisations dans les nouveaux modes de gestion de la main-d'œuvre, en passant par la domestication de l'activité revendicative au nom du « dialogue social », etc.

De ce point de vue, les lois Travail imposées en France au printemps 2016 et à l'automne 2017 ne sont guère que les étapes les plus récentes, mais certainement pas les dernières, d'un processus de destruction des droits sociaux. Mais il s'agit aussi d'établir un pouvoir patronal sans partage et une subordination totale des salariés, en rognant tous les espaces d'intervention, d'organisation et d'autonomie conquis par ces derniers. Ce n'est donc pas simplement sur le plan des libertés fondamentales, du respect du suffrage universel ou de la place faite à la représentation parlementaire que s'affirment les logiques antidémocratiques actuelles, mais aussi au cœur même des rapports de production.

De même doit-on noter la montée en puissance d'un État pénal bâti sur les cendres de l'État social[37], dont le symptôme le plus visible est l'explosion depuis quarante ans du nombre de personnes écrouées – de 36 913 en 1980 à 77 883 en 2014 – mais plus largement des personnes placées sous main de justice : de 77 336 en 1982 à 251 991 en 2014[38]. Cette évolution est d'autant plus frappante qu'elle s'est opérée dans un contexte

---

en sciences sociales, 2001, n° 138, p. 73-83 ; M. Buscatto, « Les centres d'appels, usines modernes ? Les rationalisations paradoxales de la relation téléphonique », *Sociologie du travail*, 2002, vol. 44, n° 1, p. 99-117 ; S. Abdelnour, *Les Nouveaux Prolétaires*, Paris, Textuel, 2012 ; M. Benquet, *Encaisser. Enquête en immersion dans la grande distribution*, Paris, La Découverte, 2013.

36. E. Pénissat (coord.), « Réprimer et domestiquer. Stratégies patronales », *Revue Agone*, 2013, n° 50. Voir également le premier rapport de l'Observatoire de la discrimination et de la répression syndicale, disponible ici : http://observatoire-repression-syndicale.org/rapports/rapport2014.pdf.

37. Voir L. Wacquant, *Les Prisons de la misère*, Paris, Raisons d'agir, 1999 ; L. Wacquant, *Punir les pauvres. Le nouveau gouvernement de l'insécurité sociale*, Marseille, Agone, 2004.

38. Voir le rapport produit en mai 2014 par la Direction de l'administration pénitentiaire : http://www.justice.gouv.fr/art_pix/ppsmj_2014.PDF.

où des hommes politiques et des pseudo-experts – mais vrais *businessmen* – de la sécurité[39] ne cessent de mettre en accusation le prétendu « laxisme » de la justice et l'« angélisme » de la gauche, et où la délinquance a plutôt eu tendance à rester stable (voire à baisser dans le cas des violences physiques)[40]. Précisons enfin qu'il ne s'agit pas simplement pour le pouvoir capitaliste d'organiser l'expansion de la « main droite » de l'État (les appareils répressifs) et de se débarrasser de sa « main gauche » (les services d'éducation, de santé et du « social »), pour reprendre les catégories de Pierre Bourdieu[41], mais de faire fonctionner l'État social sur le modèle de l'État pénal, c'est-à-dire selon des logiques de surveillance et de punition plutôt que de service public et de bien commun[42].

Quand les bourgeoisies démantèlent la « démocratie bourgeoise[43] »

Ce qui s'est joué au cours des deux dernières décennies exprime une mise en crise des démocraties libérales, c'est-

39. Sur deux exemples d'experts parmi les plus médiatisés, Alain Bauer et Xavier Raufer (ce dernier, de son vrai nom Christian de Bongain, ayant par ailleurs été militant du groupuscule néofasciste Occident), voir L. Mucchielli, *Violences et insécurité. Fantasmes et réalités dans le débat français*, Paris, La Découverte, 2007.

40. Voir par exemple L. Mucchielli, « Panique sécuritaire, panique identitaire : quelques usages de "l'insécurité" », *in* L. De Cock et R. Meyran, *Paniques identitaires. Identité(s) et idéologie(s) au prisme des sciences sociales*, Vulaines-sur-Seine, Éditions du Croquant, 2017.

41. Voir notamment P. Bourdieu, « La démission de l'État », *in La Misère du monde*, Seuil, « Points », 1998, p. 337-349. Pour un retour sur ce point, voir C. Laval, *Foucault, Bourdieu et la question néolibérale*, Paris, La Découverte, 2018, p. 221-225.

42. Pensons au traitement du chômage, transformé de plus en plus en appareil de surveillance et de contrainte des chômeurs, sans cesse menacés d'être déchus de leurs droits et de subir cette forme de mort sociale que l'on nomme « radiation ». Voir notamment E. Pierru, *Guerre aux chômeurs ou guerre au chômage*, Bellecombe-en-Bauges, Le Croquant, 2005. Voir aussi P. Martin, *Les Métamorphoses de l'assurance maladie. Conversion managériale et nouveau gouvernement des pauvres*, Rennes, Presses universitaires de Rennes, 2016.

43. Comme on l'a dit plus haut, l'expression « démocratie bourgeoise » est éminemment contestable. Elle mêle en effet des droits et libertés qui furent

à-dire du principal mode selon lequel la classe dominante – la bourgeoisie – a organisé sa domination politique depuis la fin du XIXe siècle : mise en crise par les luttes populaires des « années 68 » mais aussi, en réaction, par les gouvernements eux-mêmes. Ceux-ci ont préféré progressivement saborder les formes politiques (parlementaires), les droits démocratiques et les acquis sociaux sur lesquels se fondaient pourtant leur légitimité, devenus de plus en plus encombrants à mesure que s'accroissaient les inégalités et que s'approfondissait la crise sociale.

Dès les années 1970, la Commission Trilatérale – l'un des multiples organes de réflexion dont dispose la bourgeoisie à l'échelle internationale et qui lui permettent de renforcer son homogénéité politico-idéologique[44] – s'était emparée à sa façon de cette question de la démocratie[45]. Dans un rapport publié en 1975[46], les auteurs – Samuel Huntington (devenu mondialement célèbre depuis grâce à la thèse du « choc des civilisations » qui a légitimé les interventions impériales depuis le 11 septembre 2001), Michel Crozier (sociologue français apprécié des élites néolibérales, notamment pour son pamphlet *La Société bloquée*) et Joji Watanuki – s'inquiétaient du manque de « gouvernabilité » et des « excès » de la démocratie. Pour y faire face, le rapport plaidait en faveur d'institutions politiques placées aussi loin que possible de toute forme de

effectivement conquis par la bourgeoisie, alors en position de « classe montante » contestant le pouvoir des classes dominantes traditionnelles, et d'autres qui ont été conquis par les classes ouvrières et les mouvements progressistes – féministe, antiraciste, LGBT – contre les résistances farouches des bourgeoisies (du suffrage universel aux libertés d'organisation, de réunion et de manifestation, en passant par le droit de grève, le droit à l'avortement, la dépénalisation de l'homosexualité, etc.).

44. Voir Dylan Riley, *The Civic foundations of Fascism in Europe. Italy, Spain, and Romania, 1870-1945*, Baltimore, Johns Hopkins University Press, 2010, p. 15.

45. Sur la Trilatérale, voir O. Boiral, « Pouvoirs opaques de la Trilatérale », *Le Monde diplomatique*, novembre 2003.

46. Le rapport peut être consulté ici : http://trilateral.org/download/doc/crisis_of_democracy.pdf.

contrôle populaire. Considérés comme volatils et trop peu sensibles aux prétendues « nécessités » économiques, les peuples et le suffrage universel devaient être encadrés par des institutions nouvelles dévolues entièrement à l'accumulation du capital et au maintien de l'ordre existant.

Si la Trilatérale n'est pas l'auteure d'un complot contre la démocratie, ourdi dans le dos des peuples et des gouvernements, ce rapport donne à voir sous une forme explicite et exhaustive ce qui se donne généralement sous des formes euphémisées et morcelées. À savoir l'agenda de « dé-démocratisation[47] » mis en œuvre par les classes dirigeantes à partir de la fin des années 1970. La montée de l'autoritarisme n'a pas été le simple produit d'ajustements opérés au coup par coup ; elle a procédé de réflexions intellectuelles menées au sein des élites politiques et économiques, et de décisions politiques prises par des gouvernements (de droite et de gauche). Expression des préoccupations propres aux milieux dirigeants (en particulier patronaux), ce programme visait à enrayer la progression des mouvements d'émancipation et à réduire la conflictualité sociale, en hausse depuis la fin des années 1960. Il s'agissait en particulier de résoudre un problème apparemment insoluble : comment restaurer un pouvoir capitaliste érodé par les luttes populaires, tout en maintenant les structures formelles de la démocratie (notamment les élections libres et le pluralisme politique) ? La réponse des classes dirigeantes a reposé sur trois séries de transformations structurelles.

La première tient dans la mondialisation néolibérale qui, en donnant un pouvoir de plus en plus important à un acteur spécifique, la finance capitaliste, a modifié les rapports de force entre les classes, mais également entre les fractions qui composent les classes dominantes. L'une des caractéristiques centrales de la finance déréglementée et globalisée tient dans le fait qu'elle tend à échapper au contrôle politique, même minimal, du fait de sa capacité à s'abstraire de tout ancrage

47. Voir W. Brown, *Les Habits neufs de la politique mondiale. Néolibéralisme et néoconservatisme*, Paris, Les Prairies ordinaires, 2007.

territorial. La finance est ainsi devenue si puissante qu'elle peut, par la voix d'institutions ventriloques – la Banque centrale européenne, mais aussi le FMI, l'OMC ou la Banque mondiale, qui constituent autant de centres du pouvoir capitaliste –, imposer très directement les politiques publiques favorables au capital. Cela passe en particulier par l'exercice d'une forme de chantage à l'investissement ou, comme dans le cas de la Grèce, de chantage au financement d'États maintenus volontairement à la limite de la cessation de paiement. Rien de très neuf à dire vrai : ce type de chantage a toujours constitué l'une des armes principales de la classe capitaliste.

Mais on oublie souvent que des acteurs identifiables et des décisions précises ont permis de libérer la finance des contraintes qui l'enserraient depuis l'après-guerre. Pensons, dans le cas de la France, à la loi de dérégulation bancaire de 1984 et à la loi Bérégovoy de 1986 sur la déréglementation financière, toutes deux initiées par un gouvernement de gauche. Ce sont bien des volontés gouvernementales qui ont abouti à la mise en place de la libre circulation des capitaux, à l'échelle européenne mais également mondiale. Ce qui a entraîné une élévation dramatique du niveau de concurrence entre travailleurs et entre États, favorisant ainsi un *dumping* social et fiscal sans limites. La crise financière de 2007-2008 n'a rien changé à l'affaire de ce point de vue car il n'y a pas de voie médiane : ou l'on s'affronte à la finance capitaliste, ce qui suppose d'en briser les structures fondamentales (en particulier par la socialisation du système bancaire et la fermeture de la Bourse[48]), ou l'on en vient nécessairement, à plus ou moins brève échéance, à se conformer à l'ensemble de ses desiderata. Les gouvernements ont unanimement choisi la seconde option, une fois passé les indignations de rigueur par temps d'orage financier.

La deuxième transformation est liée à la précédente, mais dispose d'une autonomie relative et d'une trajectoire histo-

---

48. Voir F. Lordon, « Et si l'on fermait la Bourse », *Le Monde diplomatique*, février 2010.

rique propre. Il s'agit des processus d'intégration régionale des économies capitalistes, en particulier le projet le plus avancé qu'est l'Union européenne (UE). Depuis les années 1980, l'UE n'a pas été construite simplement comme un libre marché dans lequel doit régner une « concurrence libre et non faussée ». Elle a été bâtie également comme un proto-État dominé par des instances non élues (Commission européenne et Banque centrale européenne mais aussi une large variété de lobbies[49]), qui ne se substitue pas aux États-nations – quoique les émissaires de l'UE aient joué dans le cas grec le rôle d'un gouvernement de l'ombre – mais s'y articule[50]. À force de délégations de la part des gouvernements nationaux, ce proto-État en est venu à disposer d'une force contraignante, notamment à travers ses cours de justice mais surtout *via* l'instrument monétaire.

L'exemple grec de la première moitié de l'année 2015 a ainsi montré que, au sein de l'UE, un gouvernement élu ne saurait appliquer une politique économique sans l'accord des gouvernements des principales puissances européennes (principalement l'Allemagne et secondairement la France), mais aussi de la Commission européenne, de la BCE ou encore du FMI, ces derniers étant organiquement liés (et soumis) au capital financier. Jean-Claude Juncker n'a-t-il pas déclaré en janvier 2015, suite à la victoire de Syriza, qui promettait de rompre avec les politiques d'austérité : *« Il ne peut y avoir de choix démocratique contre les traités européens »* ? Il faut encore se souvenir de la manière dont le vote des populations françaises et néerlandaises contre le Traité de constitution européenne (TCE) en 2005 a pu être effacé d'un trait de plume par l'imposition du traité de Lisbonne – un traité qui ne différait du TCE que par son ordre interne, de l'aveu même de V. Giscard d'Estaing, principal concepteur de ce dernier –, et cela par voie parlementaire, donc avec la complicité des députés et sénateurs PS. Ajoutons encore

49. Sur le rôle des instances de lobbying dans le cadre de l'Union européenne, voir S. Laurens, *Les Courtiers du capitalisme*, Marseille, Agone, 2015.

50. Voir C. Durand (dir.), *En finir avec l'Europe*, *op. cit.*

que, lorsque le peuple irlandais a voté contre ce nouveau traité, l'oligarchie européenne tout entière s'est cabrée et l'a contraint à revoter jusqu'à obtenir une réponse plus conforme à ses intérêts.

Le troisième facteur structurel renvoie à un processus de long terme de transformation des États capitalistes, consistant dans une montée de l'« étatisme autoritaire » et marquant le « déclin de la démocratie »[51]. Les mécanismes traditionnels du parlementarisme libéral ont commencé à être marginalisés il y a longtemps, bien avant la construction de l'UE et la mondialisation capitaliste. En France, le gaullisme et la Ve République ont constitué une nouvelle manière d'organiser la domination politique de la bourgeoisie et de construire son hégémonie, marginalisant les organes parlementaires au profit d'autres instances, élues ou non : le pouvoir exécutif et l'administration d'État, contrôlée par les sommets des principaux partis, eux-mêmes intégrés organiquement aux institutions d'État *et* aux milieux d'affaires. Du côté de la droite les liens avec ces derniers sont évidents depuis toujours, mais dans le cas du PS ils ont été créés de manière volontariste, notamment à partir des années 1980, comme l'illustre l'existence même du Cercle de l'Industrie. Cofondé par Dominique Strauss-Kahn, ancien dirigeant socialiste éminent devenu ministre de l'Économie puis directeur du FMI, ce lobby patronal comptait volontairement autant de dirigeants du PS que de la droite – outre les présidents des plus grandes entreprises françaises.

On aurait tort d'imaginer que l'élection d'un président qui n'a pas couvé dans l'un des deux principaux partis qui se succèdent au pouvoir depuis 1981, change ici quoi que ce soit. Au contraire, E. Macron s'est inscrit dans une stricte continuité avec les gouvernements précédents, radicalisant la double tendance autoritaire mise en évidence par Nicos Poulantzas : confusion des partis et de l'administration d'État, et domination des sommets de l'exécutif sur cette dernière. Notons d'ailleurs que si le PS avait pu montrer quelques rares velléités d'indépendance

51. Voir N. Poulantzas, *L'État, le Pouvoir et le Socialisme*, Paris, Les Prairies ordinaires, 2013 (1978).

sous F. Hollande, vite refoulées ou réprimées, le mouvement créé par E. Macron ne l'a été que comme moyen de conquête du pouvoir. La République en marche (LREM) a été conçue pour demeurer sous le contrôle étroit de son président et de ses conseillers, sans vie démocratique interne, et pour faire office de réservoir de « compétences » – essentiellement issues du monde patronal. En outre, la pratique du pouvoir par Macron s'avère hyper-centralisée, même au regard des normes de la Ve République : toute la mécanique de prise de décision semble ainsi concentrée autour du président, de son secrétaire général et de son conseiller spécial[52]. L'affaire Benalla est venue récemment exemplifier, jusqu'à la caricature et l'irrationalité, cette monopolisation et le sentiment de toute-puissance qui lui est associé.

E. Macron apparaît ainsi sans fard, dans la continuité de N. Sarkozy et F. Hollande, comme l'incarnation parfaite de l'État néolibéral-autoritaire, cette modalité particulière de l'État capitaliste que l'on cherche à bâtir intégralement sur le modèle des directions d'entreprises. De même que ces pseudo-consultations nommées « référendums d'entreprise », où l'on somme les salariés de choisir entre la peste (travailler plus pour gagner autant, voire moins) et le choléra (les suppressions d'emplois), le débat démocratique n'a guère d'autre fonction dans ce modèle que d'entériner et de légitimer *a posteriori* des décisions prises par une infime minorité au nom de considérations se situant à mille lieues des intérêts de la majorité.

Capitalisme et démocratie à l'âge néolibéral

À prendre au sérieux les trois transformations structurelles évoquées précédemment, on comprend aisément que la principale menace à laquelle fait face la *démocratie* n'est pas le

---

52. S. de Royer, « Emmanuel Macron, Alexis Kohler, Ismaël Emelien : ce trio qui dirige la France », *Le Monde*, 7 août 2017, http://www.lemonde.fr/politique/article/2017/08/07/ce-trio-qui-dirige-la-france_5169441_823448.html.

terrorisme. Ce danger ne réside pas davantage dans l'« individualisme » – lui-même étant le produit de l'individualisation concurrentielle sous contrainte patronale et étatique – ou la prétendue passivité des populations[53], comme le postulent nombre d'intellectuels conservateurs. Le principal danger pour la démocratie, c'est bien la radicalisation d'une bourgeoisie qui aimerait se passer de ce *dèmos* encombrant ! À tel point qu'un de ses porte-parole les plus assidus pouvait affirmer sans ironie en mars 2016 : « Comme il serait plaisant de gouverner s'il n'y avait pas ce satané peuple français ! Sans lui, notre pays serait depuis longtemps un pays de cocagne, avec une économie dynamique et un taux de chômage proche de zéro, comme chez nos voisins. [...] La France n'est pas aidée, mais elle ne s'aide pas non plus. Si son peuple n'est pas à la hauteur, peut-elle au moins en changer[54] ? »

Dans *Les Luttes de classes en France*[55], Marx rappelait d'ailleurs que la bourgeoisie ne s'en remet au suffrage universel et au régime constitutionnel que dans la stricte mesure où ils permettent d'assurer pacifiquement la reproduction de l'ordre capitaliste : « La domination bourgeoise en tant qu'émanation et résultat du suffrage universel, en tant qu'expression de la volonté du peuple souverain, voilà le sens de la Constitution bourgeoise. Mais à partir du moment où le contenu de ce droit de suffrage, de cette volonté souveraine n'est plus la domination bourgeoise, la Constitution a-t-elle encore un sens ? N'est-ce pas le devoir de la bourgeoisie de réglementer le droit de vote de telle façon qu'il veuille le raisonnable, sa domination ? »

53. Ayant le sentiment qu'ils sont privés de tout pouvoir, de nombreux citoyens peuvent effectivement devenir passifs. Mais on doit rappeler que les pouvoirs publics ont obstinément construit cette passivité, non simplement par des discours (le fameux « il n'y a pas d'alternative » de Thatcher, repris sur tous les tons depuis trente ans par le chœur des éditorialistes, intellectuels médiatiques et journalistes dominants), mais à travers la construction d'institutions rendant de plus en plus opaques les prises de décision et en raison de la disparition de toute différence significative entre gouvernements « de droite » et gouvernements « de gauche ».

54. F.-O. Giesbert, « Le cauchemar de Tocqueville », *Le Point*, 10 mars 2016.

55. K. Marx, *Les Luttes de classes en France*, Paris, Éditions sociales, 1974, p. 152-153.

En d'autres termes, dès lors que la démocratie – même corsetée par la domination capitaliste, limitée par l'ampleur des inégalités et appauvrie par la faiblesse du pluralisme politique et médiatique – devient un obstacle sur la route de l'accumulation du capital, la bourgeoisie n'hésitera pas à s'en passer. En tout cas le fera-t-elle si les bénéfices qu'elle peut en tirer surpassent les coûts associés à une autre forme de domination politique. Elle n'a ainsi jamais craint de se débarrasser purement et simplement de la démocratie libérale et d'user des moyens les plus criminels pour maintenir ou asseoir son pouvoir. En témoignent les répressions féroces (de la Commune de Paris aux massacres commis en Algérie le 8 mai 1945 et à Madagascar en 1947 par le gouvernement issu de la Résistance), les dictatures militaires (comme dans le Chili de Pinochet ou la Grèce des colonels), ou les régimes fascistes (l'Italie et l'Allemagne de l'entre-deux-guerres, où l'on oublie trop souvent que ce sont les partis de la droite bourgeoise, représentants politiques traditionnels des classes dominantes, qui ont livré le pouvoir à des forces minoritaires électoralement[56]).

Dans la période actuelle, il apparaît de plus en plus évident que le capitalisme n'a nullement un besoin « naturel » de la démocratie. C'est au contraire à une dérive autoritaire que nous assistons partout. À pousser le raisonnement, on pourrait même affirmer que le modèle chinois n'est nullement une exception dans le monde capitaliste contemporain, pas davantage qu'un simple renvoi à l'époque de l'accumulation primitive puis de la première révolution industrielle. Comme l'affirme Slavoj Žižek, le cas chinois pourrait même être « un signe de l'avenir[57] » ; non pas tant le règne du parti unique et l'absence d'élections libres au suffrage universel que la limitation drastique des libertés politiques et syndicales, d'organisation et d'expression, et la surveillance préventive de la population.

---

56. Voir l'introduction de cet ouvrage.

57. G. Agamben, A. Badiou *et al.*, *Démocratie, dans quel état ?*, Paris, La Fabrique, 2009, p. 131.

C'est d'ailleurs l'une des principales faiblesses des approches d'Alain Badiou ou du Comité invisible, entre autres, que d'effacer d'un trait de plume les contradictions possibles entre capitalisme et démocratie. Le premier dissout la démocratie dans le capitalisme (d'où son expression de « capitalo-parlementaire »), et « renvoie toute égalité politique à un simple reflet inversé ou un instrument trompeur de la domination du Capital »[58] ; les seconds, suivant Giorgio Agamben, tendent à réduire la démocratie à une simple « technique de gouvernement[59] ». On trouve à la racine de ces approches une critique aristocratique de l'« homme démocratique », qu'Alain Badiou doit pour l'essentiel à Platon et Giorgio Agamben à Heidegger[60]. De leurs positions découle le postulat suivant : le suffrage universel, les libertés civiles et même les droits sociaux seraient par essence fonctionnels à la fabrique du consentement dans les sociétés capitalistes et ne sauraient menacer d'une quelconque manière l'ordre capitaliste. Du côté du Comité invisible, cela va jusqu'à présenter généralement le mouvement syndical et la gauche politique – y compris radicale – comme les organes dociles d'un Pouvoir omniscient et omniprésent[61].

Dans ces conceptions, la démocratie se trouve ainsi réduite à une essence figée dans des procédures et des institutions, et l'histoire des luttes de classe semble n'avoir aucune place ni ne laisser aucune trace : toute conquête, sociale ou démocra-

---

58. J. Rancière, *En quel temps vivons-nous ? Conversation avec Éric Hazan*, Paris, La Fabrique, 2017, p. 13.

59. Jacques Rancière écrit ainsi : « On a vu resurgir les vieux discours, Cohn-Bendit en première ligne disant que c'est la démocratie qui a amené Hitler, etc. Plus les positions quasi dominantes chez ceux qu'on appelle les intellectuels, pour qui la démocratie, c'est le règne de l'individu consommateur formaté, c'est la médiocratie... des positions qu'on retrouve depuis la droite jusqu'à l'extrême gauche, disons depuis Finkielkraut jusqu'à *Tiqqun* ! », *ibid.*, p. 96.

60. Dans les deux cas, cette critique est justiciable de la contre-critique dévastatrice proposée par J. Rancière dans *La Haine de la démocratie*, Paris, La Fabrique, 2005.

61. Pour une présentation critique, voir U. Palheta, « Les influences visibles du Comité invisible », *La Revue du Crieur*, 2016, n° 4.

tique, est assimilée à un nouveau mécanisme d'enrôlement des subalternes dans la machinerie « capitalo-parlementaire » ou dans l'« Empire ». Si bien qu'on comprend mal la politique actuelle des bourgeoisies : pourquoi les classes dirigeantes se donneraient-elles tant de mal pour domestiquer le mouvement syndical (en jouant alternativement de la répression et de la domestication, du bâton et de la carotte), limiter les libertés civiles (en imposant l'état d'urgence) et contourner le suffrage universel (dont plusieurs exemples récents ont montré qu'il pouvait ne pas se plier à leurs désirs), si tous ces éléments de la démocratie telle que nous la connaissons – c'est-à-dire sous une forme extrêmement limitée – étaient de purs rouages de la domination capitaliste ? Il y a là un fait qui n'est énigmatique que pour une politique « pure », qui peut aisément dériver en antipolitique, ne décelant dans la domination capitaliste aucune contradiction sur laquelle pourraient s'appuyer les luttes des subalternes et n'imaginant d'opposition que campée dans une impossible extériorité à l'économie et à la politique.

À rebours de cette tendance à congédier l'analyse des contradictions, seule la trajectoire historique des luttes sociales et politiques permet de comprendre ce qui se joue actuellement. En particulier, elle permet de saisir l'offensive néolibérale comme une réponse du capital à la vague de luttes et d'insubordination qui a marqué les « années 1968 ». Le néolibéralisme, conçu comme projet de classe et mis en œuvre à partir de la fin des années 1970, a ainsi eu des visées conjointes : la destruction de l'ensemble des droits sociaux et la réduction drastique des libertés politiques obtenus de haute lutte par le mouvement ouvrier aux XIXe et XXe siècles ; mais aussi l'écrasement du moindre espace d'autonomie conquis par les salariés sur leurs lieux de travail. Or, que sont ces droits sociaux (droit à la santé et à l'instruction par exemple), mais aussi ces libertés et ces marges d'autonomie, sinon l'empreinte dans le présent des combats passés menés par les dépossédés ? Que sont-ils sinon les sites d'un (contre-)pouvoir populaire mouvant et embryonnaire mais réel, et parfois même des

« gisements de communisme[62] », autant de signes d'un autre monde possible ?

Certains pensent que les sociétés capitalistes avancées seraient entrées dans l'ère de la « postdémocratie[63] ». Stimulante, cette hypothèse a néanmoins le défaut de reposer sur une vision fétichisée de la période antérieure à l'offensive néolibérale : ces si mal nommées « Trente Glorieuses », considérées comme une sorte d'âge d'or démocratique et social du capitalisme. Or, non seulement cette période ne fut qu'une parenthèse dans l'histoire longue du capitalisme[64], mais qui oserait dire à celles et ceux qui trimaient dans les usines ou sur les chantiers, aux ouvriers agricoles et aux OS immigrés, aux syndicalistes et aux militants anticolonialistes, que dans ces années l'exploitation était plus douce, l'arbitraire patronal moindre et l'État bienveillant à l'égard des luttes des exploités et des opprimés ? Outre l'autoritarisme du régime gaullien ainsi que les violences patronales ou d'extrême droite, c'est oublier que, comme le rappelait récemment l'économiste Thomas Piketty, « la période 1945-1967 se caractérise en France par [...] un mouvement de reconstruction des inégalités » (de classe et de genre) ; c'est le mouvement de mai-juin 1968 qui amorça un processus de réduction des inégalités (jusqu'en 1983)[65]. Parler de « divorce » entre capitalisme et démocratie, comme le font certains auteurs[66], paraît ainsi manquer la cible. Sauf à considérer que leur mariage d'antan ne fut que très provisoire et de raison, et que le premier se permit sans

62. Voir I. Johsua, *La Révolution selon Karl Marx*, Lausanne, Page-deux, 2012.

63. C. Crouch, *Postdémocratie*, Zurich, Diaphanes, 2013.

64. Voir W. Streeck, « The crisis of democratic capitalism », *New Left Review*, septembre-octobre 2011, n° 71.

65. T. Piketty, « Mai 68 et les inégalités », 5 mai 1968. http://www.lemonde.fr/idees/article/2018/05/05/thomas-piketty-mai-68-et-les-inegalites_5294668_3232.html.

66. Voir notamment cette chronique de l'influent éditorialiste britannique Martin Wolf : « Capitalism and democracy. The strain is showing », *Financial Times*, 30 août 2016, https://www.ft.com/content/e46e8c00-6b72-11e6-ae5b-a7cc5dd5a28c.

cesse des escapades vers l'autoritarisme. L'époque du prétendu « capitalisme démocratique » ne fut-elle pas, aux États-Unis, celle du maccarthysme et de la guerre de basse intensité menée par l'État fédéral contre les mouvements noirs et, en France, celle des guerres d'Indochine et Algérie, avec leurs cortèges de répression, de torture et de massacres ?

Pour autant, peut-on se contenter d'affirmer que les structures politiques du capitalisme demeureraient invariablement autoritaires derrière le vernis de la démocratie libérale ? Rien de neuf sous le soleil, vraiment ? Nullement, mais les transformations de ces structures suivent la pente des rapports de force entre les classes et entre les nations. Et cette pente dépend de la capacité des classes dirigeantes occidentales à intégrer politiquement des franges significatives des classes subalternes dans des blocs de pouvoir hégémoniques, mais aussi à mater les résistances des peuples du Sud global, directement ou le plus souvent par le biais d'élites cooptées. La transition que Colin Crouch décrit comme un passage de la démocratie à la « postdémocratie » doit plutôt être comprise comme une transformation des formes politiques de la domination sociale, sous l'effet d'une vaste défaite des travailleurs à l'échelle mondiale[67] et de la plupart des nations opprimées face à l'offensive menée par les bourgeoisies occidentales à partir des années 1970. Cette défaite s'est prolongée dans une entreprise de soustraction de fonctions économiques et sociales décisives à toute forme de contrôle populaire. Les institutions européennes et internationales ont été des actrices de premier plan dans cette offensive autoritaire, avec la complicité des gouvernements nationaux.

---

67. Dans chaque pays, le mouvement ouvrier a ainsi connu des défaites emblématiques, qui ont eu des effets politiques importants : la grève des contrôleurs aériens brisée par Ronald Reagan aux États-Unis en 1981, celle des mineurs britanniques en 1984-1985 confrontée à l'intransigeance et à la violence répressive de Thatcher, ou encore les grèves des ouvriers de la sidérurgie et de l'industrie automobile en France au début des années 1980.

« Démocraties capitalistes », État néolibéral-autoritaire et fascisme

Comme on l'a dit plus haut, la contre-révolution autoritaire a d'abord été, à la fin des années 1970, une réponse à la montée des luttes sociales (incluant les luttes antiracistes et de l'immigration mais aussi les luttes féministes et écologistes) et d'une conscience anticapitaliste de masse. Pour autant, son amplification présente ne renvoie pas à l'imminence d'une menace révolutionnaire à laquelle seraient confrontées les classes dirigeantes des puissances capitalistes dominantes. D'ailleurs, au regard de l'ampleur des reculs imposés aux populations et des méthodes employées, la polarisation politique y demeure pour l'instant relativement faible et les luttes de classe d'une intensité indéniablement moindre que dans l'entre-deux-guerres. On assiste donc actuellement davantage à une décomposition progressive des équilibres politiques antérieurs – dont les effets à moyen et long terme sont imprévisibles – et à une offensive autoritaire préventive, qu'à une soudaine irruption des dépossédés renversant la table et contraignant les bourgeoisies à se passer de la démocratie. Cela étant, rien n'empêche d'envisager, dans les années à venir, un approfondissement de la crise politique, une politisation radicale à grande échelle et une accélération de la poussée autoritaire.

Comme on l'a vu, le glissement des « démocraties capitalistes » vers des régimes autoritaires respectant généralement la légalité formelle tout en marginalisant, corsetant voire écrasant les formes directes d'intervention démocratique, ne date pas, en France, de la mise en place de l'état d'urgence. Il s'est amorcé dès la fin des années 1970 et exprime depuis lors une crise latente des États capitalistes tels qu'ils se sont construits aux XIXe et XXe siècles. L'enjeu politique actuel, pour les classes dirigeantes, se situe donc au niveau des structures mêmes de ces États : il s'agit de relancer l'accumulation capitaliste tout en assurant la reproduction des rapports sociaux et la légitimation de la domination bourgeoise. Cela supposerait, non la simple répression des mouvements de contestation, mais leur domestication et l'intégration politique de larges segments du salariat. Or, cette dimension s'est révélée en France un point d'achoppement pour l'État néolibéral-autoritaire, du fait notamment de l'ampleur des luttes sociales et politiques depuis l'hiver 1995.

Comment situer le danger fasciste vis-à-vis de cette offensive autoritaire ? Tout d'abord, rappelons que l'État autoritaire n'est nullement synonyme de fascisme, ni d'ailleurs généralement de « fascisation rampante » (de la société ou de l'État). Un gouvernement qui interdit une manifestation, gouverne par ordonnances, marginalise le Parlement, réprime dans les quartiers pauvres, etc., ne saurait être assimilé *ipso facto* à un gouvernement fasciste. L'État fasciste ne désigne pas en effet un gouvernement un peu plus répressif que les gouvernements ordinaires mais un régime d'exception dans lequel l'État de droit tel que nous le connaissons est purement et simplement aboli[68] ; les libertés individuelles et collectives, les droits démocratiques fondamentaux et les protections juridiques vis-à-vis de l'arbitraire étatique (d'ores et déjà très inégales selon le statut des citoyens si l'on pense à la situation des non-Blancs) supprimés. Un tel régime d'exception ne peut s'imposer que dans une conjoncture extra-ordinaire, au terme d'une crise politique d'une magnitude exceptionnelle. Il ne peut résulter d'une évolution pas à pas, linéaire : un État ne devient pas progressivement de plus en plus autoritaire jusqu'à se découvrir fasciste un (sinistre) matin. Le fascisme n'est pas le stade terminal d'un lent processus menant inéluctablement les démocraties capitalistes au totalitarisme, et passant par tous les degrés d'autoritarisme.

Seules des situations extrêmement imprévisibles, ingouvernables, rendent possible la conquête du pouvoir par ceux qui apparaissaient, quelques années seulement auparavant, comme des tribuns grotesques entourés de partisans haineux et de bandes marginales. Le fascisme ne constitue donc ni le destin

68. Voir N. Poulantzas, *Fascisme et dictature*, Paris, Seuil/Maspero, 1974 [1970].

inexorable des démocraties capitalistes, ni la volonté inavouable mais inflexible des classes dirigeantes. Le passage d'États libéraux ou autoritaires à des régimes d'exception (dictatures militaires ou fascistes) est historiquement rare, ne serait-ce qu'en raison des risques qu'il fait courir aux possédants. Le risque pour ces derniers n'est pas de tout perdre (car ils parviennent généralement à s'accommoder de n'importe quel régime), mais de devoir renoncer à la maîtrise pleine et entière de la situation politique et de voir s'accroître à terme l'instabilité et la polarisation politiques. C'est d'ailleurs pour cela que les fascistes, s'ils ont bénéficié historiquement de la complaisance et même de l'aide directe de la classe dominante, ne constituent jamais la première option de celle-ci. Elle ne s'y résout – et encore partiellement, car certaines fractions de la bourgeoisie refusent jusqu'au bout de recourir au fascisme – qu'en désespoir de cause, avec la prétention illusoire de parvenir à le maîtriser. Néanmoins, pour plusieurs raisons qu'il importe d'énumérer et de préciser, le triomphe des organisations fascistes fut bien préparé historiquement par le durcissement autoritaire des États capitalistes, impulsé par les gouvernements bourgeois traditionnels[69].

Tout d'abord, l'autoritarisme tend à accoutumer les élites politiques traditionnelles au recours croissant à des procédures d'exception et à des formes intensifiées de répression (parfois extra-légales). Cet usage de plus en plus généralisé de la force a pour effet de le rapprocher nécessairement de l'extrême droite en légitimant les « solutions » proposées par cette dernière. Elle amène ainsi la droite, ou du moins des segments de celle-ci, à considérer les fascistes d'un autre œil et ainsi à envisager la possibilité d'alliances avec eux de la base au sommet. Il a en outre pour effet d'habituer les populations à voir leurs droits

69. Qu'on pense aux gouvernements dirigés par Brüning puis von Papen en Allemagne avant l'arrivée au pouvoir d'Hitler. Sur les rapports entre ces gouvernements bourgeois autoritaires et la dynamique fasciste, voir notamment le texte magistral de Léon Trotski : « Démocratie et fascisme », *in Contre le fascisme. 1922-1940*, Paris, Syllepse, 2015, p. 196-206.

politiques fondamentaux restreints, les disposant moins à la révolte qu'à l'apathie. Le durcissement autoritaire contribue également à renforcer et à autonomiser les appareils répressifs de l'État, dans lesquels l'extrême droite trouve généralement de solides points d'appui en vue de futurs combats[70]. Enfin, l'autoritarisme implique la mise en place d'une base institutionnelle et d'un arsenal juridique qui donnent immédiatement à l'extrême droite, quand celle-ci parvient au pouvoir, les moyens de bâtir un pouvoir dictatorial, d'asseoir légalement sa domination et de déployer contre toute forme d'opposition une violence potentiellement sans limites[71]. Rappelons au passage qu'aussi bien les régimes mussolinien et hitlérien, mais aussi salazariste et pétainiste, sont parvenus au pouvoir et ont imposé leur dictature, non par des coups d'État, mais par des voies qui respectaient formellement la légalité (sans pour autant qu'ils aient obtenu la majorité lors d'élections démocratiques).

Il existe également un lien plus indirect, mais crucial, entre les tendances autoritaires et le danger fasciste. L'émergence d'un mouvement fasciste puissant, capable de conquérir et d'exercer le pouvoir politique, n'est en effet possible que dans le contexte d'une crise d'hégémonie des classes dominantes. Or la transformation autoritaire des États capitalistes contemporains dérive bien, au moins en partie, de la faible légitimité politique des partis qui se succèdent au pouvoir et de leur enracinement social déclinant. Pour autant, il est douteux que l'État néolibéral, qui a bien peu à voir avec la démocratie libérale et constitue plutôt une version actualisée de l'étatisme autoritaire décrit par Nicos Poulantzas,

70. L'audience très importante du Front national dans les appareils répressifs (police *et* gendarmerie) est bien connue. Voir notamment : « 2012-2017 : une radicalisation du vote des membres des forces de sécurité », *IFOP Focus*, mars 2017, n° 151.

71. Pour une tentative d'anticipation de la manière dont le FN pourrait, une fois parvenu au pouvoir, user des institutions de la Ve République, voir C. Fouteau et M. Hajdenberg, « Si Marine Le Pen était présidente », Mediapart, 14 mars 2017, https://www.mediapart.fr/journal/france/140317/si-marine-le-pen-etait-presidente?onglet=full.

puisse se pérenniser sous une forme stable. Outre le fait que les méthodes expéditives de gouvernement – les ordonnances par exemple – ne sauraient colmater les brèches que provisoirement et partiellement, l'État néolibéral-autoritaire est à la fois un produit de la crise d'hégémonie *et* un facteur d'accentuation de cette crise. Plus cette crise s'approfondit, plus les gouvernements sont amenés à gouverner de manière autoritaire, renforçant ainsi la défiance de larges secteurs de la population, donc aiguisant la crise d'hégémonie[72]. Au-delà des instances parlementaires, qui apparaissent de plus en plus comme un théâtre d'ombres où se joue une pièce tragi-comique sans prise sur le monde, cette dimension autodestructrice de l'État néolibéral-autoritaire se marque particulièrement dans ses modes et capacités d'intervention.

Cet État se construit sur les cendres de l'État capitaliste de la période précédente, marqué par l'inscription institutionnelle des acquis démocratiques et sociaux de la classe ouvrière. Il ne cherche pas seulement à liquider ces conquêtes ; il se débarrasse également des instruments – notamment monétaires et budgétaires – qui donnaient antérieurement aux États capitalistes dominants la possibilité d'intervenir activement dans la sphère économique et d'amortir ainsi les crises inhérentes à l'économie capitaliste. Soumis aux injonctions conjointes du capital (de plus en plus déterritorialisé sous la férule de la finance de marché) et des institutions internationales ou supranationales, il n'est pas certain que l'État néolibéral-autoritaire soit désormais en capacité de gérer les « affaires communes de la classe bourgeoise tout entière[73] », et encore

72. « L'ensemble de la phase actuelle est caractérisé par une accentuation particulière des éléments génériques de crise politique et de crise de l'État, accentuation qui, elle-même, s'articule à la crise économique du capitalisme. C'est cette accentuation [...] qui constitue un trait structurel et permanent de la phase actuelle. L'étatisme autoritaire se présente également comme une résultante de, et comme une réponse à, l'accentuation de ces éléments de crise » (N. Poulantzas, *L'État, le Pouvoir et le Socialisme*, *op. cit.*, p. 291).

73. K. Marx et F. Engels, *Manifeste du parti communiste*, Paris, Garnier-Flammarion, 1999 [1848].

moins d'élaborer un projet politique fédérateur permettant de former des alliances interclasses. Ajoutons qu'en cherchant à transformer la matérialité même de l'État – par l'imposition de nouveaux modes de fonctionnement et d'intervention reposant pour l'essentiel sur des normes importées des entreprises privées et par la substitution d'une logique de rentabilité à une logique de bien public –, les gouvernements successifs ont affaibli ce qui constituait un élément décisif de stabilisation et de légitimation de la domination capitaliste.

L'un des traits particuliers de l'État néolibéral-autoritaire tient en outre dans la réduction progressive, mais considérable, de son autonomie vis-à-vis de la classe dominante – sans pour autant qu'elle se trouve complètement abolie. Ainsi éprouve-t-il une difficulté croissante à prétendre incarner un improbable « intérêt général », c'est-à-dire à transmuer l'intérêt propre de la classe dominante en intérêt universel. En France, chacun des trois derniers présidents – Sarkozy, Hollande et Macron – est ainsi apparu très rapidement comme un « président des riches » aux yeux d'une grande partie de la population. Or l'hégémonie capitaliste suppose précisément un État politique capable d'opérer cette mystification/abstraction des intérêts purement économiques de la bourgeoisie, en les élevant au rang d'intérêt de l'ensemble de la société, d'*intérêt national*. La politique elle-même se trouve dévaluée et tend à dépérir, sous le coup non seulement de cette réduction de l'autonomie relative de l'État mais aussi d'une « politique dépolitisée[74] », ou plus précisément d'une « politique de la dépolitisation[75] ». Cela a pour effet qu'une partie croissante de la population ressent un mépris non seulement pour les professionnels de la politique, mais pour la politique elle-même – sentiment dont l'extrême droite se nourrit habilement.

---

74. W. Hui, « Depoliticized Politics. From East to West », *New Left Review*, septembre-octobre 2006, n° 41.

75. P. Bourdieu, « Contre la politique de dépolitisation », *in Contre-feux 2*, Paris, Raisons d'agir, 2000.

La crise idéologique à laquelle fait face la classe dominante, dimension particulière de la crise d'hégémonie, ne se réduit donc pas à la crise des institutions assurant la diffusion de l'idéologie dominante (le système d'enseignement, dont on connaît les difficultés, ou les médias dominants). Elle est avant toute chose un produit de l'incapacité grandissante de l'État et de ses représentants à donner corps à la fiction d'une puissance publique autonome, au-dessus des classes et capable de transcender leurs intérêts particuliers (notamment l'intérêt des puissants). Plus profondément, c'est ici le déclin des partis de masse qui est le facteur décisif. Rien n'est en effet venu les suppléer dans la fonction hégémonique qu'ils accomplissaient naguère. Nicos Poulantzas indiquait déjà que la haute administration d'État tendait à devenir le « parti réel de l'ensemble de la bourgeoisie ». Mais il ajoutait que cela ne rendait pas moins indispensable l'existence d'un parti d'État dominant et de masse. Celui-ci devant être capable de coordonner et d'impulser l'activité de la base au sommet de l'État mais aussi de tisser des liens organiques entre les sommets de l'appareil d'État et la population.

Que frénétiquement les partis recherchent et revendiquent la présence sur leurs listes d'« acteurs de la société civile » ne doit pas tromper. C'est bien parce que ces liens sont extrêmement affaiblis, sinon inexistants, qu'il leur est nécessaire de mettre en avant des « personnalités » qui ne sont pas des professionnels de la politique mais se recrutent très majoritairement parmi les patrons (petits ou grands), professions libérales ou cadres dirigeants. Les seules relations organiques qui semblent subsister unissent aujourd'hui les sphères dirigeantes des entreprises, les sommets du pouvoir exécutif et des partis (réduits de plus en plus à de simples écuries présidentielles) et la haute fonction publique. Ces liens ne sont pas nouveaux – ils faisaient déjà l'objet des travaux classiques sur l'État capitaliste de Charles Wright Mills ou de Ralph Miliband[76] – mais

---

76. C. Wright Mills, *L'Élite au pouvoir*, Marseille, Agone, 2012 [1956] ; R. Miliband, *L'État dans la société capitaliste*, Bruxelles, Éditions de l'université de Bruxelles,

ils sont devenus extrêmement étroits. Ils favorisent ainsi des allers-retours incessants entre ministères et conseils d'administration de grandes entreprises et, surtout, une gestion de l'État sur le modèle et au service des entreprises capitalistes.

Revenons pour finir sur les liens entre le durcissement autoritaire des « démocraties capitalistes » et le danger fasciste. Comme on y a déjà insisté, un État fasciste ne saurait sortir tout armé de l'État capitaliste actuel par simple approfondissement du caractère autoritaire de ce dernier. Seule une situation au cours de laquelle la crise d'hégémonie se muerait en crise d'ensemble de l'État et où un mouvement fasciste (ou protofasciste) se montrerait suffisamment habile pour s'imposer comme alternative crédible de pouvoir, sans réaction unifiée de la gauche et des mouvements sociaux, pourrait mettre le fascisme à l'ordre du jour. Néanmoins, pour les raisons indiquées plus haut, la transformation autoritaire de l'État favorise insensiblement l'extrême droite. Elle crée aussi les conditions, en cas de crise de régime, d'une *fascisation* plus ou moins rapide de l'État qui, aujourd'hui comme dans l'entre-deux-guerres, opérerait par une série de ruptures, au sein et en dehors de l'État. Cela permettrait aux fascistes d'asseoir leur pouvoir sur l'ensemble de la société mais également de s'inscrire dans des tendances déjà présentes au cœur de l'État capitaliste (renforcement du pouvoir exécutif, intensification de la répression, marginalisation des instances élues, caporalisation des corps intermédiaires, etc.). On dira certainement que nous n'en sommes pas là ; c'est une évidence. Mais doit-on en arriver à ce point où le néofascisme devient candidat au pouvoir pour entreprendre de construire conjointement un mouvement antifasciste de masse *et* une alternative au néolibéralisme autoritaire ?

2012 [1969]. Voir également la controverse entre Poulantzas et Miliband autour de la théorisation de l'État capitaliste : http://www.contretemps.eu/le-probleme-deletat-capitaliste. Voir enfin F. Denord, P. Lagneau-Ymonnet et S. Thine : « Le champ du pouvoir en France », *Actes de la recherche en sciences sociales*, 2011/5, n° 90.

4

L'offensive nationaliste et raciste

La tentation est forte, parvenus à ce point de l'analyse, de présumer que le pouvoir et l'ordre ne tiendraient plus en France que par l'emploi de la force. Nous serions déjà passés, pour employer les catégories gramsciennes, de l'*hégémonie* – qui articule la coercition et le consentement, la répression et l'intégration, la force et la ruse – à la *domination*, uniquement fondée sur l'exercice de la violence d'État.

Disons-le tout net : nous ne sommes pas parvenus à ce point. Que le néolibéralisme porte en lui un durcissement autoritaire, qu'il réduise le périmètre des compromis nécessaires à la classe dominante pour obtenir le consentement d'une majorité de la population, qu'il constitue une tentative d'écraser tous les espaces et toutes les formes d'intervention populaire, c'est là un fait qui nous semble absolument indéniable. Mais on ne saurait présenter comme un processus achevé ce qui n'est encore à l'heure actuelle qu'une nette tendance. Tous les gouvernements, y compris ceux dirigés par les plus ardents promoteurs du projet de refonte néolibérale, savent qu'il est périlleux de ne faire reposer l'ordre que sur la répression. Ainsi sont-ils généralement amenés à faire quelques concessions matérielles à des couches sociales plus ou moins larges tout en cherchant à conquérir l'adhésion d'une frange significative des salariés à tout ou partie de leur projet. M. Thatcher et N. Sarkozy sont exemplaires à cet égard. Alors qu'ils sont souvent perçus à gauche comme des dirigeants dont le mode de gouvernement se serait réduit à l'imposition et à la répression, ils comptent au contraire parmi les chefs d'État qui ont le plus constamment et intensément bataillé sur le plan idéologique afin de justifier ou de camoufler le démantèlement généralisé de l'État social. Leur objectif était de bâtir un camp politique excédant l'électorat traditionnel de la droite et *a fortiori* les seules classes possédantes[1].

Ils l'ont fait d'abord en maquillant leurs intentions politiques, procédé rendu nécessaire toutes les fois où l'opposition aux contre-réformes néolibérales est trop forte dans la population. La volonté de mettre à bas la Sécurité sociale (ou le National Health Service) n'est ainsi guère audible politiquement, les électeurs y demeurant très attachés. On détruira donc la « Sécu », non en en contestant le principe, mais en prétendant la sauver des « abus », en détériorant sciemment le service rendu – par l'assèchement des budgets – et en la marginalisant progressivement au profit des assurances privées. Néanmoins, l'essentiel de la lutte idéologique menée par la classe dirigeante française au cours des trente dernières années, et particulièrement par N. Sarkozy dans les années 2000, s'est situé ailleurs et a été plus ambitieux. Afin de diviser l'adversaire et de construire une coalition politique socialement hétérogène, la manœuvre a consisté à déplacer sur un autre terrain, principalement celui de la xénophobie et du racisme mais aussi celui des valeurs (le travail ou la famille), les tensions et conflits qui surgissent immanquablement de l'offensive néolibérale. Plus précisément, N. Sarkozy a procédé en popularisant une série de mots d'ordre susceptibles de recueillir l'assentiment de larges franges de la population, y compris des classes populaires – la « valeur travail » (qui serait dévaluée

1. C'est tout le mérite de Stuart Hall d'avoir rétabli cette dimension du thatchérisme. Voir *Le Populisme autoritaire*, Paris, Amsterdam, 2008.

au profit de l'« assistanat ») ou encore le « droit à la sécurité » (présentée comme la « première des libertés ») – mais surtout en cherchant à les condenser sous la forme de la défense d'une « identité nationale » dont la perpétuation serait menacée par l'« immigration de masse », le « terrorisme islamique » ou le « communautarisme musulman »[2]. Au terme de cette double opération de déplacement et de condensation, non seulement les difficultés et injustices sociales n'apparaissent plus comme les manifestations de rapports de pouvoir, mais celles et ceux qui composent la « France d'en dessous de la France d'en bas »[3] – immigrés et descendants d'immigrés postcoloniaux – en viennent à être perçus comme responsables du sort de la « France d'en bas », donc comme ennemis.

C'est la principale faiblesse de l'analyse de la crise politique par Bruno Amable et Stefano Palombarini que de sous-estimer cette dimension des luttes politiques en France[4]. Poser comme ils le font la question de l'hégémonie sous le seul angle des stratégies économiques que proposent les principales organisations politiques pour surmonter la crise du capitalisme français leur permet de donner à voir l'impasse néolibérale dans laquelle s'est enfermé le PS, ainsi que les difficultés de la droite à élargir durablement le périmètre de sa base sociale ; ils montrent également à quel point l'intégration européenne est devenue un point de clivage fondamental de la politique française, divisant et reconfigurant aussi bien la droite que la gauche. Mais cette approche les amène à manquer l'émergence de la *question raciale* comme l'un des axes structurants de la

2. On emprunte ici les catégories freudiennes de déplacement et de condensation, dont Daniel Bensaïd avait montré l'intérêt pour penser la politique comme instance de traduction/déformation de tensions et de conflits sociaux latents. Voir par exemple D. Bensaïd, « Les sauts ! Les sauts ! Les sauts ! » (publié initialement en anglais dans la revue *International Socialism*), *Contretemps*, janvier 2014, https://www.contretemps.eu/les-sauts-les-sauts-les-sauts/.

3. On reprend ici l'heureuse expression de Houria Bouteldja : « "Qu'adviendra-t-il de toute cette beauté ?" », 16 mai 2015, http://indigenes-republique.fr/quadviendra-t-il-de-toute-cette-beaute-2.

4. Voir B. Amable et S. Palombarini, *L'Illusion du bloc bourgeois, op. cit.*

politique française actuelle et, plus largement, de la lutte pour l'hégémonie[5]. Les controverses publiques qui éclatent régulièrement autour de tout ce qui touche de près ou de (très) loin à l'islam ne peuvent dans leur modèle qu'être réduites à une suite de péripéties sans conséquences majeures ni logique d'ensemble, autrement dit à un épiphénomène ou à un masque.

Or on ne peut proposer qu'une compréhension très partielle de la situation politique française si l'on se refuse à prendre au sérieux ces polémiques. Elles ne sont pas l'occasion d'un simple combat entre l'ouverture d'esprit et l'intolérance, et encore moins entre la « République » et le (ou les) « communautarisme(s) ». Elles sont le support d'une lancinante bataille menée pour la construction d'une hégémonie. Les débats récurrents autour du port de signes religieux (en particulier le *hijab*), des menus de substitution dans les cantines scolaires, des minarets, de l'abattage rituel des animaux, du « burkini », de cafés qui seraient interdits aux femmes, etc., ne sont anecdotiques qu'en apparence : ils sont à la fois une manifestation de paniques identitaires[6] *et* le vecteur d'une stratégie néocoloniale. Celle-ci ne vise pas simplement à faire diversion : elle a pour objectif principal de soumettre politiquement les franges non blanches des classes populaires – celles qui subissent plus que toute autre le sous-emploi et la précarité, donc la misère, mais aussi les discriminations et le harcèlement policier – et, en façonnant un ennemi intérieur[7], de bâtir en opposition une large coalition d'intérêts sur une base nationale/raciale. En termes gramsciens, l'enjeu consiste

5. Voir D. Fassin et É. Fassin, *De la question sociale à la question raciale ? Représenter la société française*, Paris, La Découverte, 2006.

6. Ces paniques sont en chaque cas le produit d'une construction politico-médiatique qui dérive de coups tactiques permettant à des hommes politiques d'exister publiquement mais aussi de mécanismes impersonnels (la course des médias à l'audimat par exemple). Voir notamment Laurence De Cock et Régis Meyran, *Paniques identitaires. Identité(s) et idéologie(s) au prisme des sciences sociales*, Bellecombe-en-Bauges, Le Croquant, 2017.

7. Voir M. Rigouste, *L'Ennemi intérieur, op. cit.*

à favoriser la formation d'un « bloc historique »[8], en l'occurrence un *bloc blanc sous domination bourgeoise*, dans lequel les classes populaires blanches n'auraient guère d'autre fonction que de constituer un réservoir de suffrages ou de servir de piétaille militante[9].

Cette construction d'un bloc blanc permet de renforcer la domination bourgeoise en freinant – voire en rendant impossible – l'émergence d'un *bloc subalterne* qui surmonterait les divisions internes aux classes populaires par une lutte conjointe contre l'exploitation capitaliste et contre toutes les oppressions, en particulier contre le racisme structurel : un racisme qui n'est pas un simple préjugé individuel mais un ensemble de discriminations systémiques inscrites dans des institutions – État et marché du travail en particulier – et ciblant particulièrement les immigrés et descendants d'immigrés extra-européens[10]. L'institution d'une communauté blanche est toutefois loin d'être achevée, tant les intérêts

---

8. Le concept de « bloc historique » désigne chez Gramsci à la fois l'alliance entre des classes ou fractions de classe hétérogènes et l'« unité dialectique de tendances matérielles et de représentations idéologiques ». Voir P. Sotiris, « Gramsci et la stratégie de la gauche contemporaine : le "bloc historique" comme concept stratégique », http://revueperiode.net/gramsci-et-la-strategie-de-la-gauche-contemporaine-le-bloc-historique-comme-concept-strategique.

9. Nous reprenons ici à notre compte la thèse défendue par Sadri Khiari : « Il ne s'agit pas simplement de "diviser" la classe ouvrière ou de détourner les travailleurs français contre le "bouc émissaire" que seraient les immigrés. Mais, plus encore, alors que progresse le démantèlement de l'État social et que le nationalisme français coïncide de moins en moins avec les intérêts des classes dominantes, il s'agit d'*unifier* les Blancs, par-delà leurs oppositions sociales, au sein d'un Pacte républicain recomposé autour de sa dimension raciale. » Voir *La Contre-Révolution coloniale en France*, *op. cit.*, p. 192.

10. Pour une synthèse sur les inégalités et ségrégations raciales dans la société française, voir M. Safi, *Les Inégalités ethno-raciales*, *op. cit.* Voir également É. Fassin et J.-L. Halpérin (dir.), *Discriminations. Pratiques, savoirs, politiques*, Paris, La Documentation française, 2008. Concernant en particulier les discriminations raciales sur le marché du travail, voir notamment I. Fournier et R Silberman, « Les secondes générations sur le marché du travail en France : une pénalité ethnique ancrée dans le temps. Contribution à la théorie de l'assimilation segmentée », *Revue française de sociologie*, 2006, vol. 47, n° 2 ; D. Meurs, A. Pailhé et P. Simon, « Mobilité entre générations d'immigration et persistance des iné-

matériels de celles et ceux qui sont appelés à composer et à défendre une telle « communauté imaginaire[11] » sont extrêmement divergents. Et c'est particulièrement vrai en période de crise structurelle du capitalisme, où la bourgeoisie a peu à offrir matériellement aux prolétaires blancs. Néanmoins, par temps de chômage de masse et de crise du logement, on ne peut pas compter pour rien le fait que les Blancs bénéficient d'un privilège sous la forme notamment d'un coupe-file sur les marchés du travail et locatif. De même, à mesure que s'approfondit le durcissement autoritaire, la quasi-assurance de n'être pas contrôlé arbitrairement, voire harcelé et violenté par la police dans sa vie quotidienne, prend une importance d'autant plus grande.

La crise sociale n'équivaut nullement à égaliser les situations en ramenant chacun à une même dépossession et donc à l'abolition de tout privilège blanc (de même qu'elle ne met nullement sur un pied d'égalité hommes et femmes). En l'absence d'un mouvement antiraciste vigoureux et de la perspective crédible d'un changement social d'ampleur, on peut même avancer l'hypothèse contraire : cette crise tend à rehausser l'importance des privilèges matériels et des avantages psychologiques et symboliques que l'idéologie raciste octroie aux Blancs[12]. C'est en particulier le cas du sentiment d'être « chez soi » – interdit à ceux qui sont perçus comme d'éternels « invités », parce que construits comme tels par tant de discours publics et de politiques d'État – mais aussi de la fierté, et bien souvent de l'arrogance statutaire, de faire

---

galités : l'accès à l'emploi des immigrés et de leurs descendants en France », *Population*, 2006, n° 5-6.

11. Voir B. Anderson, *L'Imaginaire national. Réflexions sur l'origine et l'essor du nationalisme*, Paris, La Découverte, 2002 [1983].

12. Sur ce point, voir notamment le livre classique de David Roediger enfin traduit en français, qui se fonde en bonne partie sur une idée développée par le grand intellectuel africain-américan W. E. B. Du Bois (qui parlait du « salaire public et psychologique » associé à la blanchité) : *Le Salaire du Blanc. La formation de la classe ouvrière américaine et la question raciale*, Paris, Syllepse, 2018.

partie d'une communauté considérée comme culturellement supérieure et moralement éclairée. C'est principalement sur cet ensemble de privilèges relatifs, matériels et symboliques, que s'appuie l'offensive nationaliste et raciste : il s'agit de consolider la suprématie blanche et, ce faisant, de renforcer la domination de classe.

Décrire cette offensive et ses effets suppose donc de ne pas considérer l'idéologie en général – et en particulier ici les idéologies nationaliste et raciste – comme une masse informe d'illusions, de clichés ou de mensonges qui se réduiraient à une survivance archaïque, fonctionneraient sans logique et se contenteraient de mystifier les consciences ou de détourner notre attention[13]. Loin de n'être qu'une draperie enveloppant la réalité, l'idéologie consiste en un ensemble de « principes de vision et de division du monde social », de « schèmes de perception, d'appréciation et d'interprétation »[14], qui sont branchés sur la réalité, lui donnant une forme visible et dicible sans pour autant n'en être qu'un simple reflet. Une idéologie puissante dispose ainsi de fondements matériels (des divisions réelles qu'elle va permettre de nommer, bien souvent de manière déformée), satisfait des intérêts matériels et produit des effets concrets (puisqu'elle amène à voir la réalité d'une certaine manière plutôt que d'une autre, donc à adopter certains comportements plutôt que d'autres). L'idéologie n'est donc ni une traduction mécanique de la réalité (idéologie-reflet), ni une simple manœuvre de diversion (idéologie-dissimulation), ni

13. Sur ce point et pour une réflexion approfondie sur le concept d'idéologie, voir I. Garo, *L'Idéologie ou la pensée embarquée*, Paris, La Fabrique, 2009.

14. Nous reprenons ces expressions à Pierre Bourdieu, qui a beaucoup fait pour interroger la genèse et l'emprise des catégories à travers lesquelles nous appréhendons notamment la société dans laquelle nous vivons et la place que nous y occupons. Il a notamment insisté sur l'énorme travail d'imposition des catégories de l'idéologie dominante, qui ne relève pas d'une simple logique d'endoctrinement mais d'appropriation et d'incorporation (donc en mettant en évidence ce qu'il a nommé les « apprentissages par corps »). Voir notamment P. Bourdieu, *Le Sens pratique*, Paris, Minuit, 1980.

une pure tactique de manipulation (idéologie-tromperie). Elle est tout à la fois une arme, un produit du monde social et un enjeu du combat pour l'hégémonie, et renvoie à ce titre à un champ de luttes connecté aux rapports de force sociaux et politiques.

Si l'idéologie raciste a bien souvent des aspects délirants, elle s'adosse donc à des divisions sociales qui n'ont rien de fantasmagorique, des inégalités professionnelles et scolaires aux ségrégations raciales de l'espace[15], du travail et de l'école[16]. Elle en fournit une interprétation qui tend à entériner et solidifier le racisme en tant que système d'inégalités, en particulier en occultant ou en légitimant les discriminations systémiques. Élaborée en bonne partie par des intellectuels[17], remaniée et diffusée par un ensemble de dirigeants politiques, elle n'est donc pas figée mais dynamique. À ce titre, elle est susceptible de changements importants dans ses formes d'apparition, et tend à s'adapter au contexte social et politique dans lequel elle se déploie, aux résistances qui lui sont opposées, en particulier aux luttes menées par celles et ceux qui subissent le racisme sous toutes ses formes. Elle maintient néanmoins toujours ce qui est en son cœur : la stigmatisation, l'essentialisation, l'altérisation et l'infériorisation de groupes minoritaires au nom de la menace qu'ils feraient peser sur l'identité et l'intégrité d'une communauté mythifiée (que celle-ci soit pensée comme « nation », comme

15. Voir notamment M. Safi, « La dimension spatiale de l'intégration : évolution de la ségrégation des populations immigrées en France entre 1968 et 1999 », *Revue française de sociologie*, 2009/3, vol. 50.

16. Sur le cas spécifique de la ségrégation et des inégalités raciales à l'École, voir G. Felouzis, F. Liot et J. Perroton, *L'Apartheid scolaire*, Paris, Seuil, 2005 ; F. Dhume, S. Dukic, S. Chauvel et P. Perrot, *Orientation scolaire et discrimination. De l'(in)égalité de traitement selon « l'origine »*, Paris, La Documentation française, 2011.

17. Sur la généalogie du racisme sous ses formes intellectuelles voire savantes en France, voir notamment P.-A. Taguieff, *La Force du préjugé*, Paris, Gallimard, 1987. Sur l'émergence de l'islamophobie et le rôle des intellectuels, voir V. Geisser, *La Nouvelle Islamophobie*, Paris, La Découverte, 2003.

« civilisation » ou comme « race », selon un principe d'unité politique, culturel ou biologique)[18].

Histoire d'une offensive, construction d'un consensus

Le racisme et la xénophobie ont été et demeurent centraux dans le projet du FN. Son ascension, et plus profondément le danger fasciste en France, ne peuvent donc être compris sans la mise au jour de l'offensive nationaliste et raciste. Celle-ci, en se combinant au démantèlement de l'État social et au durcissement autoritaire, a permis au FN de percer électoralement, puis de s'enraciner dans le champ politique avant de développer son audience jusqu'à obtenir plus du tiers des voix lors du second tour de l'élection présidentielle de 2017.

Bien entendu, le FN a été partie prenante de cette offensive, en particulier en donnant une forme politique, revendiquée et mobilisée, identifiable sur la scène électorale, à une xénophobie et à un racisme omniprésents mais diffus. En organisant le ressentiment vis-à-vis des immigrés et de leurs enfants, aiguisé par la crise sociale, et en l'élevant au rang d'idéologie systématique, il a contribué à l'émergence d'un nouveau consensus. Ainsi, l'immigration et l'islam, les immigrés et les musulmans, sont considérés avant toute chose comme des problèmes à résoudre, des menaces à repousser, voire des ennemis à anéantir. On a ainsi pu croire un temps que ce racisme se réduisait aux nostalgiques de l'« Algérie française », voire du nazisme, et n'était guère

---

18. Voir le livre fondateur de Colette Guillaumin : *L'Idéologie raciste. Genèse et langage actuel*, Paris/La Haye, Mouton, 1972. Que l'homogénéité – politique, culturelle et encore davantage biologique – des groupes visés par l'idéologie raciste soit généralement exagérée, voire chimérique, que leur existence même en tant que groupes soit souvent tout à fait douteuse, et qu'on y inclue parfois des personnes qui ne s'en estiment pas membres, tout cela ne change rien à l'affaire : c'est même dans la nature de cette idéologie de se donner, par pure invention collective, des adversaires aussi redoutables qu'ils sont imaginaires.

que la survivance honteuse d'une époque révolue, celle de Vichy et/ou de la colonisation. C'était s'illusionner et passer à côté de ses mutations, à l'œuvre dès les années 1970. En abandonnant progressivement les oripeaux du racisme biologique, autrement dit le vieux langage de l'inégalité des races, intenable depuis l'expérience génocidaire du nazisme, le racisme s'est construit une rhétorique beaucoup plus présentable, celle de la défense et du rayonnement de l'identité française. Mais, si le FN a joué un rôle éminent dans ce processus de radicalisation raciste, il a également bénéficié des choix effectués par les partis dominants, aussi bien la droite (UMP/LR) que le PS, et de l'activisme d'un ensemble d'idéologues qui ont œuvré à l'intensification raciste.

Ainsi, ces quinze dernières années ont vu apparaître et se diffuser la rhétorique du « racisme anti-Blancs ». Dans les années 1980 et 1990, seule l'extrême droite y recourait régulièrement, en l'euphémisant d'ailleurs par l'emploi de l'expression « racisme anti-Français ». Mais les « Français » devant nécessairement – dans la conception de l'extrême droite – être blancs, il ne faisait alors aucun doute que le « racisme anti-Français » n'était qu'un nom de code pour le « racisme anti-Blancs ». D'ailleurs, Jean-Marie Le Pen pouvait déclarer en 1998 : « L'antiracisme, instrument politique d'aujourd'hui comme le fut l'antifascisme avant guerre, n'est pas un non-racisme. C'est un racisme inversé, un racisme antifrançais, antiblanc, antichrétien. » Cette rhétorique va être relayée dans les années 2000 par des dirigeants politiques de droite et de gauche, mais aussi par des intellectuels (Alain Finkielkraut, Pierre-André Taguieff, Jacques Julliard, etc.). Lors des mobilisations étudiantes et lycéennes contre le Contrat première embauche (CPE) de 2006, ces derniers iront dans une tribune jusqu'à parler de « ratonnades anti-Blancs » à propos d'agressions dans les cortèges[19]. Il y a là une logique dévastatrice, rendant incompréhensibles des discours et des comportements

19. Voir L. Van Eeckhout, « Un appel est lancé contre les "ratonnades anti-Blancs" », *Le Monde*, 25 mars 2005, https://www.lemonde.fr/

qui peuvent manifester effectivement une hostilité à l'égard des Blancs, à propos desquels le grand penseur antiraciste et anticolonialiste Albert Memmi parlait de « racisme édenté[20] ». Ce racisme peut prendre des formes d'autant plus hideuses qu'il constitue une réaction *impuissante* au racisme structurel subi par les descendants de colonisés, allant parfois jusqu'au crime contre ces boucs émissaires traditionnels du racisme européen que sont les juifs. En prétendant qu'existe un « racisme anti-Blancs » et qu'il serait même la principale forme prise aujourd'hui par le racisme en France, on vise à délégitimer par avance toute lutte politique conséquente contre les discriminations systémiques que subissent les non-Blancs dans la société française. Mais, plus fortement et implicitement, on en appelle à une politique d'*affirmation blanche* : qui dit racisme dit oppresseurs (ici les non-Blancs), qui dit oppresseurs dit nécessité de les combattre.

Parler d'offensive raciste n'implique nullement de nier l'ancrage ancien du racisme dans la société française, tant celui-ci est inscrit dans les politiques de l'État[21] – en particulier dans le fonctionnement de ses appareils de répression et de coercition (police, justice, prison)[22] – comme dans les structures du marché du travail, de l'espace et de l'institution scolaires. Il ne s'agit pas davantage d'affirmer que le discours public en était auparavant immunisé ; on sait au contraire à quel

---

societe/article/2005/03/25/un-appel-est-lance-contre-les-ratonnades-anti-blancs_631439_3224.html.

20. Voir A. Memmi, *Le Racisme*, Paris, Gallimard, 1994 [1982]. Voir également les remarques sur ce point de Sadri Khiari dans : *Pour une politique de la racaille. Indigènes, immigré-e-s, jeunes de banlieue*, Paris, Textuel, 2006.

21. S. Mazouz, *La République et ses autres. Politiques de l'altérité dans la France des années 2000*, Lyon, ENS Éditions, 2017.

22. Voir M. Rigouste, *La Domination policière*, Paris, La Fabrique, 2012. Voir également F. Jobard et R. Lévy, *Profiling Minorities. A Study of Stop-and-Search Practices in Paris*, New York, Open Society Institute, 2009 ; F. Jobard, « La couleur du jugement. Discriminations dans les décisions judiciaires en matière d'infractions à agents de la force publique (1965-2005) », *Revue française de sociologie*, 2007, vol. 48, n° 2, p. 243-272.

point le racisme colonial et l'antisémitisme avaient pignon sur rue dans la politique française sous la IIIe République[23]. Reste qu'après la guerre d'Algérie la question raciale est demeurée au second plan. Le patronat avait alors un besoin impérieux de la main-d'œuvre immigrée, si bien que le personnel politique de la bourgeoisie évitait de donner trop vivement dans la xénophobie. Et par ailleurs, du fait de la puissance du mouvement ouvrier, l'opposition patrons/travailleurs tendait à marginaliser tout autre clivage. La situation s'est modifiée à partir des années 1980, à mesure que le PS s'intégrait plus ou moins complètement à l'État, que s'affaiblissait le mouvement ouvrier, que progressait le FN et que la droite se radicalisait. C'est néanmoins dans les années 2000 que la question raciale est redevenue omniprésente *dans le champ politique*. Elle s'est redéployée sous la forme d'un nouveau sens commun raciste tendant à faire des immigrés postcoloniaux et de leurs enfants la source de tous les maux, mais surtout de l'islam et des musulmans un danger mortel pour la « République ».

On dira à raison que le mot « race » n'est plus guère prononcé dans le champ politique, y compris à l'extrême droite, à tel point qu'il a pu être supprimé de la législation en 2013. La mention a même été récemment supprimée de la Constitution, qui énonçait que la République « assure l'égalité devant la loi de tous les citoyens sans distinction d'origine, de race ou de religion ». Est-ce à dire que le racisme aurait disparu avec l'obsolescence, du moins en France[24], de la catégorie de « race » ? Si l'on s'en tient au racisme biologique, donc à une acception de la « race » comme groupe défini une fois pour toutes selon des critères biologiques

23. Voir O. Le Cour Grandmaison, *La République impériale. Politique et racisme d'État*, Paris, Fayard, 2009 ; G. Noiriel, *Immigration, antisémitisme et racisme en France (XIXe-XXe siècle). Discours publics, humiliations privées*, Paris, Fayard, 2007.

24. Comme le montre l'historien Jean-Frédéric Schaub, la catégorie de race au sens pseudo-biologique est loin d'avoir disparu dans le débat intellectuel et politique états-unien contemporain. Voir *Pour une histoire politique de la race*, Seuil, 2015, p. 21-76.

qui le distingueraient d'autres groupes sans confusion possible, on constatera sans peine que l'essentiel des dirigeants politiques, et une partie de la population, y ont renoncé au profit de l'idée de race humaine. Mais si l'on conçoit la « race » comme produit d'une construction politique, au terme de laquelle un groupe en vient à être défini comme radicalement autre et généralement comme inférieur et dangereux[25], il est évident qu'on n'en a nullement fini avec la « race », précisément parce que se perpétue ce qui la construit comme rapport social de pouvoir, à savoir le racisme[26]. Celui-ci s'exprime d'ailleurs aujourd'hui avec d'autant moins de mauvaise conscience qu'il n'a plus à s'embarrasser de la catégorie pseudo-biologique de « race ». Inversement, il est d'autant plus difficile de faire reconnaître les discriminations raciales qu'elles ne sont plus justifiées publiquement par l'invocation d'une prétendue « hiérarchie des races ». Celle-ci se trouve remplacée, dans l'idéologie néoraciste[27], par l'idée d'incompatibilité des cultures – quoique la hiérarchisation ne soit jamais bien loin puisqu'on impute bien souvent aux cultures, et en particulier aux religions, une capacité inégale à se conformer aux valeurs de la « modernité »[28].

---

25. Comme on l'a dit plus haut, peu importe le critère au nom duquel se trouve établie cette prétendue altérité : la « culture » (assignée ou refusée) peut tout à fait fonctionner, et a bien souvent fonctionné, comme principe d'exclusion dans la « mécanique raciste ». Sur ce point, voir notamment P. Tevanian, *La Mécanique raciste*, Paris, La Découverte, 2017 [2008].

26. Sur cette conception des races comme groupes statutaires ou encore comme « races sociales », voir notamment S. Khiari, *La Contre-Révolution coloniale en France*, *op. cit.*, p. 19-42.

27. Sur la genèse, les logiques et les fonctions de ce néoracisme, voir É. Balibar et I. Wallerstein, *Race, nation, classe. Les identités ambiguës*, Paris, La Découverte, 1997 [1988].

28. On se souvient par exemple qu'un ministre de l'Intérieur, Claude Guéant, avait affirmé que « toutes les civilisations, toutes les pratiques, toutes les cultures, au regard de nos principes républicains, ne se valent pas ». Voir « Claude Guéant persiste et réaffirme que "toutes les cultures ne se valent pas" », Le Monde.fr, 5 février 2012, http://www.lemonde.fr/election-presidentielle-2012/article/2012/02/05/claude-gueant-declenche-une-nouvelle-polemique_1639076_1471069.html.

Éric Fassin a parfaitement décrit, à propos de la rromophobie[29], ce *racisme sans races* – au sens où les « races » produites par le racisme ne sont généralement plus nommées comme telles et ne sont plus pensées à partir de critères pseudobiologiques. Dans ce cas précis, c'est la combinaison des démantèlements systématiques (souvent illégaux) de campements, du refus de mettre en place des installations sanitaires, de la mauvaise volonté des communes à scolariser les enfants rroms (là encore contraire à la loi), et de discriminations de toutes sortes qui aboutit à une situation de marginalité des Rroms et d'insalubrité de leurs lieux de vie. Et une telle situation permet en retour aux pouvoirs publics de légitimer cette politique d'exclusion au nom d'une prétendue culture qui singulariserait irrémédiablement les Rroms et à travers laquelle ils s'excluraient eux-mêmes. « La politique s'acharne à produire la culture qu'elle invoque si volontiers, inversant ainsi les causes et les effets[30]. » Fondé sur des opérations de marginalisation et d'altérisation, ce racisme d'en haut n'est donc pas une simple réaction à un racisme populaire qui serait à la source de toutes les mesures gouvernementales prises contre les Rroms (ou plus généralement contre les migrants)[31]. Il n'est pas non plus un simple refus du multiculturalisme car il peut passer à l'occasion par la construction ou le renforcement de cultures minoritaires, mais jugées inférieures et dangereuses.

Le FN n'a donc nullement introduit dans la société et le champ politique français une xénophobie et un racisme qui en auraient été durablement absents avant son ascension. Son

29. É. Fassin, C. Fouteau, S. Guichard et A. Windels, *Roms et riverains. Une politique municipale de la race*, Paris, La Fabrique, 2014.

30. *Ibid.*, p. 15.

31. Voir J. Rancière, « Racisme, une passion d'en haut », Mediapart, septembre 2010, https://blogs. mediapart.fr/edition/roms-et-qui-dautre/article/140910/racisme-une-passion-den-haut. Voir également P. Tevanian et S. Tissot, *Dictionnaire de la lepénisation des esprits*, *op. cit.* Voir également Cette France-là, *Xénophobie d'en haut. Le choix d'une droite éhontée*, Paris, La Découverte, 2012.

succès aurait d'ailleurs sans nul doute été moindre si le terrain n'avait été préparé bien en amont par l'aiguisement des politiques anti-immigrés. C'est d'abord la haute administration qui a redéfini la politique d'immigration dès la fin des années 1960[32], puis le champ politique qui s'est livré, tant à droite[33] que dans les rangs du PCF[34], à une surenchère xénophobe. De même, après sa première percée électorale, la pénétration idéologique du FN aurait certainement été moins rapide sans la reprise par la droite, puis par une partie de la gauche, de ses obsessions. Les premiers succès frontistes au début des années 1980 incitèrent en effet le RPR, conscient que la plupart des votants en faveur de l'extrême droite étaient d'anciens électeurs déçus de la droite[35], à durcir sa ligne anti-immigrés. Ainsi fut lancée une campagne violemment xénophobe et sécuritaire lors des élections législatives de 1986, dans un contexte de forte polarisation politique suite au retour de la gauche au pouvoir en 1981. Les déclarations, en 1984, de Jacques Chirac sur l'« overdose » d'immigrés et son discours

32. S. Laurens, *Une politisation feutrée. Les hauts fonctionnaires et l'immigration en France*, Paris, Belin, 2009.

33. Trois ministres de V. Giscard d'Estaing – J. Chirac, L. Stoléru et R. Barre – diront dans les années 1970 que le problème du chômage pourrait être résolu en se passant des immigrés. Alors Premier ministre, Chirac déclare ainsi en 1976 qu'« un pays dans lequel il y a près d'un million de chômeurs, mais où il y a 2 millions d'immigrés, n'est pas un pays dans lequel le problème de l'emploi est insoluble ». Giscard ira nettement plus loin et sera beaucoup plus explicite, en 1991, en affirmant que « le problème actuel auquel nous aurons à faire face se déplace de celui de l'immigration vers celui de l'*invasion* », et proposera la substitution du droit du sang au droit du sol pour l'acquisition de la nationalité. Voir notamment Y. Gastaut, « Français et immigrés à l'épreuve de la crise (1973-1995) », *Vingtième siècle*, 2004/4, n° 84.

34. Georges Marchais affirma en janvier 1981 la nécessité de « stopper l'immigration officielle et clandestine » et des maires communistes de villes populaires prirent des initiatives violentes contre des foyers de travailleurs immigrés. Pour une étude fouillée sur le rapport des municipalités communistes de la « banlieue rouge » vis-à-vis des immigrés et descendants d'immigrés postcoloniaux, voir notamment O. Masclet, *La Gauche et les Cités. Enquête sur un rendez-vous manqué*, Paris, La Dispute, 2003.

35. Voir chapitre 5.

souvent cité sur « le bruit et l'odeur » des « musulmans et des noirs »[36], n'étaient de ce point de vue nullement un accident de parcours ou un malheureux « dérapage », mais le produit d'une stratégie mûrement réfléchie.

Ce durcissement fut systématisé par Nicolas Sarkozy, entre 2002 et 2012, et il est actuellement approfondi par Laurent Wauquiez. Ce dernier, pris en tenaille entre un macronisme mettant en œuvre la politique rêvée par la droite et un lepénisme qui a supplanté LR aux dernières présidentielles, tente de radicaliser encore un peu plus la synthèse néolibéral-identitaire proposée par Fillon lors des dernières élections présidentielles. Loin de partager l'« illusion du bloc bourgeois », les dirigeants de droite savent pertinemment qu'ils ne peuvent triompher durablement sans élargir leur assise sociale, bien au-delà des seuls véritables bénéficiaires de leur politique sur le plan matériel (les classes possédantes). Sarkozy a donc cherché, dès son arrivée au ministère de l'Intérieur en 2002, non seulement à soumettre et diviser les non-Blancs[37], mais à s'adresser systématiquement aux classes populaires blanches. Il s'agissait

36. Il faut citer longuement ce discours pour en saisir toute la violence raciste : « Notre problème, ce n'est pas les étrangers, c'est qu'il y a overdose. C'est peut-être vrai qu'il n'y a pas plus d'étrangers qu'avant la guerre, mais ce n'est pas les mêmes et ça fait une différence. Il est certain que d'avoir des Espagnols, des Polonais et des Portugais travaillant chez nous, ça pose moins de problèmes que d'avoir des musulmans et des Noirs. [...] Comment voulez-vous que le travailleur français qui habite à la Goutte-d'Or [quartier populaire du XVIIIe arrondissement de Paris] où je me promenais avec Alain Juppé il y a trois ou quatre jours, qui travaille avec sa femme et qui, ensemble, gagnent environ 15 000 francs, et qui voit sur le palier à côté de son HLM, entassée, une famille avec un père de famille, trois ou quatre épouses et une vingtaine de gosses, et qui gagne 50 000 francs de prestations sociales, sans naturellement travailler ! Si vous ajoutez à cela le bruit et l'odeur, hé bien le travailleur français sur le palier devient fou. Et il faut le comprendre, si vous y étiez, vous auriez la même réaction. Et ce n'est pas être raciste que de dire cela [...]. »

37. N. Sarkozy fut suffisamment habile pour articuler la répression et la domestication, les provocations verbales et la cooptation de femmes non blanches dans son gouvernement (Fadela Amara, Rachida Dati et Rama Yade), la stigmatisation des musulmans et l'étatisation des élites musulmanes (par la création du Conseil français du culte musulman).

de les dresser contre cette figure du mal contemporain que constituent les « racailles », dont il prétendait débarrasser les cités en nettoyant ces dernières « au Karcher »[38]. Le mot « racailles » a d'ailleurs été utilisé et revendiqué de manière stratégique par Sarkozy afin de radicaliser l'orientation sécuritaire traditionnelle de la droite. Il permettait de désigner à la vindicte publique les jeunes hommes des quartiers populaires, vus immanquablement comme de potentiels délinquants, prétendument « de plus en plus jeunes et de plus en plus violents[39] », voire comme des terroristes en devenir.

Cette rhétorique tenait sans doute l'essentiel de sa force du fait d'être saturée à la fois de mépris de classe (à l'égard des franges paupérisées des classes populaires) et de représentations racistes (vis-à-vis des descendants de colonisés). Le ciblage ethno-racial n'était d'ailleurs qu'à peine dissimulé puisque Sarkozy ne cessait dans le même temps de faire de la délinquance juvénile un sous-produit de l'« échec de l'intégration » (des enfants d'immigrés). Ainsi n'a-t-il pas hésité à reprendre les slogans de l'extrême droite – « S'il y en a que ça gêne d'être en France, je le dis avec le sourire mais avec fermeté, qu'ils ne se gênent pas pour quitter un pays qu'ils n'aiment pas » – et à théoriser cette ligne dans son discours de Grenoble à l'été 2010. L'extrême droite identitaire, en parlant volontiers d'« islamo-racailles » ou de « racailles islamisées », donc en associant le registre sécuritaire à l'islamophobie, n'a fait d'ailleurs que livrer explicitement ce qui, dans la rhétorique sarkozyste, fonctionnait à l'état implicite, donc sans doute encore plus efficacement car de manière moins visible. Dans tous les cas, en mobilisant la rhétorique de la « racaille » habitant et dominant ces prétendus « territoires perdus de la République », il s'agissait et il s'agit toujours de construire,

---

38. P. Quinio, « "Nettoyage au Karcher" : Sarkozy persiste », *Libération*, 23 juin 2005.

39. Sur ce point, voir la critique de L. Mucchielli, *Violences et insécurité. Fantasmes et réalités dans le débat français*, Paris, La Découverte, 2001.

par contraste, une représentation nationale/raciale d'un « bon peuple », travailleur et discipliné, qui ne se plaint pas et se révolte encore moins. Dans l'idéologie raciste, cette « France qui se lève tôt » est une France qui tient au maintien d'une nation imaginaire, sans différences (religieuses, culturelles et même linguistiques), une France où les membres des minorités raciales, ethniques ou religieuses se feraient aussi petits que possible, jusqu'à se rendre invisibles ou à abolir une partie de ce qui les constitue, en somme une France irrémédiablement blanche et européenne.

Qu'en est-il du côté de la gauche et, en particulier, du parti qui en constituait la principale force jusqu'à une période récente, à savoir le PS ? Suite à l'élection de François Hollande en 2012, c'est Manuel Valls qui s'est glissé sans peine dans le costume de Sarkozy, en tant que ministre de l'Intérieur puis comme Premier ministre, en ciblant obsessionnellement les musulmans, en accentuant la politique anti-migratoire[40] et en stigmatisant les Rroms, considérés par lui comme « inassimilables[41] ». Mais là encore on aurait tort de voir une franche rupture en méconnaissant les éléments de continuité : la politique de Valls a couronné un processus de longue durée. Si le PCF a abandonné la ligne anti-immigration qui fut la sienne dans la seconde moitié des années 1970 et au début des années 1980, sans pour autant en venir à revendiquer la liberté de circulation et d'installation, le PS a quant à lui évolué progressivement vers un agenda anti-immigration. On doit ainsi se souvenir, du côté du PS, du tournant pris dès la fin des années 1980. François Mitterrand, alors président,

---

40. Voir « Les expulsions se poursuivent en 2013, Valls se défend de laxisme », Le Monde.fr, 13 juin 2013, http://www.lemonde.fr/societe/article/2013/06/13/les-expulsions-se-poursuivent-en-2013-valls-se-defend-de-laxisme_3429944_3224.html.

41. Voir É. Fassin, C. Fouteau, S. Guichard et A. Windels, *Roms et riverains, op. cit.* Voir également l'éditorial du *Monde* du 25 septembre 2013 : « Roms : la faute lourde de Manuel Valls », http://www.lemonde.fr/a-la-une/article/2013/09/25/roms-la-faute-de-manuel-valls_3484159_3208.html.

affirmait que « le seuil de tolérance [en matière d'immigration] a[vait] été atteint dans les années 1970 », et Michel Rocard, Premier ministre, déclarait de son côté qu'« on ne peut pas héberger toute la misère du monde ».

En introduisant une hypothèse factice (« toute la misère du monde » n'aurait-elle d'autre souhait que de venir en France ?), il s'agissait de justifier la limitation des entrées, la traque des sans-papiers, ou encore l'abandon de promesses emblématiques (le droit de vote des étrangers). Ayant cherché à se donner une image de « fermeté », Mitterrand et Rocard portent ainsi une très lourde responsabilité : par leurs choix gouvernementaux et leurs déclarations conjointes, les deux principaux dirigeants socialistes ont engagé un alignement de la gauche sur la droite. Ce faisant, ils ont contribué à la fabrique d'un nouveau consensus anti-immigrés, à partir duquel continue d'être abordées les questions des flux migratoires, des droits des étrangers, de la situation des sans-papiers, du droit d'asile, etc. En acceptant la double prémisse selon laquelle la France compterait trop d'immigrés et subirait les conséquences d'une immigration considérée comme « incontrôlée », cette gauche qui dérivait déjà franchement vers la droite se plaçait elle-même sur un terrain où elle ne pouvait à terme que perdre, au profit de la droite et de l'extrême droite. Sans doute Mitterrand et Rocard ont-ils d'ailleurs eu conscience des dégâts causés par leurs déclarations puisque, quelques années plus tard, devant leur utilisation intensive par la droite, ils tentèrent de faire croire, l'un comme l'autre, que leurs déclarations avaient été coupées et que leurs intentions étaient demeurées incomprises[42].

42. Voici la déclaration complète que fit par exemple Michel Rocard, sans même parler d'autres propos où il se félicitait d'avoir « refoulé 66 000 personnes » : « Il faut lutter contre toute immigration nouvelle : à quatre millions... un peu plus : quatre millions deux cent mille étrangers en France, nous ne pouvons pas héberger toute la misère du monde : ce n'est pas possible. [...] Les réfugiés, ce n'est pas une quantité statistique, c'est des hommes et des femmes qui vivent à Vénissieux, aux Minguettes, à Villeurbanne, à Chanteloup ou à

Ce qui paraissait un bon calcul à court terme s'est donc révélé un choix désastreux. D'abord pour les immigrés, mais aussi pour (toute) la gauche : en acceptant le postulat selon lequel l'immigration (et ce faisant les immigrés et leurs enfants) constitueraient un « problème »[43], elle se trouve à présent contrainte de s'excuser en toute occasion de son prétendu « angélisme » en matière d'immigration. Surtout, elle se montre incapable de populariser une série d'idées simples concernant l'accueil des migrants – par exemple le fait qu'étant donné le nombre de logements vacants en France, estimé récemment à 3 millions[44], il serait possible par une politique volontariste d'accueillir de très nombreuses personnes fuyant la guerre et la misère tout en résolvant la crise du logement. C'est dans cette même logique politiquement ruineuse, consistant à jouer volontairement sur le terrain idéologique de l'adversaire, que se situait également Laurent Fabius lorsque, Premier ministre, il déclara en 1984 que « le FN pose de bonnes questions mais apporte de mauvaises réponses ». Jean-Pierre Chevènement et son courant allèrent le plus loin dans cette voie en évoluant dans les années 1990 vers une orientation de plus en plus sécuritaire et nationaliste : s'il n'envisagea jamais d'alliance avec le Front national, il consacra beaucoup d'énergies à chercher à unifier les « républicains des deux rives », appelant encore en

---

Mantes-la-Jolie. Et là, il se passe des choses quand ils sont trop nombreux et qu'on se comprend mal entre communautés. C'est pourquoi je pense que nous ne pouvons pas héberger toute la misère du monde, que la France doit rester ce qu'elle est, une terre d'asile politique [...], mais pas plus. » Sur le contexte, voir T. Deltombe, « "Accueillir toute la misère du monde". Michel Rocard, martyr ou mystificateur ? », *Le Monde diplomatique*, 30 septembre 2009.

43. Comme l'écrivait Abdelmalek Sayad, « il n'est de discours à propos de l'immigré et de l'immigration qu'un discours imposé. Et l'une des formes de cette imposition est de percevoir l'immigré, de le définir, de le penser ou, plus simplement, d'en parler toujours en référence à un problème social » : voir *L'Immigration ou les Paradoxes de l'altérité. 1. L'illusion du provisoire*, Paris, Raisons d'agir, 2006, p. 53.

44. J. Porier, « Davantage de logements vides dans les villes moyennes », *Le Monde*, 10 janvier 2018.

2015 à une alliance allant de Jean-Luc Mélenchon à Nicolas Dupont-Aignan[45].

L'offensive xénophobe et raciste n'est donc en rien réductible à l'extrême droite, d'abord parce qu'elle trouve ses racines matérielles dans les discriminations systémiques et les ségrégations (notamment professionnelles et résidentielles) à travers lesquelles s'exprime l'inégalité statutaire entre Blancs et non-Blancs. Mais c'est aussi parce que la droite comme la gauche y ont contribué, à des degrés inégaux et sous des formes différentes. Le macronisme ne fait nullement exception à la règle. Tout d'abord, la loi asile/immigration votée au printemps 2018 a démontré la volonté du gouvernement actuel d'accentuer les politiques anti-migratoires menées par ses prédécesseurs, en durcissant la quasi-totalité des dispositions existantes[46]. De même, la politique vis-à-vis des migrants, menée au jour le jour par le ministère de l'Intérieur, s'avère, selon de nombreux observateurs[47], encore plus répressive que celle des gouvernements antérieurs. Il y a ensuite les déclarations d'Emmanuel Macron et de Gérard Collomb sur le voile. Selon le premier, celui-ci ne serait « pas conforme à la civilité qu'il y a dans notre pays » ; d'après le second, il serait « une marque de volonté identitaire qu'on montre qu'on est différent de la

---

45. Voir « Chevènement veut un "mouvement d'idées" allant de Mélenchon à Dupont-Aignan », *Le Figaro*, 15 juin 2015, http://www.lefigaro.fr/politique/le-scan/citations/2015/06/15/25002-20150615ARTFIG00090-chevenement-veut-un-mouvement-d-idees-allant-de-melenchon-a-dupont-aignan.php.

46. Sur ce point, voir notamment le dossier de la revue *Mouvements* : « Les migrant.e.s dans l'impasse des gouvernances », 2018/1, n° 93. Voir également cet entretien avec l'historien des politiques d'immigration Patrick Weil : « Immigration : "Aucun gouvernement depuis la Seconde Guerre mondiale n'avait osé aller jusque-là" », Europe 1, 27 décembre 2017, http://www.europe1.fr/politique/immigration-aucun-gouvernement-depuis-la-seconde-guerre-mondiale-na-vait-ose-aller-jusque-la-3531317.

47. Voir par exemple : A. Hasday, « Sous Macron, une politique toujours plus répressive vis-à-vis des migrants », Slate, 24 novembre 2017, http://www.slate.fr/story/153807/macron-politique-moins-humaine-migrants.

société française (*sic*)[48] ». On doit également rappeler la procédure judiciaire qu'a engagée le ministre de l'Éducation nationale, Jean-Michel Blanquer, contre Sud Éducation 93 pour avoir osé parler de « racisme d'État » en France et organisé une formation sur ce thème.

On ne saurait donc espérer d'Emmanuel Macron une remise en cause, ni du consensus antimigratoire, ni des lois et circulaires islamophobes qui se sont imposées au cours des quinze dernières années, ni même des discours qui les ont légitimées. Le FN n'a cessé de profiter depuis trente ans de cet alignement des principaux partis sur son agenda et sur une partie au moins de son langage et de son programme. Ainsi n'a-t-il eu bien souvent qu'à jouer sa partition habituelle en attendant que « l'électeur préfère l'original à la copie », selon le mot de Jean-Marie Le Pen. Réciproquement, la présence du FN et ses succès permettent aux partis dits « de gouvernement » d'apparaître modérés – « fermes » mais « humains », dit-on dans le langage technocratique pratiqué du PS à LR en passant par LREM –, alors même qu'ils multiplient les expulsions de sans-papiers, restreignent le droit d'asile, répriment dans les quartiers populaires ou encouragent l'hostilité à l'égard des musulmans : dans le cas de la loi asile/immigration, il aurait par exemple été difficile de faire passer celle-ci pour « équilibrée » sans la contribution du FN et de LR, la présentant comme « laxiste » et proposant des amendements encore plus liberticides et xénophobes.

Le nationalisme et le racisme sont trop centraux dans la construction hégémonique impulsée depuis trente ans par la classe dirigeante française pour être abandonnés en chemin au profit d'une simple « pédagogie » néolibérale. Celle-ci en effet, ramenée à sa nudité de politique de casse des droits sociaux et des services publics, ne peut guère à elle seule tenir le choc.

---

48. « Gérard Collomb trouve "choquant" qu'une porte-parole de l'UNEF soit voilée », Bfmtv, https://www.bfmtv.com/mediaplayer/video/gerard-collomb-trouve-choquant-qu-une-porte-parole-de-l-unef-soit-voilee-1074249.html.

Nationalisme français et islamophobie

Il serait éthiquement inacceptable et politiquement erroné de méconnaître la diversité des cibles du racisme dans la France contemporaine, et encore davantage de les mettre en concurrence ou de les hiérarchiser. Pour autant, cela ne doit pas conduire à manquer le rôle fondamental joué par l'islamophobie dans la mise en place à partir des années 1980 d'une nouvelle *doxa* nationaliste et raciste. Celle-ci ne cessera ensuite de se déployer et produira l'essentiel de ses effets, en France et à l'échelle internationale, après le 11 septembre 2001. En effet, c'est en grande partie sur le terrain de l'hostilité aux musulmans que va réémerger une *question raciale* et que va s'opérer cette « droitisation » du champ politique dont il fut beaucoup question lors de la victoire de Sarkozy aux élections présidentielles de 2007. Celle-ci doit être comprise dans sa dimension de radicalisation de la droite (et de son électorat) mais aussi comme glissement de la gauche vers la droite, matérialisé par le débauchage de personnalités « de gauche » dans le premier gouvernement Sarkozy puis par la politique menée par le PS entre 2012 et 2017.

De ce point de vue, le développement de l'islamophobie ne se réduit pas à un processus de recouvrement déguisé du racisme anti-Arabes « traditionnel ». Même s'il le prolonge en partie (mais en partie seulement puisqu'il cible également nombre d'immigrés ou de descendants d'immigrés subsahariens ainsi que des personnes converties à l'islam qui ne sont pas issues de l'immigration postcoloniale[49]), il n'est pas un simple costume dans lequel se dissimulerait le « vrai » racisme (sous-entendu biologique), toujours identique à lui-même sous l'écorce du différentialisme culturel. Autrement dit,

49. Sur ce dernier point, voir S. Brun et Juliette Galonnier, « Devenir(s) minoritaire(s). La conversion des Blanc-he-s à l'islam en France et aux États-Unis comme expérience de la minoration », *Tracés*, 2016, n° 30.

l'islamophobie n'est en rien un simple masque – qui pourrait être retiré aisément et sans dommage – mais la principale *forme idéologique* sous laquelle se présente aujourd'hui le racisme, qui doit en tant que telle être prise au sérieux. Elle permet en effet d'affirmer l'altérité et la dangerosité des immigrés et descendants d'immigrés extra-européens en raison de leur appartenance, réelle ou supposée, à une « communauté musulmane » qui serait étrangère sinon hostile à la « communauté nationale ». De cette altérité et de cette dangerosité découlerait la nécessité de les surveiller, de contrôler leurs moindres faits et gestes, de s'assurer sans cesse de leur adhésion aux « valeurs de la République » (bafouées par la République elle-même, à travers ses principales institutions), voire de les discriminer au prétexte de leur prétendu « communautarisme[50] ».

Une telle entreprise idéologique et politique de stigmatisation et de discrimination ne pouvait prospérer sans se donner des dehors respectables[51]. Ainsi s'est-elle appuyée sur une intense mobilisation intellectuelle et politique, généralement menée au nom des « valeurs judéo-chrétiennes » et/ou des « principes républicains », qui seraient mis en péril par la présence visible et l'activisme des musulmans en France. De ce point de vue, la laïcité a sans nul doute constitué la pièce centrale du dispositif islamophobe[52]. Remodelée à partir des années 1990 et surtout dans les années 2000, détournée de son sens originel, « falsifiée[53] », elle n'a cessé depuis de fonctionner

50. Sur la rhétorique du « communautarisme » et sa fonction idéologique, voir F. Dhume-Sonzogni, *Le Communautarisme. Enquête sur une chimère du nationalisme français*, Paris, Demopolis, 2016.

51. Pour une exploration de la notion de « racisme respectable » appliquée à l'islamophobie, voir R. Antonius, « Un racisme "respectable" », *in* J. Renaud, L. Pietrantonio et G. Bourgeault (dir.), *Les Relations ethniques en question. Ce qui a changé depuis le 11 septembre 2001*, Montréal, Les Presses de l'université de Montréal, 2002, p. 253-271 ; S. Bouamama, *L'Affaire du foulard islamique, op. cit.* ; P. Tevanian, *La Mécanique raciste, op. cit.*

52. Sur ce point, voir notamment J. W. Scott, *La Politique du voile, op. cit.*

53. Voir J. Baubérot, *La Laïcité falsifiée*, La Découverte, 2012.

comme un *opérateur de racialisation*[54]. Elle est en effet de plus en plus considérée, non comme un principe juridique fondamental garantissant la liberté de conscience et de culte ainsi que l'égalité des citoyens devant l'État, mais comme un impératif de neutralité religieuse s'appliquant à tous et en toute occasion (non aux seuls agents de l'État dans l'exercice de leur activité, comme c'était le cas antérieurement) *et* comme un élément central de l'identité nationale française voire, d'une manière plus audacieuse encore, de la « civilisation judéo-chrétienne[55] ». De ce fait, toute pratique considérée comme « contraire à la laïcité » – c'est-à-dire contraire à cette « nouvelle laïcité » qui s'est imposée avec la loi du 15 mars 2004 sur les signes religieux dans les écoles françaises[56] – sera perçue comme manifestant un défaut ou un refus d'intégration, voire une tentative « communautariste » de saper les fondements de la République en imposant des valeurs qui seraient contraires à celles de la France. Elle justifiera ainsi, si l'on ose le mot, une *excommunication nationale-républicaine.* En stigmatisant toujours davantage les musulmans, les élites ont ainsi construit un « problème musulman » sous couvert de le résoudre[57].

Le harcèlement médiatique et politique dont ont systématiquement fait l'objet ces dernières années les femmes musulmanes ayant l'impudence d'apparaître comme telles publiquement, et non de demeurer à la place qui leur est socialement assignée (c'est-à-dire, dans le monde du travail,

---

54. Sur le concept de racialisation, voir notamment D. Fassin, « Ni race ni racisme. Ce que racialiser veut dire », *in* D. Fassin (dir.), *Les Nouvelles Frontières de la société française, op. cit.*

55. S'il est souvent fait référence aux « valeurs judéo-chrétiennes », c'est qu'elles seules autoriseraient la séparation du politique et du religieux (quand bien même les configurations en Europe sont très disparates en la matière). On pourrait également rappeler à quel point l'Église catholique fut hostile à la laïcité et la combattit violemment.

56. L'expression « nouvelle laïcité » est issue d'un rapport rendu en 2003 par un dirigeant de la droite, François Baroin. Elle souligne explicitement la rupture entre la laïcité de 1905 et ce qui s'impose sous ce label à partir des années 2000.

57. A. Hajjat et M. Mohammed, *Islamophobie, op. cit.*

les emplois généralement les moins valorisés), serait incompréhensible sans cette « révolution conservatrice dans la laïcité[58] ». Que l'on pense à Ilham Moussaïd, présente sur une liste du NPA aux élections régionales en 2010, à Houria Bouteldja, sans cesse présentée comme antisémite et homophobe, ou encore, plus récemment, à la chanteuse Mennel Ibtissem, contrainte sous la pression politique et médiatique de quitter l'émission télévisée « The Voice », à Maryam Pougetoux, présidente de l'Unef-Sorbonne accusée notamment – par une animatrice du Printemps républicain – de fomenter rien de moins qu'une « infiltration » et un « noyautage » du syndicalisme étudiant par les Frères musulmans[59]. On se souvient par ailleurs que Latifa Ibn Ziaten, mère d'un militaire assassiné par Mohammed Merah, avait été sifflée lors d'un colloque tenu en décembre 2015 à l'Assemblée nationale par des participants lui ayant tenu ces propos : « Vous n'êtes pas française, madame. Vous dites que vous avez la nationalité française, mais vous ne pouvez pas parler de la laïcité alors que vous portez un foulard, vous faites honte à la France[60]. »

De même, il aura suffi à la journaliste Rokhaya Diallo, au militant associatif Marwan Muhammad, au rappeur Médine ou à l'humoriste Yassine Belattar d'affirmer publiquement leur islamité, et de critiquer l'islamophobie, pour être également la cible de campagnes de harcèlement et de diffamation. Celles-ci visaient en particulier à dénier toute valeur à leur parole et à les empêcher d'exercer leurs métiers, voire à faire d'eux des fourriers de l'intégrisme religieux et du terrorisme djihadiste. Dans leur accumulation, ces exemples donnent à voir que, der-

---

58. Selon l'expression de Pierre Tevanian. Voir *Dévoilements, op. cit.*

59. Voir F. Durupt, « Voile, "islamisme"... de Mennel à Maryam Pougetoux, des polémiques et des méthodes qui se répètent », *Libération*, 14 mai 2018, http://www.liberation.fr/france/2018/05/14/voile-islamisme-de-mennel-a-maryam-pougetoux-des-polemiques-et-des-methodes-qui-se-repetent_1649900.

60. « Huée à l'Assemblée nationale, Latifa Ibn Ziaten va porter plainte », Bfmtv.com, 22 décembre 2015, http://www.bfmtv.com/societe/huee-a-l-assemblee-nationale-latifa-ibn-ziaten-va-porter-plainte-938887.html.

rière la « question patente » des signes religieux, se dissimule une « question latente » : celle de l'acceptation de la présence en France des immigrés et descendants d'immigrés postcoloniaux, du traitement d'exception qui leur est réservé et de la place subalterne qui leur est assignée[61]. Notons au passage que ce harcèlement islamophobe n'implique pas simplement des intellectuels, des hommes politiques et des médias classés à droite ou à l'extrême droite. Certaines officines issues de la « gauche » telles que le Printemps républicain et la LICRA, ainsi que certains journaux traditionnellement classés à « gauche » comme *Marianne* et *Charlie Hebdo*, y ont largement contribué ces dernières années et ont même souvent été à l'origine des polémiques visant des musulmans en vue dans l'espace public. Cela signale d'ailleurs à quel point il ne s'agit pas simplement pour des intellectuels comme Laurent Bouvet (l'un des fondateurs du Printemps républicain) de diagnostiquer une « insécurité culturelle », mais de la renforcer en alimentant en permanence les obsessions identitaires.

Si l'instrumentalisation islamophobe de la laïcité est si redoutable, c'est tout d'abord qu'un immigré ou un descendant d'immigrés extra-européens ne saurait s'y opposer sans se voir immédiatement qualifié d'« antirépublicain », donc d'« anti-Français », voire d'« islamiste ». Si la critique provient de quelqu'un qui n'est pas suspect d'être musulman (puisqu'il s'agit bien ici d'une logique permanente du soupçon), il sera inévitablement taxé d'« angélisme » ou d'« islamo-gauchisme » – expression dont il faut mesurer la symétrie presque parfaite avec le « judéo-bolchevisme » dont l'extrême droite agitait autrefois le fantasme. On lui reprochera en effet de méconnaître l'offensive menée par l'islam politique et la nécessité d'« adapter » la laïcité (c'est-à-dire de rompre avec l'esprit et la lettre de la loi de 1905), voire de se faire le complice, invo-

61. Voir P. Bourdieu, *Interventions, 1961-2001. Science sociale et action politique*. Textes choisis et présentés par F. Poupeau et T. Discepolo, Marseille, Agone, 2002.

lontaire ou non, d'une trahison de la France et des « valeurs occidentales ». Mais la puissance d'une telle instrumentalisation est aussi liée au fait que la logique discriminatoire sous-jacente est par définition *proliférante*. En effet, le champ des pratiques susceptibles d'être interdites par la « nouvelle laïcité » est potentiellement sans limites. De l'interdiction des signes religieux dits « ostentatoires » pour les élèves dans l'enseignement secondaire (qui – secret de polichinelle – visait en fait les musulmans, en particulier les musulmanes), on est passé au licenciement de la directrice adjointe d'une crèche privée parce qu'elle portait un foulard (au nom du fait que, même structure privée, l'établissement aurait une mission de service public), à l'interdiction pour des mamans voilées d'accompagner les sorties scolaires de leurs enfants (circulaire Chatel), à l'interdiction du voile intégral dans l'espace public, et même à l'exclusion scolaire de jeunes lycéens et lycéennes au prétexte que respectivement leurs barbes et leurs jupes longues constitueraient autant de signes religieux ostentatoires. Un « Guide de la laïcité à l'école » est d'ailleurs récemment venu consacrer institutionnellement ce qui relevait jusqu'à présent de pratiques locales contestées[62].

La loi Travail, imposée en 2016, a systématisé ce processus de « discrimination légale par capillarité[63] ». Les entreprises ont en effet été autorisées à « insérer dans le règlement intérieur une clause relative au principe de neutralité et imposer aux salariés une restriction de la manifestation de leurs convictions, notamment politiques et religieuses, à condition qu'elle soit justifiée par l'exercice d'autres libertés et droits fondamentaux ou par les nécessités du bon fonctionnement de l'entreprise ». De même, la Cour de justice de l'Union euro-

62. M. Battaglia et L. Cédelle, « Signes religieux, dispenses de cours, enseignements contestés : l'école se dote d'un nouveau guide de la laïcité », *Le Monde*, 29 mai 2018, https://www.lemonde.fr/education/article/2018/05/29/signes-religieux-dispenses-de-cours-enseignements-contestes-l-ecole-se-dote-d-un-nouveau-guide-de-la-laicite_5306552_1473685.html.

63. Voir A. Hajjat et M. Mohammed, *Islamophobie*, *op. cit.*, p. 143-162.

péenne a rendu en 2017 un avis selon lequel une entreprise peut interdire le port du foulard, sous certaines conditions qui sont suffisamment vagues pour entériner la discrimination contre les musulmans, et en particulier les musulmanes[64]. La porte est donc grande ouverte pour l'extension de la « nouvelle laïcité » à l'ensemble des salariés des entreprises privées mais aussi à l'Université.

Étant donné l'ampleur des discriminations islamophobes d'ores et déjà endémiques et mesurables[65], c'est donc une politique séparatiste qui se met en place en prenant précisément pour prétexte la lutte contre le séparatisme communautaire dont les musulmans se rendraient coupables en toute occasion. Ainsi se trouve reconduite la logique ségrégationniste et raciste évoquée plus haut à propos des Rroms : les dirigeants politiques mettent en place des mesures qui marginalisent objectivement un groupe, ou qui entérinent les pratiques d'exclusion sociale qui le ciblent ; puis ils justifient ces mesures et ces pratiques au nom de la marginalité et de l'exclusion dans lesquelles ce groupe se complairait, et au nom de son incapacité, pour de prétendues raisons culturelles, à s'insérer socialement et économiquement. Quoi de plus commode que de légitimer l'exclusion par l'auto-exclusion, la marginalisation par l'automarginalisation ?

Il est encore une autre dimension de l'islamophobie moins souvent relevée mais cruciale pour notre objet : son développement est en effet l'un des principaux vecteurs de

64. Voir J.-B. Jacquin, « Europe : les entreprises peuvent interdire le voile sous conditions », *Le Monde*, 14 mars 2017, http://www.lemonde.fr/emploi/article/2017/03/14/la-justice-europeenne-se-penche-sur-le-port-du-voile-islamique-au-travail_5093936_1698637.html.

65. Une enquête a pu, par exemple, montrer que les hommes musulmans ont quatre fois moins de chances d'être convoqués à un entretien d'embauche que leurs homologues catholiques. Voir M.-A. Valfort, *Discriminations religieuses à l'embauche : une réalité. Antisémitisme et islamophobie sur le marché du travail français*, Rapport pour l'Institut Montaigne, octobre 2015. Plus largement, voir la synthèse proposée sur les discriminations islamophobes par A. Hajjat et M. Mohammed : *Islamophobie, op. cit.*, p. 25-70.

l'aiguisement du nationalisme français. Avant toute chose, précisons que le nationalisme n'est pas par essence xénophobe et *a fortiori* raciste (même s'il comporte très certainement des « potentialités oppressives » intrinsèques)[66] : il est des nationalismes exclusivistes et des nationalismes solidaires, des nationalismes expansionnistes et des nationalismes de défense, des nationalismes belliqueux et des nationalismes pacifiques, des nationalismes capitalistes et des nationalismes socialistes ou socialisants, des nationalismes de libération (du côté des nations opprimées) et des nationalismes impérialistes (du côté des nations dominantes)[67]. Il importe donc toujours, lorsqu'on prend pour objet le nationalisme, d'en évaluer le profil politique, d'en estimer le contenu de classe et de situer la nation dont il se réclame dans les rapports de force internationaux[68]. Or, de ce dernier point de vue, il apparaît évident que le nationalisme français est lié à une nation qui demeure dominante en Europe, quoique distancée économiquement par l'Allemagne, et qui maintient son emprise sur ce que l'on nomme la Françafrique[69]. Au nom de l'universalisme qu'elle prétend incarner ou des idéaux de justice dont elle se revendique (qui ne l'ont jamais empêchée de vendre des armes à des dictatures), la puissance française défend obstinément des inté-

---

66. Voir É. Balibar et I. Wallerstein, *Race, nation, classe, op. cit.*, p. 65-78.

67. Doit-on, entre de nombreux exemples possibles, rappeler que le nationalisme cubain, constitué contre les volontés prédatrices de l'hyperimpérialisme états-unien, a mené des combats antiracistes et anticolonialistes de premier plan, au premier rang desquels sa contribution décisive à la victoire de l'Angola contre le régime d'apartheid de l'Afrique du Sud ? Voir J. Tamames, « A War of Solidarity », *Jacobin*, 28 avril 2018, https://www.jacobinmag.com/2018/04/cuba-angola-operacion-carlota-cuito-cuanavale-internationalism.

68. Ces questions furent au cœur de l'approche marxiste des nations, en particulier de la distinction entre nations opprimées et nations dominantes, et firent l'objet de débats cruciaux au sein de la Deuxième Internationale et de l'Internationale communiste (du moins avant la stalinisation de celle-ci). Sur ce point, voir notamment G. Haupt, M. Löwy et C. Weill, *Les Marxistes et la Question nationale, 1848-1914*, Paris, Maspero, 1974.

69. Voir notamment F.-X. Verschave, *Françafrique. Le plus long scandale de la République*, Paris, Stock, 2003.

rêts économiques et géopolitiques, n'hésitant pas lorsqu'elle l'estime nécessaire à recourir à des interventions militaires.

Le nationalisme français s'affirme ainsi comme un nationalisme impérialiste et guerrier. Cela est d'autant plus vrai que le militarisme, et plus largement le complexe militaro-industriel, ont joué depuis au moins deux siècles un rôle central dans la construction et le développement de l'État et du capitalisme français[70]. Mais, s'il se radicalise actuellement, c'est en raison de facteurs qui tiennent moins au temps long qu'à certains traits de la période dans laquelle nous nous situons. Celle-ci est marquée en particulier par le déclin de l'impérialisme français – « Si nous avons des réactions d'ultranationalisme fascistoïde, c'est parce que nous sommes de grands universalistes-dominateurs *en déclin* », disait Pierre Bourdieu[71] – et l'affaiblissement de ce que René Gallisot avait nommé l'« État national social[72] ». C'est dans ce cadre qu'il faut comprendre le réveil du nationalisme français et le développement de l'islamophobie – sans évidemment que l'islamophobie, et plus largement le racisme, soient réductibles au nationalisme[73]. La « République », à laquelle est à présent unanimement identifiée la nation française – alors même que la droite nationaliste continuait jusqu'aux années 1980 à combattre certains des principes républicains fondamentaux, en particulier la laïcité –, est le cadre idéologico-institutionnel permettant non seulement d'unifier imaginairement un corps national-social de plus en plus atomisé par les contre-réformes néolibérales mais d'occuper l'espace politique et symbolique laissé vacant par la remise en cause de la souveraineté nationale-populaire. On ne s'étonnera pas que ceux qui, comme N. Sarkozy, ont

---

70. Voir C. Serfati, *Le Militaire. Une histoire française*, Paris, Éditions Amsterdam, 2017.

71. Dans ses cours au Collège de France sur l'État.

72. Voir notamment R. Galissot, « Lutte de classes et État national social », *L'Homme et la Société*, 1995, n° 117-118.

73. Sur ce point, voir l'analyse nuancée d'Étienne Balibar : « Racisme et nationalisme », *in* É. Balibar et I. Wallerstein, *Race, nation, classe, op. cit.*

le plus fait pour imposer le règne du « supranationalisme du capital[74] », en particulier *via* l'Union européenne, donc pour vider de toute substance cette souveraineté, sont aussi ceux qui ont le plus œuvré au réveil d'un nationalisme agressif, xénophobe et raciste. À mesure que le capitalisme se déterritorialise et que les bourgeoisies se libèrent de leurs ancrages nationaux – un processus d'ailleurs loin d'être achevé[75] –, se développent les nationalismes, non seulement en réaction mais alimentés par ceux-là mêmes qui favorisent cette déterritorialisation et cette « libération ».

Il n'est donc pas suffisant de constater avec Benedict Anderson que la nation est une « communauté imaginaire », autrement dit une construction socio-historique dans laquelle les intellectuels ont joué un rôle central[76]. Il faut encore évaluer les effets – qui n'ont rien d'imaginaire – de cette construction, donner à voir le rôle des dirigeants politiques et des États dans ce processus, et décrire les luttes politiques et symboliques dont elle ne cesse d'être l'enjeu (puisque les nations ne sont figées que dans l'imaginaire nationaliste). Si c'est le nationalisme qui fait la nation, et non l'inverse comme le postule la pensée nationaliste[77], il importe de se demander comment la nation peut se trouver remodelée par les transformations du nationalisme, mais aussi du capitalisme et de l'État. En particulier, quelle nation tend à fabriquer le néonationalisme dont Sarkozy et ses continuateurs se sont faits les promoteurs, en recourant à une rhétorique venue des différentes composantes de l'extrême droite – notamment *via* Patrick Buisson, journaliste et militant d'extrême droite reconverti en *spin*

---

74. L'expression est de Cédric Durand. Voir notamment *En finir avec l'Europe, op. cit.*

75. Voir S. Chauvin et B. Cousin, « Vers une hyperbourgeoisie globalisée ? », *in* B. Badie et D. Vidal, *Un monde d'inégalités*, Paris, La Découverte, 2017.

76. Voir également les travaux d'Anne-Marie Thiesse, en particulier : *La Création des identités nationales. Europe, XVIIIe-XXe siècle*, Paris, Seuil, 1999.

77. Voir E. Hobsbawm, *Nations et nationalisme depuis 1780. Programme, mythe, réalité*, Paris, Gallimard, 1992.

doctor sarkozyste – et en allant jusqu'à créer un ministère de l'Immigration, de l'Intégration, de l'Identité nationale et du Développement solidaire[78]. Sans ennemi identifié, le nationalisme ne peut guère se développer : il lui faut se donner des « communautés imaginaires » ennemies, vigoureuses et malfaisantes. Dans le cas des nations opprimées, les puissances colonisatrices ou néo-impériales constituent une cible logique, évidente et légitime. Mais, dans la mesure où la France n'est aucunement une nation opprimée mais dominante, un travail intellectuel et politique constant est rendu nécessaire pour faire apparaître comme ennemis ou traîtres à la nation certains groupes minoritaires qui, subissant pourtant la stigmatisation et la discrimination, se trouvent constitués en puissance omniprésente et menaçante.

De ce point de vue, le consensus islamophobe permet assurément de solidifier l'imaginaire national, donc la nation, en invitant le groupe ethno-racial majoritaire à faire bloc contre la menace que représenteraient les musulmans. Le ciblage de l'islam et des musulmans, de leurs pratiques culturelles et religieuses (réelles ou imputées), la désignation des immigrés et descendants d'immigrés postcoloniaux comme toujours potentiellement extérieurs au corps national-social, permet en effet d'imposer une définition implicitement ethno-raciale de la France et de l'« identité française ». Il tend en outre à durcir les frontières internes à la société française[79], en fournissant au passage des armes idéologiques employables à l'encontre d'autres minorités (en particulier les Rroms et l'ensemble des non-Blancs, qu'ils soient ou non musulmans). On comprend ainsi que, lors d'un meeting en septembre 2016 dans le cadre des primaires de la droite, Sarkozy ait pu affirmer : « Si l'on veut devenir français, on parle français, on vit comme un

---

78. Sur cette initiative sarkozyste, voir G. Noiriel, *À quoi sert l'« identité nationale » ?*, Marseille, Agone, 2007. Voir également L. De Cock (dir.), *Comment Nicolas Sarkozy écrit l'histoire de France*, Marseille, Agone, 2008.

79. Voir D. Fassin (dir.), *Les Nouvelles frontières de la société française*, *op. cit.*

Français. Nous ne nous contenterons plus d'une intégration qui ne marche plus, nous exigeons l'assimilation. Dès que vous devenez français, vos ancêtres sont gaulois. » De manière significative, cette profession de foi nationaliste était intimement associée, dans le même discours, à ce qu'il appelait l'« islam extrémiste et politique », dont le but serait de « provoquer la République ». Ainsi promettait-il de mener « une guerre impitoyable », non seulement contre le terrorisme se réclamant de l'islam mais contre les « comportements moyenâgeux qui veulent qu'un homme se baigne en maillot de bain quand les femmes sont enfermées dans des burkinis ». Dénonçant ce qu'il appelait alors la « tyrannie des minorités », il assurait qu'il serait le « président de la communauté nationale car en France, la seule communauté qui vaille est la communauté française ».

Si ce discours est frappant, c'est qu'il fait apparaître plus clairement que d'ordinaire à quel point l'islamophobie constitue le principal vecteur d'une radicalisation nationaliste dans le champ politique français. Dans sa fièvre néo-assimilationniste[80], la classe dirigeante française accentue le caractère exclusiviste du nationalisme français. Dans le cadre de ce dernier, l'appartenance à la « communauté nationale » non seulement devrait primer sur toute autre appartenance, mais même écraser toute autre appartenance. Il s'agit donc bien de briser ces minorités jugées « tyranniques » parce que voulant imposer aux autres, dit-on, leurs manières de faire communauté – là où, en réalité, les minorités se contentent généralement de revendiquer une égalité de traitement, autrement dit une lutte conséquente contre les discriminations qu'elles subissent. De ce point de vue, il n'est nullement suffisant de réfuter l'affirmation à l'évidence absurde selon laquelle « nos ancêtres » seraient les Gaulois. Lorsque Sarkozy déclare cela, il ne se situe pas sur le plan de la description historique – il sait pertinemment que cela est

80. Voir A. Hajjat, *Les Frontières de l'« identité nationale ». L'injonction à l'assimilation en France métropolitaine et coloniale*, Paris, La Découverte, 2012.

faux – mais sur le terrain de l'action politique, et plus précisément d'une politique nationaliste. Or, pour se déployer, celle-ci a besoin de (re)bâtir une mythologie qui tend à fonctionner de manière double : à la fois comme injonction imposée aux immigrés et descendants d'immigrés postcoloniaux, et comme clin d'œil adressé à toutes celles et tous ceux qui se perçoivent et sont perçus comme de « vrais Français » parce que constitués comme *Blancs* (incluant les descendants d'immigrés européens, dont font d'ailleurs partie et M. Valls et N. Sarkozy).

L'injonction pourrait s'énoncer de la manière suivante : peu importe votre histoire et celle de vos ascendants, proches ou lointains, peu importe l'expérience des discriminations que vous faites dans le cadre de la République française et de ses institutions, vous êtes sommés de considérer que « vos ancêtres sont les Gaulois ». Autrement dit, il vous faut sans discussion endosser le grand récit de la nation française éternelle, comportant immanquablement la prétention à constituer la « patrie des droits de l'homme » alors même que, par définition, la présence d'enfants d'immigrés postcoloniaux est liée au fait que la puissance française a colonisé, massacré, pillé, et fait venir autoritairement des hommes afin qu'ils se battent pour la France dans des guerres qui ne les concernaient pas ou triment dans les secteurs les plus durs du monde ouvrier. Même l'incorporation du roman national par les descendants de colonisés ne garantit en rien qu'ils seront considérés comme des membres à part entière de la « communauté française » ; tout indique au contraire qu'ils continueront à subir les discriminations sur le marché du travail, les contrôles au faciès voire les violences policières, ainsi que d'innombrables amalgames et vexations.

Mais le discours nationaliste fonctionne également, et peut-être surtout à dire vrai, comme clin d'œil adressé à celles et ceux dont on dit qu'ils « ne se sentent plus chez eux » et qu'ils souffriraient d'« insécurité culturelle »[81], qui se

81. Voir L. Bouvet, *L'Insécurité culturelle*, Paris, Fayard, 2015. Pour une critique, voir notamment K.-G. Giesen, « L'insécurité culturelle : usages et ambivalences.

sentent pleinement légitimes à revendiquer comme leur « propriété » la France, l'histoire française, le patrimoine français et les ancêtres français. Et comment en serait-il autrement puisqu'ils sont reconnus comme les seuls qui appartiendraient authentiquement à la nation française et à qui appartiendrait véritablement cette nation ? Ceux qui, dirigeants politiques ou intellectuels médiatiques, ont revivifié le nationalisme par l'islamophobie, leur promettent ainsi qu'ils pourront « à nouveau » se sentir chez eux, qu'ils retrouveront certains avantages matériels et symboliques (pourtant jamais remis en cause), et qu'ils maintiendront donc la distance avec celles et ceux dont on estime au contraire, implicitement ou explicitement, qu'ils n'ont aucun droit sur la France, qu'ils doivent accepter leur place et renoncer à la transformer sous peine de devoir rentrer « chez eux » (« la France tu l'aimes ou tu la quittes »).

Last but not least, le développement de l'islamophobie a permis de légitimer le renouveau des interventions militaires occidentales, au Moyen-Orient et en Afrique subsaharienne notamment, dans le contexte de la « guerre au terrorisme » ouvert par la guerre menée en Afghanistan et l'invasion de l'Irak. On ne saurait donc déconnecter la croissance de l'islamophobie des transformations de l'impérialisme, mais plus largement de la progression des tensions interimpérialistes et du militarisme qui leur est associé[82]. L'impérialisme et l'islamophobie sont liés de manière consubstantielle. Si cela s'exprime à l'échelle internationale dans les rapports entre nations dominantes et nations opprimées (en particulier au Moyen-Orient), on peut en constater également les manifestations au sein même des premières, le racisme néocolonial s'y

---

Notes critiques à propos du livre de Laurent Bouvet », *in* L. De Cock et R. Meyran, *Paniques identitaires*, *op. cit.* Voir également A. Lancelin, « Laurent Bouvet, le nouveau radicalisé », Le Media, 17 février 2018, https://lemediapresse.fr/idees-fr/laurent-bouvet-le-nouveau-radicalise.

82. Sur ce nouveau contexte historique, voir G. Achcar, *Le Choc des barbaries*, *op. cit.*

déclinant sous des formes qui varient selon les histoires nationales, les rapports de force politiques et sociaux, la présence plus ou moins massive et durable de populations issues du Sud global, etc. Plus précisément, l'islamophobie apparaît comme la forme idéologique principale prise par l'impérialisme et le militarisme à l'âge de la « guerre contre le terrorisme »[83]. Cela permet de justifier les interventions militaires à l'étranger *et* le durcissement autoritaire, qui cible les mouvements sociaux mais aussi et surtout les « colonisés de l'intérieur », celles et ceux qui subissent d'ores et déjà la violence du racisme sous toutes ses formes : discriminations dans la sphère professionnelle, ségrégation spatiale et scolaire, harcèlement policier (jusqu'aux crimes toujours impunis), soupçons permanents.

On connaît désormais par cœur la manière dont les femmes musulmanes ont été systématiquement instrumentalisées au cours des vingt dernières années. On a ainsi prétendu libérer les femmes afghanes des talibans en intervenant militairement, mais aussi les femmes musulmanes portant un *hijab* en France, vis-à-vis de leurs pères ou de leurs grands frères, en interdisant le port de signes religieux dits « ostentatoires » (mais qui, en raison même de ces interdictions, subissent plus que jamais la discrimination et la marginalisation). Tout cela donne à voir l'intrication entre impérialisme et islamophobie, dans les rapports de domination internationaux comme dans les rapports internes aux nations occidentales.

La centralité du racisme dans le projet du FN

On fait face à une double tentation lorsqu'on cherche à appréhender la place du racisme dans le projet actuel du FN. La première consiste à refuser d'opérer la moindre distinction

83. Sur ce point mais en prenant pour objet les contextes états-unien et britannique, voir notamment A. Kundnani, *Muslims Are Coming. Islamophobia, Extremism, and the Domestic War on Terror*, Londres/New York, Verso, 2014.

entre les forces dominantes qui composent et structurent le champ politique français, au nom des convergences indéniables qui se sont accomplies entre elles sur les politiques migratoires et l'islamophobie ; dans cette vision, distinguer reviendrait à absoudre droite et gauche de leurs responsabilités dans le développement du nationalisme et du racisme dans le champ politique. La seconde amène, au prétexte de certains remaniements politiques et programmatiques du FN – en particulier l'éviction de Jean-Marie Le Pen et de militants exprimant trop ouvertement leur antisémitisme, mais aussi la place plus grande prise par les questions socio-économiques dans le discours et le programme frontiste[84] – à considérer que la xénophobie et le racisme n'auraient plus qu'une place marginale au sein du FN, qu'il s'agisse des options de ses dirigeants et de ses membres, des aspirations de son électorat ou de ses fondements idéologiques, et un rôle secondaire dans son ascension.

Il importe au contraire de rappeler deux constats, simples mais politiquement cruciaux : le FN constitue la composante la plus brutalement raciste du nationalisme français ; le racisme a joué – et joue toujours – un rôle central dans son idéologie et dans son développement (ce qui ne doit pas être confondu avec l'idée qu'il serait central en chaque moment dans sa propagande). Contrairement à ce qui est bien souvent affirmé, le parti de Marine Le Pen n'a en rien rompu – et ne semble pas en voie de rompre dans les mois ou années à venir – avec le projet politique qui fut celui de l'extrême droite française lorsque celle-ci s'est engagée dans la construction du mouvement au début des années 1970 : une prétendue régénération de la nation et de son unité, fondée sur la volonté d'une purification, par la mise au pas – sinon la soustraction violente – de tous les éléments considérés comme « étrangers » voire « traîtres » à la nation ou perçus comme des sources potentielles de désordre et de division. Ses dirigeants maintiennent ce socle idéologique

84. Sur ce point, voir le chapitre 5.

du mouvement par des déclarations ciblant prioritairement les musulmans et les migrants. Mais ils visent aussi les élites qu'ils désignent comme « mondialistes » – aussi bien de droite que de gauche – parce qu'elles seraient complices de l'« invasion migratoire », assimilée à une entreprise de destruction délibérée de la nation et de l'identité françaises. D'où la double cible de Marine Le Pen dans ses discours de campagne : « le totalitarisme islamiste et le totalitarisme mondialiste[85] ».

On affirme pourtant que l'ultra-nationalisme, la xénophobie et le racisme ne joueraient plus le même rôle qu'autrefois dans le développement du FN. Ses électeurs ne seraient plus mus *essentiellement* par l'hostilité aux « étrangers »[86], mais aussi par des revendications sociales. On constate également, à raison, que le racisme et la xénophobie sont présents dans d'autres segments de la population qui, pour autant, ne votent pas en faveur du FN. Or c'est là manquer le fait primordial : ce qui fait la particularité de l'électorat du FN, c'est à la fois son niveau d'hostilité nettement plus élevé à l'égard des immigrés, des musulmans, des juifs ou des Rroms et le fait qu'il considère l'immigration, la sécurité et la « menace terroriste », mais aussi les valeurs et l'« identité française », comme des enjeux politiques centraux[87]. Aucune question économique et sociale ne figure au premier, deuxième ou

85. On notera au passage que la rhétorique du « totalitarisme islamique » ou « islamiste » comme ennemi principal était partagée aussi bien par F. Fillon que par M. Le Pen lors des dernières élections présidentielles, le premier ayant fait paraître quelques mois avant l'élection un ouvrage intitulé : *Vaincre le totalitarisme islamique*.

86. Il faut rappeler combien cette catégorie juridique d'« étranger » fonctionne, dans l'idéologie raciste de l'extrême droite, comme une catégorie ethnoraciale, distinguant les « vrais Français » (dits aussi « Français de souche ») et les autres, c'est-à-dire les non-Blancs, qu'ils soient de nationalité étrangère ou française (dans ce dernier cas ils seront considérés comme des « Français de papier », selon une vieille expression d'extrême droite qui continue d'être employée au FN, et récemment par Nadine Morano, ancienne ministre de N. Sarkozy, à propos de Rokhaya Diallo).

87. Parmi de nombreuses études sur les motivations des votes, voir « Comprendre le vote au 1er tour de l'élection présidentielle », 23 avril 2017, http://

troisième rang des motivations du vote frontiste. Or les inégalités et les injustices sociales étaient la première motivation du vote en faveur de Mélenchon et Hamon, et la situation économique et l'emploi celle du vote pour Macron et Fillon. Le FN est ainsi perçu par ses électeurs comme le parti qui s'oppose le mieux, non à la détérioration de la situation économique et sociale ou aux inégalités croissantes, mais à ce qui est perçu par ses électeurs comme un danger de dissolution démographique de la France, de destruction culturelle de l'« identité française » et/ou de marginalisation sociopolitique des « vrais Français ».

Le parti d'extrême droite n'est donc pas simplement parvenu à rendre acceptables, et même respectables, des « analyses » et des propositions autrefois jugées scandaleuses. On l'a vu, il a bénéficié en cela du travail accompli par des dirigeants de droite mais aussi de gauche : tous ont prétendu répondre aux succès frontistes en empruntant à Le Pen certaines de ses propositions et surtout son langage. Il est bien évident par ailleurs que le racisme et la xénophobie n'ont pas attendu le FN pour être présents au sein de la population française, dans les classes possédantes comme parmi la petite bourgeoisie et la classe ouvrière (même quand cette dernière était largement acquise à la gauche, notamment au PCF). Le véritable coup de force du FN, c'est d'avoir réussi à imposer au cœur de la politique française un clivage opposant les nationaux aux « étrangers » mais aussi la nation à des menaces diverses (les différents « mondialismes »). Or ce clivage était resté marginal entre 1945 et le début des années 1980. L'ascension du FN est donc incompréhensible si l'on ne place pas au centre de l'attention le racisme et la xénophobie, qui ont eu une triple fonction, auprès de son électorat mais aussi de sa base militante : mobiliser les émotions d'une frange de la population (*affect*), souder une

www.lexpress.fr/actualite/politique/fn/fn-la-contre-proposition-de-nicolas-bay-a-celle-de-florian-philippot_1929423.html.

communauté imaginaire (*culture*)[88] et rationaliser une vision du monde (*idéologie*). Il n'y a de ce point de vue rien d'anodin au fait que, lors des meetings de Marine Le Pen, c'est lorsque les questions d'immigration sont abordées que le public apparaît le plus mobilisé, en particulier à travers le slogan très largement repris : « On est chez nous »[89].

Mais l'immigration ou l'identité nationale ne prennent-elles pas objectivement moins de place dans le discours frontiste, en raison de la stratégie de « dédiabolisation » et du « tournant social » ? Cela est évident, au vu des deux campagnes présidentielles de Marine Le Pen. Mais c'est que le FN n'a plus besoin aujourd'hui de rappeler sans cesse ses positions en la matière. Au contraire, pour élargir son audience à des franges de la population jusqu'ici éloignées, il lui faut faire des incursions sur des terrains – services publics, écologie, droits des femmes, laïcité, etc. – qui n'étaient pas déjà les siens. Pour autant, il ne s'agit généralement pas d'une reprise telles quelles de positions « de gauche », mais d'une traduction dans le langage politique propre à l'extrême droite : celui de la nation menacée de décadence et de dégénérescence du fait de l'immigration, de l'affirmation de l'islam et de la mondialisation économique. Durant sa dernière campagne présidentielle, Marine Le Pen a ainsi construit l'essentiel de ses discours autour de la menace d'une « disparition », d'une « dissolution » ou d'une « soumission » de la France sous l'effet de deux « mondialismes » qui constitueraient deux « totalitarismes » : le « mondialisme financier et affairiste » et le « mondialisme djihadiste » ; ou encore « la mondialisation d'en bas avec l'immigration massive, levier du dumping social mondial, et la mondialisation d'en haut avec la financiarisation de l'économie ». La rhétorique prophétique

88. On se souvient de l'excellente formule d'Anne Tristan à propos des militants frontistes, au terme de son enquête au sein du FN marseillais : « Ils s'aiment de détester ensemble. » Voir A. Tristan, *Au Front*, Paris, Gallimard, 1987.

89. Il suffit de visionner quelques discours de meeting pour le constater. Voir par exemple le discours prononcé par Marine Le Pen au Zénith de Paris le 17 avril 2012 : https://www.youtube.com/watch?v=YcbbSXO8qvA.

et catastrophiste de la « destruction de la France », régulièrement employée par Marine Le Pen, n'a d'autre objectif que de servir un nationalisme radical et exclusiviste. Ce dernier demeure en effet la formule génératrice de la quasi-totalité des analyses et des propositions avancées par le FN, et charrie immanquablement la xénophobie et le racisme.

Le FN a-t-il rompu avec l'antisémitisme, qui a constitué depuis la seconde moitié du XIXe siècle l'un des fondamentaux de l'extrême droite ? Il importe sur ce point de distinguer les électeurs et la direction du parti. L'antisémitisme des sympathisants du FN – tel que le mesurent les enquêtes d'opinion[90] – se situe à un niveau bien supérieur à celui des autres franges de l'électorat. Cela devrait d'ailleurs suffire à démentir le lieu commun médiatico-politique, relayé bruyamment par quelques idéologues et dirigeants politiques, selon lequel la gauche radicale et les « Arabo-musulmans » auraient aujourd'hui le monopole de l'antisémitisme (rebaptisé « nouvelle judéophobie »), du fait de leur antisionisme. Au passage, comme cela a été montré par Nonna Mayer il y a déjà une quinzaine d'années et confirmé par de nombreuses études depuis[91], c'est parmi les électeurs de la gauche radicale que les stéréotypes antisémites et la méfiance à l'égard des juifs sont les moins répandus (au début des années 2000, 18 % exprimaient des opinions méfiantes à l'égard des juifs). *A contrario*, c'est parmi les électeurs d'extrême droite que ces stéréotypes et cette méfiance étaient les plus forts (40 % d'opinions méfiantes), de même que les stéréotypes et l'hostilité à

90. Voir N. Mayer, « Le mythe de la dédiabolisation du FN », La Vie des idées, 4 décembre 2015, http://www.laviedesidees.fr/Le-mythe-de-la-dediabolisation-du-FN.html.

91. Voir « Nouvelle judéophobie ou vieil antisémitisme ? », *Raisons politiques*, 2004, 4, n° 16. Pour des données plus récentes, voir l'étude publiée en décembre 2017 par l'Ipsos pour la Fondation du judaïsme français, qui montre une fois de plus que c'est parmi les sympathisants du FN que les préjugés antisémites sont de loin les plus répandus : https://www.ipsos.com/sites/default/files/ct/news/documents/2017-12/fjf_note_de_synthese_evolution-relation-a-l-autre-societe-francaise.pdf.

l'égard des musulmans, des Rroms, des immigrés, des étrangers, etc. Que des dispositions racistes soient aisément transférables d'une minorité à une autre, des musulmans aux juifs ou l'inverse, ne devrait d'ailleurs guère prêter à étonnement.

Reste qu'il y a bien eu une volonté consciente de la part de la direction du FN d'empêcher les saillies antisémites de sa base militante, notamment de ses candidats aux élections, et d'en finir avec la négation ou la minimisation du génocide des juifs d'Europe. Vice-président du FN, Louis Aliot déclarait ainsi en décembre 2013 : « En distribuant des tracts dans la rue, le seul plafond de verre que je voyais ce n'était pas l'immigration ni l'islam... D'autres sont pires que nous sur ces sujets-là (*sic*). C'est l'antisémitisme qui empêche les gens de voter pour nous. Il n'y a que cela. À partir du moment où vous faites sauter ce verrou idéologique, vous libérez le reste. [...] Depuis que je la connais, Marine Le Pen est d'accord avec cela. Elle ne comprenait pas pourquoi et comment son père et les autres ne voyaient pas que c'était le verrou. [...] C'est la chose à faire sauter[92]. » C'est donc de manière purement opportuniste que le FN a abandonné l'antisémitisme : la stigmatisation des juifs ou les sympathies négationnistes que manifestaient à intervalles réguliers ses dirigeants, de Le Pen à Gollnisch, sont à présent davantage perçues par la direction du FN comme un boulet que comme un levier pour attirer vers le parti d'extrême droite de nouveaux segments de l'électorat.

Le FN ne s'est pas arrêté là puisque, s'inscrivant dans la rhétorique de la « nouvelle judéophobie », il a cherché ces dernières années à dresser les juifs contre ceux qui seraient leurs véritables ennemis, à savoir les musulmans et la gauche radicale. Il a été soutenu en cela par la Ligue de défense juive (LDJ), que Marine Le Pen a défendue lors des manifestations de

92. Voir V. Igounet, « Jean-Marie Le Pen est-il trop antisémite pour le "nouveau" FN ? », 6 mai 2015, https://blog.francetvinfo.fr/derriere-le-front/2015/05/06/jean-marie-le-pen-est-il-trop-antisemite-pour-le-nouveau-fn. html.

l'été 2014 en solidarité avec Gaza[93]. Au cours de ces dernières, ce groupuscule d'extrême droite – d'ailleurs interdit dans plusieurs pays (notamment les États-Unis) – avait tenté d'agresser des manifestants. En 2018, après avoir insulté et menacé des élus de la France insoumise et les avoir contraints à quitter la Marche blanche en l'honneur de Mireille Knoll, les militants de la LDJ ont escorté les dirigeants du FN. De même doit-on se souvenir, car cela n'a rien d'anecdotique, que Rogier Cukierman, alors président du Conseil représentatif des institutions juives de France (CRIF), avait pu déclarer en 2002 que le score de Jean-Marie Le Pen « [était] un message aux musulmans pour qu'ils se tiennent tranquilles[94] ». Cette rhétorique de la « nouvelle judéophobie », dont les musulmans et la gauche radicale seraient les agents, a été mise en circulation dans les années 2000 par des « intellectuels » comme P.-A. Taguieff ou A. Finkielkraut. Elle a récemment été réactivée telle quelle *via* une tribune rédigée par Philippe Val et signée par « trois cents intellectuels, artistes et hommes politiques »[95]. Or il est indéniable qu'elle fournit au parti d'extrême droite un argument imparable pour se débarrasser d'un encombrant stigmate, alors même qu'un parti dont l'électorat demeure à ce point empreint d'antisémitisme pourrait être tenté de réintroduire ce venin dans des circonstances où cela lui semblerait nécessaire.

Mais si l'antisémitisme a été pour l'instant abandonné par la direction du FN, au moins superficiellement et pour des

---

93. Le vendredi 1er août 2014, elle déclarait sur RTL : « S'il existe une Ligue de défense juive, c'est qu'il y a un grand nombre de juifs qui se sentent en insécurité. Ils ont le sentiment que monte un nouvel antisémitisme en France et qui est le fait de confrontations communautaires. »

94. Voir S. Johsua, « Cukierman, valse avec Le Pen », *Regards*, 3 mars 2015, http://www.regards.fr/web/article/cukierman-valse-avec-le-pen.

95. Voir « Manifeste "contre le nouvel antisémitisme" », *Le Parisien*, 21 avril 2018, http://www.leparisien.fr/societe/manifeste-contre-le-nouvel-antisemitisme-21-04-2018-7676787.php. Voir la critique de ce texte par D. Vidal : « Contre l'antisémitisme, avec détermination et sang-froid », Mediapart, 23 avril 2018, https://blogs. mediapart. fr/dominique-vidal/blog/230418/contre-l-antisemitisme-avec-determination-et-sang-froid.

raisons de respectabilité, c'est pour mieux lui substituer un racisme ciblant spécifiquement les musulmans. Cette islamophobie est beaucoup moins susceptible que l'antisémitisme d'être condamnée politiquement et elle se situe dans le prolongement des formes structurelles prises par le racisme en France, qui affectent principalement les descendants de colonisés. Si le racisme demeure central dans la construction et le renforcement du FN, c'est d'abord qu'il constitue le ciment idéologique de sa base militante et d'une partie importante de son électorat : 80 % des sympathisants du FN s'estimaient eux-mêmes « racistes » (« plutôt racistes » ou « un peu racistes ») en 2014, un chiffre très élevé et pourtant certainement minimisé du fait du sentiment d'illégitimité qui continue d'entourer une telle déclaration. Encore doit-on préciser que c'est avant tout sous la forme d'une violente hostilité aux musulmans (réels ou présumés) que se manifeste aujourd'hui le racisme de l'électorat d'extrême droite : un « trait caractéristique des sympathisants du FN est une polarisation anti-islam exacerbée, bien plus marquée que leur antisémitisme[96] ».

Nonna Mayer précise d'ailleurs à quel point, malgré la progression constatée de l'islamophobie dans l'ensemble de la population entre 2009 et 2014, l'électorat du FN continue sur ce point de se distinguer des sympathisants d'autres partis : « Le refus des sympathisants FN de voir dans les musulmans des citoyens comme les autres dépasse de 48 points celui qu'on observe chez les sympathisants des autres partis (contre 23 points dans le cas des Français juifs), leur jugement négatif de la religion musulmane est supérieur de 42 points (contre 20 pour la religion juive), leur sentiment que les musulmans forment un "groupe à part" de 35 points (contre 14 quand il s'agit des juifs) et leur refus de sanction judiciaire pour des propos insultants de 28 points (contre 21). » L'islamophobie, on l'a vu, se retrouve – sous des formes brutales ou euphé-

96. Voir N. Mayer, « Le mythe de la dédiabolisation du FN », *loc. cit.*

misées, revendiquées ou détournées – dans la quasi-totalité du champ politique. Reste que le FN en est l'expression politique la plus assumée et la plus violente, autrement dit la plus à même de mettre en œuvre, sinon le rêve sinistre d'Éric Zemmour d'une déportation de millions de musulmans, du moins une politique de discrimination systématique de ces derniers. Cela impliquerait non seulement l'interdiction d'exister publiquement en tant que musulmans mais l'institution d'une complète inégalité des droits, à laquelle les gouvernements ont d'ores et déjà contribué ces quinze dernières années.

C'est donc moins un changement de « nature » du FN, ni d'ailleurs de sa stratégie d'ensemble, qui s'est trouvé au cœur du conflit entre Jean-Marie Le Pen et sa fille, qu'une divergence de tactique politique. Le véritable changement impulsé par Marine Le Pen – qui, sur ce point comme sur d'autres, a fait du « mégrétisme sans Mégret » – c'est d'avoir mis au premier plan le « problème de l'islam ». Ainsi a-t-elle radicalisé par l'islamophobie la rhétorique xénophobe du FN[97], tout en opérant un recodage « républicain » du discours frontiste. Si a pu s'imposer l'illusion d'une transformation profonde du FN, c'est du fait de la très large diffusion de l'islamophobie, qui tend à rendre acceptable l'hostilité publiquement manifestée à l'égard des musulmans, mais aussi du discours public faisant de l'immigration et des immigrés un « problème » à résoudre, et ce depuis les années 1970. Cette double progression de l'islamophobie et de la xénophobie, couplée à l'affirmation d'une « nouvelle laïcité » permettant de stigmatiser les musulmans au nom de la défense de la « République », tend ainsi

---

97. Bruno Mégret et le Mouvement national républicain (MNR) – parti qu'il a fondé après son exclusion du FN – avaient en effet développé un discours violemment islamophobe dès le début des années 2000, soit dix ans avant le FN. Sur l'histoire sinueuse de l'islamophobie à l'extrême droite, voir N. Lebourg, « Marine Le Pen, l'extrême droite et l'islamophobie », *Le Nouvel Observateur*, 2 mai 2012, https://www.nouvelobs.com/politique/l-observateur-du-lepenisme/20120329.OBS5016/marine-le-pen-l-extreme-droite-et-l-islamophobie.html.

à légitimer par avance toutes les sorties les plus ouvertement racistes du FN, du moins dès lors qu'elle vise les musulmans et les migrants (extra-européens ou rroms). On doit d'ailleurs remarquer que l'antagonisme entre le père et sa fille, présenté fallacieusement comme une controverse entre une ligne « dure » et une ligne « modérée », n'a pas éclaté lorsque Jean-Marie Le Pen, évoquant le prétendu « risque de submersion » de la France par l'immigration, avait affirmé en mai 2014, faisant allusion à l'épidémie qui sévissait alors en Afrique, que « Monseigneur Ebola [pouvait] régler ça en trois mois ». Cette déclaration n'avait alors suscité aucune condamnation de la part de la direction du FN et de sa présidente ; bien au contraire, cette dernière l'avait soutenu[98].

Il est vrai que Marine Le Pen ne rechigne jamais elle-même à employer la rhétorique de l'« invasion », de l'« occupation » ou de la « colonisation » de la France par les populations étrangères, et plus spécifiquement extra-européennes et musulmanes. Elle retrouve là, non simplement Renaud Camus[99], mais le Drumont de *La France juive* ou encore l'écrivain préfasciste Maurice Barrès[100]. Ainsi pouvait-elle affirmer en septembre 2015, à propos de l'afflux de réfugiés : « L'invasion migratoire que nous subissons n'aura rien à envier à celle

98. Voir « Marine Le Pen affirme que les propos de son père sur Ebola ont été "dénaturés" », *Libération*, 22 mai 2014, http://www.liberation.fr/planete/2014/05/22/marine-le-pen-denonce-les-propos-denatures-de-son-pere-sur-ebola_1024727.

99. Celui-ci note au passage que, « maintenant, le FN aimerait bien récupérer le contenu [de la théorie du "grand remplacement"]. Il en est donc à déclarer, un peu ridiculement, qu'il y a bien remplacement, oui, mais qu'il n'est pas grand ; que "grand" ajoute à la tournure un on-ne-sait-quoi de suspect, de non scientifique. [...] Car enfin, si le remplacement n'est pas grand, qu'est-ce qu'il leur faut ? Un génocide en bonne et due forme ? ». Voir « Renaud Camus : "Si le remplacement n'est pas grand, qu'est-ce qu'il leur faut ?" », Boulevard Voltaire, 9 juillet 2017, http://www.bvoltaire.fr/remplacement-nest-grand-quest-quil-faut.

100. Sur les origines anciennes de la rhétorique du « grand remplacement », voir G. Kauffmann, *Le Nouveau FN. Les vieux habits du populisme*, Paris, Seuil, 2016, p. 88-91. Sur Maurice Barrès, voir Z. Sternhell, *Maurice Barrès et le nationalisme français*, Paris, Fayard, 2016 [1972].

du IVe siècle et aura peut-être les mêmes conséquences[101]. » La présidente du FN s'est par ailleurs présentée aux élections régionales de 2015 sur un programme aspirant, entre autres, à « dénoncer et éradiquer toute immigration bactérienne[102] ». Quelques semaines plus tard, elle n'hésitait pas utiliser la rhétorique de la guerre civile : « Nous n'avons pas d'autre choix que de gagner cette guerre. Si nous échouons, le totalitarisme islamiste prendra le pouvoir dans notre pays, comme il l'a pris en Libye avec l'aide de Nicolas Sarkozy, comme il tente de le prendre en Syrie, en Égypte, en Tunisie, etc. [...] La charia remplacera notre Constitution, l'islam radical se substituera à nos lois, nos bâtiments détruits, la musique prohibée, l'épuration religieuse avec son cortège d'horreurs, etc.[103] »

Peu auparavant, elle invitait dans un tweet à relire *Le Camp des saints*, un livre d'anticipation devenu un classique de l'extrême droite et fondé sur le postulat d'une « incompatibilité des races lorsqu'elles se partagent un même milieu ambiant ». Dans ce livre, l'écrivain Jean Raspail décrivait la colonisation de la France par un million de migrants et la résistance armée de quelques « Français de souche », tirant sur les « envahisseurs » et finalement trahis par un gouvernement « multiracial »[104]. Si

101. Voir « Pour Marine Le Pen, l'afflux de migrants pourrait ressembler aux invasions barbares "du IVe siècle" », *Le Parisien*, 14 septembre 2015, http://www.leparisien.fr/flash-actualite-politique/pour-marine-le-pen-l-afflux-de-migrants-pourrait-ressembler-aux-invasions-barbares-du-ive-siecle-14-09-2015-5091663.php.

102. Voir « Régionales : "éradiquer l'immigration bactérienne", l'improbable proposition de Marine Le Pen », *Libération*, 10 novembre 2015, http://www.liberation.fr/direct/element/regionales-eradiquer-limmigration-bacterienne-limprobable-proposition-de-marine-le-pen_22553.

103. Voir « Marine Le Pen : "Si nous échouons, la charia remplacera notre Constitution" », *Le Point*, 3 décembre 2015, http://www.lepoint.fr/politique/marine-le-pen-si-nous-echouons-la-charia-remplacera-notre-constitution-02-12-2015-1986750_20.php.

104. Voir D. Albertini, « L'un des livres favoris de Marine Le Pen décrit une apocalypse migratoire », *Libération*, 16 septembre 2015, http://www.liberation.fr/france/2015/09/16/le-livre-de-chevet-de-marine-le-pen-decrit-une-apocalypse-migratoire_1383026.

Marine Le Pen disait espérer une fin différente, elle défendait l'ouvrage en prétextant de son « acuité » et de sa « modernité incroyables ». De même avait-elle loué le livre de Michel Houellebecq *Soumission*, en affirmant que la prophétie sur laquelle était fondé l'ouvrage – la victoire présidentielle d'un candidat islamiste en 2022 après deux mandats de François Hollande... – « pourrait un jour devenir réalité ». Elle avait aussi félicité son auteur pour avoir pointé la « complicité » de l'UMP et du PS comme moteur de la progression du « fondamentalisme islamiste »[105]. En employant cette rhétorique de la « colonisation » de la France par des éléments allogènes, Marine Le Pen s'inscrit pleinement dans une vieille stratégie frontiste. François Duprat lui-même, l'un des principaux stratèges de l'extrême droite néofasciste dans l'après-guerre (et un moment numéro 2 du FN[106]), avait explicité dès 1976 : « Quiconque croit que notre nation est colonisée acceptera tôt ou tard nos méthodes d'action en vue de sa libération[107]. »

Les dirigeants frontistes mettent ainsi d'autant plus en avant un prophétisme xénophobe et islamophobe de la conquête de la France par l'« islam »[108] qu'ils défendent un prophétisme identitaire de la renaissance de la nation française. Mais ils le font en prétendant que l'immigration ne serait visée qu'en tant que phénomène sociopolitique, et non les immigrés en tant que personnes. Ces derniers subiraient actuellement, non pas les politiques antimigratoires, mais la destruction des nations par le « mondialisme » (sous la forme du déracinement et de la perte des repères culturels) : s'opposer à l'immigration consti-

---

105. Voir « Pour Marine Le Pen, le dernier livre de Houellebecq "pourrait devenir une réalité" », Le Lab politique/Europe 1, 5 janvier 2015, http://lelab.europe1.fr/Pour-Marine-Le-Pen-le-dernier-livre-de-Houllebecq-pourrait-devenir-une-realite-19990.

106. Voir N. Lebourg et J. Beauregard, *François Duprat. L'homme qui réinventa l'extrême droite*, Paris, Denoël, 2012.

107. *Ibid.*, p. 205.

108. Dès 1987, le FN diffusait des affiches où figurait une prétendue citation d'un responsable du Hezbollah énonçant : « Dans vingt ans, c'est sûr, la France sera une république islamique. »

tuerait paradoxalement la seule véritable défense des immigrés. Cette tactique rhétorique ne tient pourtant généralement pas longtemps. Marine Le Pen a ainsi multiplié les déclarations dans lesquelles elle présente les immigrés extra-européens et/ou les musulmans (dont une grande partie ne sont pas immigrés mais descendants d'immigrés, sans même parler des convertis) comme une menace, une cinquième colonne, voire une force d'occupation. Dès 2010, elle développait ce discours de l'« occupation » – faisant à l'évidence jouer le sous-entendu de l'occupation de la France par l'Allemagne nazie – pour évoquer les prières effectuées par des musulmans dans la rue, en prenant grand soin d'en exagérer l'ampleur et d'en dissimuler la cause (le faible nombre de mosquées en France)[109].

Mais les dirigeants du FN ne s'arrêtent pas à l'idée d'occupation ou de colonisation. Les immigrés extra-européens et leurs enfants sont systématiquement assimilés à la délinquance, voire aux crimes les plus révoltants, ce qui ne peut pas ne pas apparaître comme un appel implicite, non seulement à les expulser, mais à les punir de la manière la plus brutale. Lors de son meeting au Zénith de Paris en avril 2012, elle répondait aux milliers de personnes vociférant « on est chez nous » : « Et parce que vous êtes chez vous, vous avez le droit de ne plus vouloir de ces Franco-Algériens comme Mohammed Merah, de ces Franco-Angolais comme l'assassin de Bouguenais, de ces Franco-Maliens comme le forcené de Paris ! Nous voulons des Français amoureux de leur drapeau, fiers de leur pays ! » Dans un autre dis-

---

109. Voici ses mots, qui ne prêtent guère à ambiguïté : « Maintenant il y a dix ou quinze endroits où, de manière régulière, un certain nombre de personnes viennent pour accaparer les territoires. Je suis désolée, mais pour ceux qui aiment beaucoup parler de la Seconde Guerre mondiale, s'il s'agit de parler d'occupation, on pourrait en parler, pour le coup, parce que ça c'est une occupation du territoire. C'est une occupation de pans du territoire, des quartiers dans lesquels la loi religieuse s'applique, c'est une occupation. Certes y a pas de blindés, y a pas de soldats, mais c'est une occupation tout de même et elle pèse sur les habitants ». Voir V. Igounet, « Une histoire d'un hold-up idéologique sur le FN loin d'être terminée », *Le Monde*, 4 décembre 2017, https://blog. francetvinfo. fr/derriere-le-front/2017/12/04/une-histoire-dun-hold-up-ideologique-de-lr-sur-le-fn-loin-detre-terminee. html.

cours, tenu à Nantes le 25 mars 2012, elle affirmait : « Combien de Mohamed Merah dans les bateaux, les avions, qui chaque jour arrivent en France remplis d'immigrés ? [...] Combien de Mohamed Merah parmi les enfants de ces immigrés non assimilés ? » Ces propos ne prêtent guère à ambiguïté : selon Marine Le Pen, les immigrés extra-européens, mais aussi leurs enfants (Mohamed Merah n'étant pas lui-même immigré puisqu'il est né à Toulouse), doivent être considérés non seulement comme des fauteurs de troubles potentiels, mais comme des assassins et terroristes en puissance, et traités en conséquence.

L'un des problèmes rencontrés par le FN dès sa création a été de donner une forme acceptable aux obsessions purificatrices qui ont toujours été au centre du projet fasciste. La condamnation universelle du nazisme, dans le contexte post-1945, rendait nécessaire une sophistication de la xénophobie et du racisme. Ceux-ci ne pouvaient plus se dire qu'au travers d'euphémismes, de sous-entendus, de références codées ou d'expressions à double sens – sous peine de vouer les héritiers de Maurras, Barrès, Doriot ou Brasillach aux condamnations judiciaires et à la marginalité électorale. Les enquêtes historiques et sociologiques donnent à voir le travail effectué, au sein du FN, pour façonner des militants et former des cadres capables d'atténuer dans leurs discours la violence raciste inhérente à l'extrême droite. L'historienne Valérie Igounet, qui a pu accéder aux brochures de formation, cite ainsi une note interne de l'Institut de formation nationale (IFN), centre de formation du FN créé en 1989[110], rédigée et diffusée au début des années 1990, intitulée « L'image du Front national », dans laquelle on peut lire : « Pour séduire, il faut d'abord éviter de faire peur et de créer un sentiment de répulsion. Or dans notre société soft et craintive, les propos excessifs inquiètent et provoquent la méfiance ou le rejet dans une large partie de la population. Il est donc essentiel, lorsqu'on s'exprime en public, d'éviter les propos outranciers et vulgaires. On peut

110. V. Igounet, « La formation au Front national (1972-2015) », *in* S. Crépon, A. Dézé et N. Mayer (dir.), *Les Faux-Semblants du Front national*, *op. cit.*

affirmer la même chose avec autant de vigueur dans un langage posé et accepté par le grand public. De façon certes caricaturale, au lieu de dire "les bougnoules à la mer", disons qu'il faut "organiser le retour chez eux des immigrés du tiers-monde"[111]. »

Le remaniement identitaire de l'idéologie frontiste – empruntant sans le dire, et souvent sans le savoir, aux élaborations théoriques du GRECE[112] – a permis de recycler le vieux fonds raciste de l'extrême droite en épousant le processus de culturalisation du racisme. On l'a vu, ce processus se retrouve bien au-delà du FN depuis les années 1980, et les jeunes militants ont aujourd'hui largement incorporé ce remaniement. « À travers le discours différentialiste, l'extrême droite a en fait trouvé un mode de traitement symbolique original de l'immigration légitimant une certaine xénophobie tout en s'adaptant à la condamnation politico-juridique du racisme[113]. » On doit d'ailleurs remarquer que, même au temps où le racisme biologique s'affichait sans fard, le racisme culturel – c'est-à-dire l'altérisation, l'infériorisation et la discrimination d'un groupe au nom de traits culturels présumés – n'était jamais très loin, y compris dans le cas de l'antisémitisme nazi[114]. Peut-être regarderait-on d'ailleurs d'un autre œil les propositions frontistes d'interdire l'abattage rituel en France[115], si l'on prenait au sérieux le fait que le parti nazi organisa à plusieurs reprises des campagnes contre l'abattage rituel lié à la religion juive. L'objectif évident était de stigmatiser publiquement

---

111. V. Igounet, *Le Front national, op. cit.*, p. 230.

112. Sur le GRECE, voir notamment P.-A. Taguieff, *Sur la Nouvelle Droite. Jalons d'une analyse critique*, Paris, Éditions Descartes et Cie, 1994. Concernant l'influence de la nouvelle droite sur le FN, voir J.-Y. Camus, « Le Front national et la nouvelle droite », *in* S. Crépon, A. Dézé et N. Mayer (dir.), *Les Faux-Semblants du Front national, op. cit.*

113. Voir S. Crépon, *La Nouvelle Extrême Droite. Enquête sur les jeunes militants du Front national*, Paris, L'Harmattan, 2006.

114. Sur ce point, voir R. Eatwell, « Fascism and Racism », *in* J. Breuilly (dir.), *The History of Nationalism*, Oxford, Oxford University Press, 2013.

115. Voir par exemple : « Le Pen veut interdire l'abattage des animaux sans étourdissement préalable », *Le Point*, 25 avril 2017, http://www.lepoint.fr/politique/le-pen-veut-interdire-l-abattage-des-animaux-sans-etourdissement-prealable-25-04-2017-2122403_20.php.

les juifs en les présentant à la fois comme radicalement étrangers aux « traditions allemandes » et comme coupables de barbarie[116].

Si la progression du FN a reposé en bonne partie sur la banalisation de ses thèses par des partis et des intellectuels de droite comme de gauche, s'il n'aurait pu s'enraciner sans le processus d'*imprégnation xénophobe et raciste* que nous avons tenté de mettre en évidence ici, il serait erroné et dangereux de prétendre que son accès au pouvoir ne ferait que prolonger les politiques d'ores et déjà menées. Un parti dont le succès repose à un tel degré sur la xénophobie et le racisme, qui est perçu à ce point comme le meilleur défenseur de l'intérêt des Blancs, ne pourrait accéder et se maintenir au pouvoir sans donner en permanence des gages à son électorat. Il lui faudrait lâcher la bride à des appareils répressifs d'État dont une partie importante des membres sont d'ores et déjà acquis à ses positions, et donc aller beaucoup plus loin dans l'entreprise d'assujettissement des immigrés et descendants d'immigrés postcoloniaux, des musulmans, des Rroms et certainement des juifs (quoi qu'en disent actuellement les dirigeants du FN).

*

Les approches marxistes du fascisme ont souvent pâti d'une sous-estimation de sa dimension culturelle et de l'importance de la crise idéologique dans son émergence et son développement. Elles ont bien souvent pris prétexte de l'opportunisme avéré des fascistes en matière de programme[117]

116. Voir notamment William S. Allen, *Une petite ville nazie*, Paris, Tallandier, 2016 [1967], p. 89 : « Les nazis décidèrent ensuite de soulever la colère populaire contre les méthodes employées par les juifs pour l'abattage du bétail. En conséquence, ils organisèrent une réunion sur ce sujet, avec projections en couleurs et discours prononcé par le président d'une société hanovrienne pour la protection des animaux. Au cours de la réunion, les dirigeants nazis de Thalburg firent savoir publiquement qu'ils étaient opposés aux pratiques israélites. »

117. Voir sur ce point le chapitre 1 ainsi que le chapitre 5, notamment concernant les positions de l'extrême droite contemporaine en matière économique et sociale.

pour en conclure qu'ils étaient dépourvus d'idéologie ou que l'idéologie n'aurait joué qu'un rôle marginal dans leur ascension, et ainsi réduire le fascisme à une mystique de l'action. Or rien n'est plus contestable, aussi bien si l'on s'intéresse au fascisme comme mouvement, c'est-à-dire à la manière dont il s'enracine et progresse jusqu'à se trouver en capacité de conquérir le pouvoir politique, qu'au fascisme comme régime, autrement dit à la manière dont il exerce le pouvoir, installe et affermit sa dictature : l'idéologie fasciste – déclinée différemment selon les situations historiques et les contextes nationaux – a bien joué un rôle moteur et central dans les victoires obtenues par les mouvements fascistes[118].

Une fois constaté cette sous-estimation et la nécessité d'y remédier, il faut néanmoins remarquer un point fort du marxisme. Il consiste à refuser d'appréhender la démocratie capitaliste et la dictature fasciste comme deux phénomènes radicalement distincts et étrangers par essence l'un à l'autre[119]. Ce refus invite au contraire à comprendre la dynamique fasciste à partir des conditions économiques, sociales, politiques, idéologiques et culturelles créées par le capitalisme et par les démocraties libérales. Il s'agit donc de la saisir comme l'expression la plus catastrophique des contradictions *politiques et idéologiques* du capitalisme parvenu à un certain stade de son développement. Sur le plan qui nous intéresse ici, cela suppose de donner à voir tout à la fois ce que font les fascistes, en particulier le type de discours qu'ils élaborent pour avoir l'oreille de différentes classes et obtenir ainsi une audience de masse, mais également la manière dont des dirigeants politiques non fascistes favorisent leur progression, bien souvent – aujourd'hui comme

118. Voir l'introduction de cet ouvrage, mais surtout les études fondamentales des historiens Zeev Sternhell, Roger Griffin, Roger Eatwell ou encore Stanley Payne.

119. Cela ne saurait conduire à les identifier comme le fit l'Internationale communiste durant la « troisième période ».

dans l'entre-deux-guerres – au prétexte de lutter contre leur influence croissante.

C'est pourquoi nous avons insisté non seulement sur l'action du FN sur le plan des idées ou des « valeurs », mais surtout sur le renouveau d'une politique nationaliste menée délibérément par les principaux dirigeants politiques français, de droite mais aussi de gauche, à partir des années 1980. Comment comprendre ce renouveau, qui s'est notamment manifesté par la construction d'un consensus xénophobe et islamophobe, antimigratoire et antimusulmans ? Il n'est nullement paradoxal qu'il se soit opéré au moment même où la classe dirigeante, par l'imposition de politiques néolibérales, sapait les bases de l'« État national social » qui s'était construit tout au long du XXe siècle, mais aussi les fondements d'une politique économique nationale relativement autonome. Que Macron mène à la fois la politique néolibérale la plus offensive et la politique antimigratoire la plus brutale ne devrait donc pas prêter à étonnement. Il ne s'agit pas ici pour nous de regretter le « bon vieux temps » du nationalisme économique gaullien ou du compromis social d'après-guerre, mais de pointer le fait que l'internationalisation du capital ne rend en rien obsolètes les nationalismes. Au contraire, parce qu'elle met en concurrence les travailleurs du monde entier et parce que l'architecture institutionnelle européenne bâtie par les partis dominants rend impensable le nationalisme économique, les classes dirigeantes sont tentées d'œuvrer par compensation à une radicalisation xénophobe et raciste du nationalisme. Il est d'ailleurs frappant que les instances européennes (BCE et Commission européenne) réagissent de la manière la plus rapide et brutale à chaque fois que pointe une menace sur l'euro[120] : elles usent alors – ou menacent d'user – de l'arme monétaire et de sanctions, mais se bornent à prononcer quelques déplorations d'usage lorsque ce sont les droits des migrants et des

120. Sur ce point, voir notamment C. Durand, « Les prolétaires n'ont pas d'Europe », *Contretemps*, 4 juin 2018.

minorités qui sont la cible de gouvernements européens. Ni la xénophobie ni le racisme ne sont véritablement dans leur viseur, au contraire des déficits budgétaires ou de la perspective d'une sortie de l'euro, et l'extrême droite n'est guère critiquée qu'en raison de son euroscepticisme.

Si l'aiguisement du nationalisme est généralement reconnu, on avance parfois qu'il se distinguerait fondamentalement du type de nationalisme qui caractérisait le fascisme historique, à savoir un nationalisme expansionniste. L'extrême droite contemporaine serait dépourvue de volontés d'annexion et ne serait donc guère en capacité de se projeter dans l'espace international. Il importe d'abord de rappeler que les fascismes, lors du processus menant à la conquête du pouvoir, n'affichaient pas toujours clairement leurs visées expansionnistes, du moins pas aussi ouvertement qu'on tend à l'imaginer aujourd'hui. Plusieurs années après son accession au pouvoir, Hitler prenait encore beaucoup de soin, dans ses discours à visée internationale et diplomatique, à se présenter comme défendant simplement une paix juste – contre la paix inique effectivement imposée par le traité de Versailles. Il en va de même pour l'Italie fasciste qui, même dans le cas de l'invasion de l'Éthiopie – qui fut d'une brutalité inouïe[121] –, tenta de présenter son action de telle manière qu'elle n'apparaisse précisément pas comme une invasion, d'autant plus que l'Éthiopie était une nation indépendante appartenant à la Société des Nations (SDN). Là encore, nous devrions toujours prendre garde de ne pas croire sur parole ce que peuvent affirmer, la main sur le cœur, les dirigeants de l'extrême droite contemporaine, tant le double langage est consubstantiel à ces courants politiques.

Une seconde remarque est nécessaire : ce qui est premier idéologiquement dans le fascisme classique est moins l'expansionnisme que, d'une part, la conception organiciste, unanimiste et *in fine* totalitaire de la nation, et, d'autre part, la prétention à résoudre les contradictions de la société présente,

121. Voir notamment M.-A. Matard-Bonucci, *Totalitarisme fasciste, op. cit.*

non par une rupture avec le capitalisme, mais aux dépens des autres nations. Même en considérant de manière discutable que les conditions actuelles interdiraient en Europe toute visée expansionniste – parce que les États-nations et le système des États sont aujourd'hui plus stables, plus fermement établis, qu'ils ne l'étaient dans l'entre-deux-guerres –, la tentative néofasciste de surmonter les contradictions présentes se ferait inévitablement au détriment, non d'autres nations, mais d'une partie de la nation considérée comme étrangère ou traître à la nation. Elle ciblerait ainsi – d'autant plus brutalement qu'elle ne trouverait pas d'exutoire externe – les millions d'individus d'ores et déjà *constitués comme allogènes*, quand bien même ils sont nés ici et de nationalité française, y compris de parents eux-mêmes nés ici et de nationalité française.

Pour le dire autrement, si, dans les conditions ouvertes par la Première Guerre mondiale et le traité de Versailles, l'expansionnisme et la guerre entre nations européennes étaient présents dans l'horizon d'attente du fascisme, ce sont le racisme (y compris à tendance génocidaire) et la guerre civile qui sont inscrits de manière non moins inévitable dans la matrice du néofascisme. Ne pouvant à ce stade diriger son nationalisme exclusiviste et belliqueux vers l'extérieur, c'est-à-dire vers des peuples et des États rivaux, comme le fit en son temps le fascisme classique, le néofascisme tournerait cette agressivité nationaliste vers l'intérieur, autrement dit vers les minorités ethno-raciales d'ores et déjà stigmatisées et discriminées. Dans les deux cas, on ne saurait minorer la « spirale de radicalisation cumulative[122] » dans laquelle le fascisme se trouve pris à mesure qu'apparaissent, aux yeux d'une part croissante de sa base sociale, la vacuité de ses prétentions à dompter le capitalisme et à favoriser une renaissance nationale.

---

122. H. Mommsen, *Le National-Socialisme et la Société allemande. Dix essais d'histoire sociale et politique*, Paris, Éditions de la MSH, 1997.

5

Le Front national, un parti néofasciste en gestation

S'il y a à l'évidence une dimension symbolique du fascisme, ainsi que des conditions culturelles et idéologiques rendant possible son avènement[1], il ne saurait être réduit à une simple humeur (l'« esprit des années 1930 ») ou à un ensemble de représentations, de symboles et de mythes qui caractériseraient en bloc l'*époque*. Il ne peut non plus, nous l'avons vu, être ramené à un type psychologique renvoyant à ce que les membres de l'École de Francfort nommèrent en leur temps « personnalité autoritaire[2] », pas plus qu'à un processus qui serait endogène et inhérent aux États capitalistes (« fascisation »). Sauf conditions exceptionnelles[3],

1. Il faut prendre au sérieux la force d'interpellation de la culture fasciste et sa capacité à souder une communauté imaginaire derrière le chef et le parti fascistes. Voir sur ce point les travaux classiques de l'historien George Mosse, en particulier : *Nazi Culture. Intellectual, Cultural and Social Life in the Third Reich*, Madison, Wisconsin Press, 1966 ; *The Nationalization of the Masses. Political Symbolism and Mass Movements in Germany from the Napoleonic Wars through the Third Reich*, New York, Howard Fertig, 1975.

2. T. Adorno, E. Frenkel-Brunswik, D. J. Levinson, et R. N. Sanford, *The Authoritarian Personality*, New York, Harper and Row, 1950.

3. On pense ici à l'occupation militaire allemande de la France entre 1940 et 1944, qui a permis d'imposer un régime dont certains des traits fondamentaux renvoient au fascisme, sans que celui-ci soit le produit d'une conquête du pouvoir politique par un mouvement fasciste de masse (même si des organisations de masse ont bien joué un rôle dans l'établissement, et surtout dans le maintien,

le fascisme tend à se cristalliser sous la forme de partis structurés cherchant à conquérir et à exercer le pouvoir politique en poursuivant des objectifs qui les distinguent, au moins en partie, de la droite conservatrice. Il s'agit donc d'analyser la manière dont le fascisme s'incarne dans des organisations dont le programme et les modes d'action varient fortement selon les contextes nationaux et historiques. Cela suppose, en France, de placer au centre de l'attention le principal parti à être parvenu depuis le milieu des années 1980 à actualiser l'héritage fasciste en le remodelant : le Front national. C'est ce travail d'actualisation politique et stratégique – qui ne se dit jamais comme tel puisque les dirigeants actuels du Front national sont parfaitement conscients que toute référence explicite au fascisme historique, et plus généralement aux mouvements et intellectuels d'extrême droite de l'entre-deux-guerres, condamne depuis 1945 à la marginalité – qui fait du FN un germe du fascisme, autrement dit un parti néofasciste en gestation.

L'audience de masse obtenue par le FN au cours des trente-cinq dernières années ne saurait être expliquée uniquement à partir de lui-même. Si les talents de tribun de Jean-Marie Le Pen ont à l'évidence joué un rôle, il est non moins évident qu'ils ne furent pas suffisants. Preuve en est que, une dizaine d'années après la fondation de son organisation, celle-ci n'était encore qu'un groupuscule de quelques centaines d'adhérents et sans écho électoral[4]. Comprendre l'ascension du FN suppose donc de déplacer l'attention vers les autres acteurs du champ politique et de rappeler tout d'abord l'aide directe que lui ont apporté François Mitterrand et le PS dans les années 1980, dans le but avoué de diviser la droite.

---

du régime de Vichy). Sur ce point, voir R. Paxton, *La France de Vichy*, Paris, Seuil, 1973. On pourrait également évoquer les cas espagnol et portugais. Sur le salazarisme, voir notamment F. Rosas, *Salazar e o poder. A arte de saber durar*, Lisbonne, Tinta da China, 2012.

4. Il n'était d'ailleurs pas parvenu à réunir les 500 signatures d'élus nécessaires pour se présenter aux élections présidentielles de 1981.

Pierre Bérégovoy, alors ministre des Affaires sociales et de la Solidarité nationale (et futur Premier ministre), déclarait ainsi en juin 1984 : « On a tout intérêt à pousser le FN. Il rend la droite inéligible. Plus il sera fort, plus on sera imbattables. C'est la chance historique des socialistes[5]. » Il faut également se souvenir que c'est sous la pression de F. Mitterrand que J.-M. Le Pen fut invité pour la première fois à intervenir dans des émissions politiques de grande écoute (à une époque où ses scores électoraux étaient ridiculement faibles)[6]. Si cette complicité du pouvoir socialiste ne suffit évidemment pas à expliquer la montée du FN, elle ne fut pas pour autant sans effet. Suite à son premier passage en 1984 dans l'émission politique alors la plus suivie, « L'heure de vérité », les intentions de vote pour le FN doublèrent dans les sondages. De nombreux dons vinrent remplir les caisses du parti et, dès le lendemain matin, des centaines de personnes faisaient la queue devant le siège parisien du FN pour adhérer : « Alors que le parti recueillait en moyenne quinze adhésions quotidiennes, celles-ci passent, en quelques jours, à un millier[7]. »

Les forces politiques centrales ayant favorisé – directement et surtout indirectement – l'ascension du FN, celle-ci ne peut donc être pensée comme la conséquence inévitable de l'attrait prétendument naturel dont bénéficierait la xénophobie en temps de crise. Comment, sinon, rendre compte de l'inégale séduction des idées réactionnaires et des partis d'extrême droite selon les pays, même s'il est vrai que ces derniers ont progressé partout dans la dernière période, mais aussi de la diversité des formes que prennent ces phénomènes régressifs ? L'ascension de l'extrême droite ne peut donc être comprise comme le produit d'une irrésistible « droitisation » de la société française, voire d'une montée des idées réactionnaires qui serait un simple effet collatéral de la crise économique.

5. Voir V. Igounet, *Le Front national*, *op. cit.*, p. 127.
6. *Ibid.*, p. 132.
7. *Ibid.*, p. 149.

Plutôt qu'un modèle général, mécanique et abstrait (la crise économique favoriserait une xénophobie qui alimenterait les succès de l'extrême droite), il nous faut, pour comprendre son ascension, une analyse prenant au sérieux la conjonction d'un ensemble de dynamiques politiques, économiques, sociales et idéologiques[8]. Si chacune de ces dernières dispose d'une autonomie relative, elles apparaissent, non comme autant de variables indépendantes, mais comme les dimensions de la *crise d'hégémonie prolongée* décrite dans le deuxième chapitre de ce livre et dont le danger fasciste dérive.

La progression électorale du FN, qui lui permet d'exercer une pression sur l'ensemble du champ politique depuis trente ans, constitue l'une des principales expressions de cette crise dont les origines remontent pour l'essentiel à la fin des années 1970, et qui n'a cessé depuis de s'approfondir. Quels en ont été les mécanismes essentiels ? Tout d'abord, l'adoption par la droite de l'agenda néolibéral, dans les années 1970, a laissé orphelines d'une représentation politique une partie des classes moyennes traditionnelles – petits commerçants, artisans, agriculteurs, professions libérales – mais aussi des franges conservatrices du salariat (qu'il s'agisse de cadres du privé, de membres des « professions intermédiaires » ou du salariat d'exécution). C'est dans cette brèche que s'est en premier lieu engouffré le FN, prétendant incarner seul une « droite sociale, nationale et populaire ». Ses premiers succès nationaux se sont ainsi concentrés dans l'électorat traditionnel de la droite : 54 % des électeurs du FN aux européennes de 1984 (première percée du parti d'extrême droite) avaient voté pour la droite (Chirac ou Giscard d'Estaing) au premier tour de l'élection présidentielle de 1981[9].

Ensuite, la conversion du PS au néolibéralisme, dès 1983[10], a dans la seconde moitié des années 1980 permis au FN de gagner

8. Voir les trois chapitres précédents.

9. Voir les données rassemblées par Alain Bihr, *Le Spectre de l'extrême droite*, *op. cit.*, p. 24.

10. Voir chapitre 2.

l'audience de certains segments des classes populaires *blanches*. Les immigrés et descendants d'immigrés extra-européens sont restés sur l'ensemble de la période très majoritairement rétifs au vote d'extrême droite (et largement hostiles à la droite)[11]. Cela contredit d'ailleurs une sorte de lieu commun journalistique qui voudrait que le FN se serait peu à peu diffusé à l'ensemble de la population française et séduirait massivement jusqu'aux enfants d'immigrés postcoloniaux. On notera en outre que c'est parmi d'anciens électeurs de F. Mitterrand en 1981 – qui ont pu se sentir trahis ou désespérés par le « tournant de la rigueur » de 1983 –, et non dans l'électorat du PCF comme on l'affirme souvent, que le Front national a recruté la quasi-totalité de ses premiers électeurs issus de la gauche[12] : 24 % des électeurs frontistes de 1984 avaient voté pour F. Mitterrand au premier tour de l'élection présidentielle de 1981, contre seulement 1 % pour Marchais. Enfin, l'électorat populaire dans lequel il a pu percer à partir de la fin des années 1980 était constitué assez largement de nouveaux électeurs. Ceux-ci n'avaient pas encore d'ancrage politique affirmé et ont été socialisés politiquement à une époque où le mouvement communiste était en déclin, et où le FN se situait depuis plusieurs années à un niveau élevé.

L'ascension électorale du Front national témoigne donc de l'incapacité des classes dominantes, à travers les différents partis qui servent leurs intérêts fondamentaux, à élaborer et à mettre en œuvre un projet politique unifiant durablement un bloc social majoritaire. Mais elle témoigne aussi de l'impuissance politique des subalternes à se doter d'une représentation politique unifiée et défendant leurs intérêts fondamentaux, sur le terrain des luttes sociales comme sur la scène électorale. Fidèle à toute la tradition fasciste[13], c'est par la construction

11. Voir par exemple S. Brouard et V. Tiberj, *Français comme les autres ? Enquête sur les citoyens d'origine maghrébine, africaine et turque*, Paris, Presses de Sciences Po, 2012.

12. *Ibid.*, p. 24.

13. Voir Z. Sternhell, *Ni droite ni gauche*, *op. cit.*

d'une synthèse idéologique prétendant dépasser l'opposition entre droite et gauche mais aussi entre patrons et travailleurs – au nom d'un idéal d'unité et de renaissance de la nation, ou encore de « rassemblement national » (nouveau nom que vient d'ailleurs de se donner le FN) –, qu'il entend reconfigurer l'espace politique à son profit et, à terme, parvenir au pouvoir par la voie légale. On aurait d'ailleurs tort de l'opposer sur ce point aux fascismes historiques, italien et allemand. Si Hitler tenta une insurrection en 1923 (le « putsch de la brasserie » à Munich), imaginant que c'était par ce moyen que Mussolini était parvenu au pouvoir alors que la Marche sur Rome fut pour l'essentiel une mise en scène politique et un échec militaire, ces mouvements cherchèrent pour l'essentiel à conquérir le pouvoir légalement. Ils n'y parvinrent qu'en étant poussés au pouvoir par une partie des élites traditionnelles, de la bourgeoisie et de la droite conservatrice[14].

L'illusion d'un déclin du FN

Il importe de commencer par dissiper l'illusion, tenace et dangereuse, selon laquelle le FN aurait été mortellement touché par sa défaite au second tour de l'élection présidentielle de 2017, et que, ce faisant, il serait non seulement en perte de vitesse mais voué à un déclin irrémédiable. Une telle méprise renvoie au présentisme d'observateurs médiatiques qui, les yeux rivés sur l'actualité immédiate, prennent invariablement les dissensions conjoncturelles à la tête du FN pour le signe que sa crise finale serait (enfin) amorcée. Cette focalisation n'est pourtant pas seule en cause. S'il leur est si difficile d'apercevoir l'enracinement très profond de l'extrême droite en France, c'est surtout parce que la France

14. Parmi une bibliographie énorme sur l'ascension et la conquête du pouvoir par les mouvements fascistes, voir notamment R. O. Paxton, *Le Fascisme en action*, *op. cit.*

continue à être conçue et présentée, par ses élites politiques et médiatiques, comme la patrie de l'universel et, à ce titre, comme « allergique au fascisme[15] ». On ne peut comprendre qu'un parti violemment nationaliste et xénophobe, issu en droite ligne des différents courants de l'extrême droite française (en particulier néofascistes)[16], parvienne à rassembler durablement une part significative et croissante de l'électorat, sans se débarrasser une fois pour toutes de cette encombrante mythologie. Ceux qui s'y refusent n'ont en effet d'autres choix, puisqu'il n'est aujourd'hui plus possible de ramener les succès du FN à un feu de paille, que de banaliser le FN en en faisant un parti comme les autres, légitime ou, en un mot, « républicain »[17].

Le FN a-t-il atteint un hypothétique « plafond de verre » et est-il destiné à décliner ? Plusieurs faits sont invoqués pour l'affirmer. Tout d'abord, Marine Le Pen a obtenu un score au second tour que les dirigeants du FN ont jugé décevant, au regard notamment de la dynamique frontiste lors des élections entre 2012 et 2017. De plus, elle n'est guère apparue crédible et convaincante lors du débat télévisé d'entre-deux-tours face à Macron. Ensuite, les résultats aux élections législatives n'ont pas été pour eux plus enthousiasmants, le FN ne parvenant pas à obtenir suffisamment d'élus pour former un groupe parlementaire. Cela limite sa capacité à peser dans les débats à l'Assemblée nationale et à apparaître publiquement comme

15. On reprend ici l'expression classique de l'historien Serge Bernstein. Voir « La France des années trente allergique au fascisme. À propos d'un livre de Zeev Sternhell », *Vingtième siècle*, 1984, 2. Cette thèse « immunitaire » a été fortement critiquée par Michel Dobry et d'autres dans le livre que celui-ci a dirigé : M. Dobry (dir.), *Le Mythe de l'allergie française au fascisme*, *op. cit.*

16. Voir P. Milza, *Fascisme français. Passé et présent*, Paris, Flammarion, 1987 ; J.-P. Gautier, *Les Extrêmes Droites en France*, Paris, Syllepse, 2012.

17. Il faut se souvenir que cette deuxième option fut adoptée par Nicolas Sarkozy durant toute la période 2002-2012 afin d'attirer à lui les électeurs du FN, affirmant tour à tour que le FN était un parti « démocratique », que Marine Le Pen était « compatible avec la République », ou que « le vote FN n'était pas anti-républicain ».

la principale opposition à l'actuelle majorité. Plus encore, le FN a perdu suite aux élections deux de ses principales figures publiques, Florian Philippot et Marion Maréchal-Le Pen. Ils représentaient deux courants de pensée distincts mais coexistaient bon an mal an au sein de l'organisation. Enfin, le FN fait face à des débats stratégiques lancinants et est travaillé par des divergences internes, notamment concernant l'Union européenne mais plus généralement autour de son profil politique. Cela suffit-il pour prétendre que le FN connaîtrait actuellement une crise de grande ampleur qui préparerait immanquablement son reflux, voire son retour à un niveau groupusculaire ?

La réponse nous semble malheureusement négative. Le FN connaît certes des difficultés passagères, et pourrait voir son audience électorale baisser lors des prochaines élections, mais on ne saurait pour autant en conclure à sa disparition prochaine ou à son déclin inévitable. Rappelons en premier lieu que cette crise de direction du FN, dont l'éviction de Florian Philippot a été la principale conséquence, n'est ni la première ni la plus violente, loin de là. Au cours de son histoire, le FN a connu bien des guerres intestines, se traduisant régulièrement en règlements de comptes, exclusions et scissions. Deux ans seulement après sa création en 1972, alors qu'il ne rassemblait que quelques centaines de partisans, une crise éclata au FN. Beaucoup pensèrent alors qu'elle scellerait le sort de Jean-Marie Le Pen et mettrait un terme prématuré au rassemblement des différentes chapelles de l'extrême droite dont il était la figure de proue. Un parti concurrent du FN naquit d'ailleurs de cette crise, le Parti des forces nouvelles (PFN). Il fit pendant un temps jeu égal dans la marginalité avec le FN, mais perdit toute surface politique au moment de l'ascension de celui-ci dans les années 1980, au point que nombre de ses membres, y compris dirigeants, rejoignirent progressivement le parti lepéniste.

Mais la crise la plus marquante fut celle provoquée par l'exclusion de Bruno Mégret en décembre 1998. Alors secrétaire général du parti, celui-ci dominait largement l'appareil, si bien que l'essentiel des cadres le suivirent dans la création du Mouvement national républicain (MNR). Trois ans plus tard, alors qu'on pensait le FN sur le déclin, Jean-Marie Le Pen réalisa son meilleur score lors d'un premier tour de l'élection présidentielle, frôlant les 17 %, et parvint au second tour. Le MNR demeura quant à lui marginal et une partie de ses cadres revinrent au FN[18], s'y trouvant généralement comme des poissons dans l'eau – à tel point que certains, comme Nicolas Bay ou Steeve Briois, sont parvenus aux plus hautes positions dans l'appareil frontiste remanié par Marine Le Pen. Il est vrai que la stratégie de « dédiabolisation » mise en œuvre par le FN depuis 2011 a emprunté sans le dire aux positions défendues par B. Mégret dans les années 1990, si bien qu'on a pu parler d'un « mégrétisme sans Mégret » pour désigner le marinisme. De même doit-on rappeler que, suite à l'échec patent du FN lors de la séquence électorale de 2007 (10,4 % pour Le Pen aux présidentielles, plus faible score à cette élection depuis l'ascension du parti, puis 4,3 % aux législatives), certains prétendirent à nouveau que le pronostic vital de l'organisation d'extrême droite était engagé. Au contraire, l'arrivée de Marine Le Pen à la tête de l'organisation lors du congrès de Tours en 2011 amorça un nouveau cycle de progression.

Au regard de ces deux crises, l'éviction de F. Philippot ne représente guère qu'une péripétie. Elle peut affaiblir l'image publique du FN : il était non seulement considéré comme un « bon client » par les journalistes-intervieweurs, donc très présent dans les médias, mais par sa seule présence il contribuait aussi, en tant qu'ancien haut fonctionnaire formé à l'ENA et HEC ainsi que par son prétendu passage par les milieux chevènementistes, à rendre crédible la stratégie de respectabilisation du FN. Reste que F. Philippot était très minoritaire dans l'appareil et dans la base militante. Il est donc hautement probable que la direction soit capable de rebondir sans

18. Sur ce point, voir J.-P. Gautier, *De Le Pen à Le Pen. Continuités et ruptures*, Paris, Syllepse, 2015.

lui, si du moins elle parvient à trouver un équilibre entre le maintien de ses prétentions « sociales » et sa volonté d'attirer l'électorat néolibéral de droite. De même, le départ de Marion-Maréchal Le Pen, s'il prive le parti d'une de ses principales têtes de pont, ne l'affaiblit que marginalement. Non seulement il n'a pas suscité le départ de secteurs significatifs du parti, ni dans l'appareil ni à la base, mais il pourrait très bien n'être que provisoire. Âgée de seulement 28 ans, la petite-fille de Le Pen pourrait très bien resurgir dans quelques années en se présentant comme un recours, sinon comme une alternative à sa tante. Elle bénéficierait à la fois de la légitimité interne associée à l'appartenance à la famille Le Pen et d'une prime à la nouveauté. N'a-t-elle pas d'ailleurs pris soin de préciser, lors de l'annonce de son départ, qu'elle ne « renonçait pas au combat politique » ?

Le FN n'a donc rien d'un astre mort. On pourrait même arguer qu'il n'a jamais été aussi menaçant, une fois mises de côté les péripéties postprésidentielles. Il faut en premier lieu prendre la mesure de sa progression électorale au cours des quinze dernières années. Lors de la dernière élection présidentielle, le FN a obtenu 21,3 % au premier tour, puis 33,9 % au second, là où il n'avait obtenu « que » 16,9 % puis 17,8 % en 2002. Plus encore, les succès du FN sur le terrain électoral ne s'arrêtent plus aux présidentielles : si le parti était parvenu à réaliser des percées au niveau local dans les années 1980-1990 (d'abord à Dreux dès 1982 mais surtout lors des élections municipales de 1995 où des villes importantes – Toulon, Orange, Marignane – étaient tombées aux mains du FN), il obtenait généralement des scores plus faibles qu'aux élections présidentielles. Le frontisme restait essentiellement associé à la figure de Jean-Marie Le Pen et n'existait guère indépendamment de celui-ci. Or, lors des élections qui ont scandé la période 2012-2017, le vote FN a atteint des niveaux inconnus auparavant, aussi bien aux élections européennes (24,9 %, 23 eurodéputés), régionales (27,7 %, 118 conseillers régionaux) que municipales (14 villes de plus de 9 000 habitants conquises, et 1 546 conseillers municipaux). C'est le signe de la montée en puissance d'une implantation locale et d'un vote irréductible aux figures médiatiques de Jean-Marie Le Pen ou de Marine Le Pen.

Le FN a donc construit une audience massive et croissante dans plusieurs secteurs géographiques, en particulier dans le nord, l'est et le sud-est de la France, tout en approfondissant son ancrage dans d'autres zones où l'extrême droite était traditionnellement faible – le FN est par exemple passé de 7,4 % à 16,5 % dans les Côtes-d'Armor entre 2007 et 2017 – et en l'emportant dans plus de la moitié des communes (voir tableau 1 en annexes, p. 265). Cette audience conquise s'exprime principalement sur le terrain électoral mais elle se prolonge de plus en plus à travers une réelle implantation dans des zones où le FN pouvait réaliser antérieurement des scores importants mais où ses capacités militantes étaient quasiment nulles. Sur la dernière période, la progression du nombre de membres du FN est impressionnante, puisqu'on serait passé de 13 000 adhérents en 2009 à 51 500 en 2015[19]. Cela demeure pourtant incomparable avec les partis fascistes de l'entre-deux-guerres, qui disposaient non seulement de centaines de milliers, voire de millions d'adhérents, mais également d'un corps important et (relativement) discipliné de troupes d'assaut. Le FN est très loin d'un tel ancrage, mais sa progression est d'autant plus notable qu'elle s'opère dans un contexte historique et dans des zones géographiques où l'on observe une désertification militante liée au vieillissement des réseaux de la gauche syndicale, associative et politique, mais aussi de la droite issue du gaullisme. En outre, rien n'assure que la conquête du pouvoir politique par une organisation d'extrême droite impose aujourd'hui la construction d'un parti (et de milices) de masse sur le modèle des organisations fascistes de l'entre-deux-guerres. L'émergence de milices pourrait

19. Voir S. Crépon, A. Dezé et N. Mayer (dir.), *Les Faux-Semblants du Front national*, *op. cit.*

d'ailleurs très bien succéder à la prise du pouvoir ou être rendue superflue par la mainmise de l'extrême droite sur les appareils répressifs d'État et l'extension des moyens dont ces derniers disposeraient, en termes de surveillance et de répression.

Un élément supplémentaire tient dans le fait que le vote FN semble être devenu peu à peu un vote de conviction, non un simple vote conjoncturel de réaction ou de « protestation » comme on a pu longtemps le présenter. Depuis 2012 s'est fortement atténuée la volatilité qui distinguait cet électorat[20]. Aujourd'hui, ce sont les électeurs des autres partis qui apparaissent moins fermement attachés aux organisations ou aux personnalités pour lesquelles ils votent. Une frange significative de l'électorat frontiste ne vote plus en sa faveur de manière occasionnelle, en alternance avec la droite ou plus rarement avec un parti de gauche, mais de manière répétée et constante, voire pour une partie d'entre eux de manière quasi systématique, ou en alternance avec l'abstention. Ainsi est-on passé progressivement d'une « adhésion à éclipses » au discours du FN – pour reprendre une expression de Richard Hoggart parlant du rapport des classes populaires à l'idéologie dominante et à la culture de masse[21] – à un assentiment plus franc, voire à un attachement viscéral, aux principaux mots d'ordre du FN (en particulier « les Français d'abord »). Que la plupart des électeurs du FN connaissent mal les propositions précises du parti, voire n'en connaissent rien, change bien peu à l'affaire. Au contraire, pourrait-on même avancer, car cela souligne le fait qu'ils lui accordent leur confiance – suffisamment du moins pour voter en sa faveur, voire réitérer leur vote – sans même avoir à examiner de manière approfondie le programme frontiste. Une nouvelle fois, on ne saurait

20. Voir P. Lehingue, « L'objectivation statistique des électorats. Que savons-nous des électeurs du Front national ? », *in* J. Lagroye (dir.), *La Politisation*, Paris, Belin, 2003.

21. Voir R. Hoggart, *La Culture du pauvre. Étude sur le style de vie des classes populaires en Angleterre*, Paris, Minuit, 1970.

confondre l'idéologie – à laquelle on peut adhérer (mollement ou ardemment) sans être forcément capable de l'expliciter – et le programme électoral, qui n'est généralement connu que d'une petite minorité des électeurs.

Enfin, et c'est peut-être le plus important, le FN est parvenu au cours des trente dernières années à imposer au cœur du champ politique français ses thèses, ou plutôt ses obsessions, à savoir les quatre grands « I » : immigration, insécurité, islam, identité (nationale). Il y a même si bien réussi que, depuis une quinzaine d'années, le débat politique et intellectuel est en grande partie centré autour de ces derniers. Ce grignotage idéologique est allé jusqu'à la reprise par le PS de la proposition de déchéance de nationalité (avant que F. Hollande ne recule devant le tollé provoqué), une revendication que seul le FN formulait il y a encore une dizaine d'années. Comme on l'a vu dans le chapitre précédent, il n'aurait jamais pu s'opérer aussi profondément et rapidement sans la complicité active d'une partie au moins des élites politiques, médiatiques et intellectuels. Le mécanisme est pervers : plus le FN progresse, et plus les partis au pouvoir tendent à s'emparer de ses thématiques, de son langage et de ses propositions. Plus s'intensifie ce transfert, avec pour effet évident de légitimer les « idées » du FN, et plus celui-ci progresse idéologiquement et électoralement, redoublant l'incitation à la reprise d'éléments de l'idéologie frontiste.

La persistance d'un projet stratégique et politique

Nombre d'hommes politiques et de journalistes, parfois de chercheurs, ont semé de dangereuses confusions en prétendant que le projet politique et stratégique du FN aurait connu une transformation qualitative. Le parti serait passé d'une matrice (néo)fasciste à un projet « populiste ». La confusion ambiante est telle que, selon les commentateurs politiques ou médiatiques, ce projet que l'on dit « populiste » peut être vu et présenté comme « ultra-conservateur » (donc à la droite de la droite traditionnelle) ou au contraire comme « socialiste », voire « communiste ». François Hollande n'a-t-il pas déclaré, au printemps 2015, que Marine Le Pen « parle comme un tract du Parti communiste des années 1970[22] », notamment au nom de l'« étatisme » que professerait à présent le FN ?

Un tel discours accorde au FN ce à quoi il prétend et ne fait ainsi qu'entériner et légitimer ce que ses dirigeants affirment. Marine Le Pen n'a en effet pas cessé, depuis son accession à la présidence du parti en 2011, de répéter que le FN nouveau n'était plus celui de son père et qu'il aurait dépassé le clivage droite/gauche. Le passage de témoin entre Jean-Marie Le Pen et sa fille – puis la querelle et la rupture entre eux – est ainsi souvent perçu et présenté comme la preuve d'une rupture fondamentale du FN avec son passé. Ce tournant a pu en outre être symbolisé par le ralliement au parti de figures telles que Florian Philippot, Robert Ménard (ancien dirigeant de Reporters sans frontières), l'avocat Gilbert Collard[23], ou encore le syndicaliste Fabien Engelmann (passé par l'extrême gauche sans y avoir exercé de responsabilités). On remarquera d'ailleurs que les médias, en faisant régulièrement une publicité bruyante à ces transfuges pourtant très marginaux au sein de leurs courants politiques d'origine, bien moins fréquents que celles et ceux venant de la droite traditionnelle, ont insi-

22. « Hollande compare Marine Le Pen à un "tract" communiste et s'attire les foudres du PCF », *Le Monde*, 20 avril 2015, http://www.lemonde.fr/politique/article/2015/04/20/hollande-compare-marine-le-pen-a-un-tract-communiste-et-s-attire-les-foudres-du-pcf_4618876_823448.html.

23. En réponse à ceux qui voient dans l'arrivée au FN de ces figures la preuve sans appel de la transformation profonde du parti, il serait utile de relire l'excellent livre de Philippe Burrin, montrant que ces déplacements sont courants et qu'ils amènent les transfuges à s'adapter à l'extrême droite, voire à se montrer encore plus radicaux sur le plan du nationalisme, du racisme ou de l'anticommunisme, et non l'inverse : *La Dérive fasciste. Doriot, Déat, Bergery : 1933-1945*, Paris, Seuil, 2003 [1986].

dieusement contribué à la stratégie de « dédiabolisation » du FN[24]. Dans le cas de Florian Philippot, la mise en scène de cette origine politique pourtant contestée a été constamment et complaisamment relayée par les journalistes, généralement sans rappeler que son soutien à Chevènement ne fut qu'épisodique, le temps de l'élection présidentielle de 2002, et qu'il ne fut jamais membre – encore moins membre dirigeant – du parti de ce dernier, le MRC.

De sa création jusqu'au début des années 2000, on tendait à penser le FN comme une actualisation du projet fasciste, ou *a minima* comme un héritier des extrêmes droites de l'entre-deux-guerres (incluant les mouvements fascistes). L'emploi croissant de la catégorie de « populisme » – dont on a déjà souligné les défauts[25] – a progressivement marginalisé la caractérisation de « fasciste »[26]. Or, malgré le caractère largement infamant dans le débat public de cette étiquette de « populisme » – quoique nettement moins que celle de

---

24. Pour une analyse plus large de la contribution des « grands » médias à la construction de l'idée d'un « nouveau FN » suite à l'arrivée à sa tête de Marine Le Pen, voir A. Dézé, « La construction médiatique de la "nouveauté" FN », *in* S. Crépon, A. Dezé et N. Mayer (dir.), *Les Faux-Semblants du Front national*, *op. cit.*

25. *Cf.* chapitre 1.

26. Nombre de spécialistes ont cherché à élever une frontière infranchissable entre un « national-populisme » qui serait le propre de l'extrême droite française et le fascisme, qui n'aurait guère été qu'un produit d'importation incapable de s'implanter en France. C'est là l'interprétation dominante dans l'historiographie française, qu'il s'agisse des historiens de l'extrême droite française de la fin du XIXe siècle au régime de Vichy (René Rémond, Michel Winock, Serge Bernstein, etc.), ou des spécialistes de l'extrême droite postérieure à la Seconde Guerre mondiale. Voir ainsi la prise de position d'une bonne partie de ces derniers : N. Lebourg, J. Gombin, S. François, A. Dézé, J.-Y. Camus et G. Brustier, « FN, un national-populisme », *Le Monde*, 7 octobre 2013. Renvoyons ici à nouveau au livre dirigé par Michel Dobry, qui insiste à la fois sur la porosité des frontières entre les différents courants de l'extrême droite française durant l'entre-deux-guerres, les multiples emprunts de cette extrême droite aux fascismes italien ou allemand, la difficulté consécutive de classer une fois pour toutes un mouvement de masse comme les Croix-de-feu (devenu Parti social français en 1936) et l'existence d'organisations de plusieurs centaines de milliers de membres dont le caractère fasciste n'est guère contestable (en particulier le Parti populaire français de Jacques Doriot) : *Le Mythe de l'allergie française au fascisme*, *op. cit.*

« fascisme »[27] –, le FN a pu paradoxalement en profiter pour apparaître lié aux classes populaires[28]. Parti « populiste », il serait ainsi devenu « naturellement » le parti des classes populaires, remplaçant dans cette fonction le PCF dont les électeurs seraient passés au FN – une contrevérité régulièrement réfutée mais sans cesse répétée[29]. En outre, c'est là oublier que seule une minorité des classes populaires vote pour le FN, mais aussi que l'implantation de ce dernier en milieu populaire demeure très faible et que son corps militant, *a fortiori* ses organes de direction (comme on le verra plus loin), demeurent largement dominés par des membres des classes supérieures, notamment patrons d'entreprises et professions libérales (en particulier avocats), et des couches intermédiaires (petits commerçants et artisans).

Il nous faut donc reprendre le problème de la caractérisation politique du FN et de son projet – (néo)fasciste ou non –, tant celui-ci se trouve mal posé. Il est en effet généralement réduit à la question de la présence en son sein d'individus considérés ou se revendiquant comme « authentiquement » fascistes, parce qu'ils se réclameraient de l'héritage fasciste ou reprendraient une stylistique fasciste (mots employés, défilés en rangs serrés, bras tendu, style vestimentaire, etc.). Or, étant donné l'interdit qui pèse sur une telle revendication et sur ces marques extérieures, bien peu de militants du FN – et encore moins de dirigeants – expriment de tels liens directs entre leur projet et le fascisme historique. Cela amène bien souvent à considérer hâtivement que le FN serait, sinon un corps sain, du moins une organisation non fasciste sur laquelle viendraient se greffer des éléments fascistes. Ce raisonnement

27. À tel point que Marine Le Pen a fait un procès à Jean-Luc Mélenchon (qu'elle a perdu) pour l'emploi de cette catégorie : « "Fasciste" : Marine Le Pen définitivement déboutée contre Jean-Luc Mélenchon », *Libération*, 28 février 2017, http://www.liberation.fr/direct/element/fasciste-marine-le-pen-definitivement-deboutee-contre-jean-luc-melenchon_58821.

28. A. Collovald, *Le « Populisme » du FN, un dangereux contresens, op. cit.*

29. *Cf. infra.*

conduit en outre à pointer le caractère fasciste ou néofasciste du FN *à sa création* en 1972, en raison de la présence forte et indéniable d'individus et de courants issus des vieux réseaux de l'extrême droite collaborationniste, et aussi de groupes proprement néofascistes (en particulier Ordre nouveau), mais en assurant que le FN se serait définitivement éloigné depuis de cette tare originaire.

Il faut pourtant rappeler que deux des premiers hommes forts qui structurèrent le FN dans les années 1970 du point de vue organisationnel (en calquant d'ailleurs le mode de construction et de structuration du FN sur celui du PCF) et idéologico-stratégique, palliant l'incapacité de Jean-Marie Le Pen sur ces deux plans, étaient liés directement et explicitement au fascisme. Le premier, Victor Barthélemy, secrétaire général du FN de 1975 à 1978[30], fut durant la Seconde Guerre mondiale le bras droit de J. Doriot et la cheville ouvrière du Parti populaire français (PPF), donc un éminent collaborationniste et à ce titre l'un des organisateurs, notamment, de la rafle du Vél' d'Hiv'. Le second, François Duprat, responsable de la presse et de la commission électorale du FN de 1974 jusqu'à sa mort violente en 1978 (après avoir été exclu de l'organisation en février 1973 puis réintégré quelques mois plus tard), fut quant à lui l'un des principaux théoriciens, historiens et stratèges de l'extrême droite néofasciste (dite « nationaliste révolutionnaire » ou « NR ») dans les années 1960 et 1970[31]. Leur mort et la marginalisation politique de courants tels qu'Ordre nouveau ou les NR permettent-elles de conclure à la rupture entre le FN d'autrefois et le FN actuel ? Ce serait là

30. Comme l'écrivit beaucoup plus tard Franck Timmermans, l'un des membres fondateurs du FN et futur secrétaire général adjoint : « Victor sera [...] incontestablement celui qui aura contribué à construire la charpente avec loyauté et patience, sans ostentation, et en développant un constant contact, presque paternaliste avec les cadres de province. *Nous lui devons le premier maillage.* » Voir N. Lebourg et J. Beauregard, *Dans l'ombre des Le Pen. Une histoire des numéros 2 du FN, op. cit.*, p. 60 (souligné par nous).

31. Voir N. Lebourg et J. Beauregard, *François Duprat, op. cit.*

postuler qu'aucune transmission politique ne se serait opérée de cette génération des vieux routiers de l'extrême droite à celles et ceux qui se trouvent aujourd'hui à la tête du mouvement.

En outre, poser la question du caractère (néo)fasciste ou non du FN à partir de la présence en son sein de militants se réclamant explicitement de l'héritage fasciste, s'avère extrêmement réducteur. On s'enferme alors dans la même impasse qui consiste à interroger le caractère capitaliste de l'État en se contentant de demander si l'on trouve des capitalistes en son sein[32], et non en analysant son fonctionnement institutionnel et ses fonctions – économiques, sociales, idéologiques, politiques. Dans le cas du FN, son caractère (néo)fasciste ou non devrait donc être apprécié non simplement à partir des trajectoires politiques de celles et ceux qui l'animent mais au regard de la situation sociale et politique en France – marquée à la fois par une dégradation sociale sans fin, une crise durable d'hégémonie et une polarisation politique croissante[33] –, de la position qu'occupe le FN et de la fonction qu'il remplit dans le champ politique français, mais aussi de son mode d'organisation, de ses pratiques, de ses orientations idéologiques et de son projet stratégique[34].

De ce point de vue, on doit constater la persistance des éléments fondamentaux et structurants du projet politique, stratégique et organisationnel propre au FN, de sa création à aujourd'hui, et leur continuité, au moins partielle à ce stade, avec le projet fasciste. Quels sont justement ces éléments

32. Sur ce point, voir notamment les arguments de Nicos Poulantzas dans sa controverse avec Ralph Miliband sur l'État capitaliste : « Le problème de l'État capitaliste », *Contretemps*, septembre 2015 [1969], https ://www.contretemps.eu/le-probleme-de-letat-capitaliste.

33. Voir les deux premiers chapitres de cet ouvrage.

34. C'est précisément une telle orientation de recherche qu'avaient mise en œuvre Peter Fysh et Jim Wolfreys dans ce qui reste l'un des meilleurs livres d'analyse du FN. Voir *The Politics of Racism in France*, Londres, Palgrave Macmillan, 2002 [1997].

au cœur de la création du FN en 1972 ? Le premier tient sans doute dans la volonté de redonner une respectabilité à l'extrême droite, délégitimée par sa collaboration avec l'occupant allemand. Dans l'esprit des fondateurs du FN, cela devait passer notamment par l'adoption d'un nouveau langage mais surtout par un usage plus réfléchi et systématique de la scène électorale, donc dans la mise au second plan des combats de rue qui avaient été la marque de fabrique de l'extrême droite dans les années 1960 (notamment d'Occident, devenu Ordre nouveau après sa dissolution). Le FN avait en outre pour fonction de surmonter les divisions et le morcellement de l'extrême droite[35], déjà présents d'ailleurs avant la Seconde Guerre mondiale[36]. Dans l'esprit de ses initiateurs appartenant à Ordre nouveau, le parti devait constituer un cadre large dans lequel les « nationalistes » – c'est-à-dire, dans leur esprit, les néofascistes assumés – pourraient attirer, manœuvrer et diriger les « nationaux » – autrement dit des nationalistes plus modérés venus de la droite traditionnelle ou, comme Jean-Marie Le Pen, du poujadisme.

Un troisième pilier de la création du FN fut le maintien farouche de son indépendance politique vis-à-vis de la droite traditionnelle, là où son concurrent direct à l'extrême droite – le PFN, pourtant formé à partir d'éléments radicaux issus d'ON ayant quitté précocement le FN – chercha à nouer des relations avec l'UDF de Giscard d'Estaing puis avec le RPR nouvellement créé par Chirac. Cette nécessité de ne pas se lier à la droite fut d'ailleurs toujours défendue bec et ongles par Jean-Marie Le Pen, à différentes époques. L'anticommunisme, mais plus largement l'hostilité à l'égard du

35. Voir le livre sans doute le plus complet sur l'extrême droite française, dans sa grande diversité, après la Seconde Guerre mondiale : J.-P. Gautier, *Les Extrêmes Droites en France*, *op. cit.* Voir également A. Chebel d'Appollonia, *L'Extrême Droite en France. De Maurras à Le Pen*, Bruxelles, Éditions Complexe, 1988.

36. Qu'on pense aux divergences, aux tensions ou parfois à l'absence totale de relations entre l'Action française, les Croix-de-feu devenues PSF, le PPF, les Jeunesses patriotes ou encore les Chemises vertes de Dorgères.

mouvement ouvrier (notamment syndical), constituait un quatrième élément fondamental au cœur de projet du FN, dans la continuité de la matrice fasciste. Un dernier élément, le plus important idéologiquement et que nous avons développé dans le précédent chapitre, renvoie à l'ultranationalisme comme principe autour duquel s'organise l'ensemble de la vision du monde caractéristique du FN et qui charrie nécessairement la xénophobie et le racisme. C'est en particulier François Duprat, preuve d'ailleurs de son influence déterminante, qui insista longuement auprès d'un Jean-Marie Le Pen alors essentiellement focalisé sur l'anticommunisme pour que le FN adopte la ligne anti-immigrés comme axe fondamental d'agitation et de propagande[37]. C'est également lui qui conçut la campagne qui fit largement connaître le parti, à travers notamment une affiche régulièrement réimprimée et modifiée à mesure qu'augmentait le chômage : « 1 million de chômeurs c'est 1 million d'immigrés en trop. La France et les Français d'abord. »

Comment interpréter les mutations idéologiques du FN, impulsées notamment par Marine Le Pen depuis sa victoire au congrès de Tours de 2011 ? Loin de constituer le symptôme d'une normalisation et de marquer une rupture nette avec le fascisme historique, les transformations du discours politique du FN l'en rapprochent, notamment par trois inflexions : le tournant dit « social », l'adoption d'un profil « ni droite ni gauche » et l'éloge de l'État. Le « tournant social » désigne l'emprunt à la gauche d'une rhétorique invoquant les conditions de vie des travailleurs ou la sauvegarde des services publics, et de quelques éléments de programme dont on verra plus loin qu'ils s'avèrent très limités. Marine Le Pen n'a fait en la matière qu'amplifier un changement impulsé dès les années 1990, en réponse à la disparition du Bloc de l'Est et à la remontée des luttes sociales. Théorisant que le déclin du PCF

37. Sur ce point, voir V. Igounet, *Le Front national, op. cit.*, p. 91-97 ; N. Lebourg et J. Beauregard, *Dans l'ombre des Le Pen, op. cit.*, p. 97-102.

et du mouvement ouvrier lui ouvrait un boulevard dans les classes populaires, la direction du FN avait alors rompu (partiellement) avec sa ligne néolibérale de la période antérieure[38]. En prétendant intégrer à la fois les valeurs d'ordre promues par la droite et celles de justice sociale inhérentes à la gauche, le FN a retrouvé le « ni droite ni gauche » qui fut l'inspiration originelle du fascisme[39] là où, dans les années 1970-1980, Jean-Marie Le Pen faisait du FN la (seule) incarnation d'une droite « nationale, sociale et populaire ». Enfin, la promotion de l'État par le FN de Marine Le Pen revient aux fondamentaux du fascisme historique. L'idéal corporatiste qu'il mettait en avant ne fut jamais qu'un moyen de séduire les petits indépendants (agriculteurs, artisans, commerçants) tout en dissimulant son étatisme au service des plus grands groupes capitalistes.

Lorsqu'il était encore l'un des principaux dirigeants du FN, Florian Philippot cherchait à tout prix – prenant prétexte des mutations que l'on vient d'évoquer – à présenter son parti sous les traits respectables du gaullisme[40], un mouvement qui avait en son temps également emprunté la rhétorique du dépassement du clivage gauche/droite (et même de ce que De Gaulle nommait le « régime des partis »). Or le gaullisme en tant que pratique de pouvoir n'a été rendu possible que dans le contexte spécifique d'un développement rapide du capitalisme français et d'une très forte combativité ouvrière. Les classes dominantes se trouvaient ainsi acculées à des compromis sociaux et politiques jusque-là jugés inacceptables. L'État était alors appelé – en France et ailleurs – à jouer un

---

38. *Cf. infra.*

39. Sur les aspects spécifiquement idéologiques du fascisme, voir Z. Sternhell, *Ni droite ni gauche, op. cit.*

40. Il s'agit là encore d'une vieille tactique frontiste de « dédiabolisation ». Dès 1988, le FN pouvait déclarer, à propos d'Yvan Blot (député RPR et membre éminent du Club de l'Horloge), qu'il se ralliait au FN « en tant que gaulliste car le RPR n'est pas fidèle aux grandes options du gaullisme ». Cité *in* N. Lebourg et J. Beauregard, *Dans l'ombre des Le Pen, op. cit.*, p. 165.

rôle central afin de relancer l'accumulation du capital et de construire des accords entre un patronat pour partie délégitimé par la collaboration économique et un mouvement ouvrier puissant. Cette situation historique n'a rien à voir avec la nôtre et, si le fascisme est au capitalisme pourrissant ce que le bonapartisme (au sens marxiste du terme) est au capitalisme en développement, le FN pourrait bien être au capitalisme de crise que nous connaissons actuellement ce que le gaullisme a été au capitalisme florissant des fort mal nommées « Trente Glorieuses »[41].

Quel est l'ancrage social du FN ?

Le projet stratégique et politique du Front national n'a donc pas fondamentalement évolué. On l'a vu, le racisme et la xénophobie continuent d'y occuper une place centrale, même si, le rejet des immigrés et l'hostilité à l'égard des minorités étant à présent étroitement associés au parti d'extrême droite, celui-ci n'a plus besoin de consacrer autant d'efforts qu'autrefois pour imposer le clivage ethno-racial au centre du jeu politique et affirmer sa primauté sur ce terrain. Reste à caractériser socialement le FN, en posant en particulier deux

41. Il y aurait à s'interroger, mais ce n'est pas le lieu ici, sur ce que doit l'ascension de l'extrême droite au processus de dégénérescence du gaullisme, en commençant par rappeler ses dimensions profondément autoritaire et xénophobe. Aujourd'hui refoulée, la première est pourtant manifeste dans l'existence d'une milice armée (le Service d'action civique, dans lequel Charles Pasqua joua un rôle éminent) et surtout dans la Constitution même de la Ve République. Quant à la xénophobie, rappelons la conception ethnique qui était celle de De Gaulle en matière de politique d'immigration. Ainsi proposait-il, dans une lettre de juin 1945 à destination du garde des Sceaux, de « limiter l'afflux des Méditerranéens et des Orientaux qui ont depuis un demi-siècle profondément modifié la composition de la population française » en donnant désormais la « priorité » aux « naturalisations nordiques (Belges, Luxembourgeois, Suisse, Hollandais, Danois, Anglais, Allemands, etc.) ». Voir G. Noiriel, *Le Creuset français. Histoire de l'immigration, XIXe-XXe siècle*, Paris, Seuil, 1988.

questions : quelle est son assise dans la population et comment se traduit-elle en son sein ? Comment se construit l'ancrage social du FN et, en particulier, quel rôle jouent respectivement les questions identitaires et sociales[42] ?

Cette question est systématiquement obscurcie par une double propagande : médiatique d'abord, qui accorde généralement et sans discussion au FN le titre de « premier parti ouvrier de France » ; et du parti d'extrême droite lui-même, qui se présente comme l'incarnation du « peuple » dans le champ politique. Ce concept volontairement flou permet de désigner à la fois la quasi-totalité de la population – le « peuple » est alors synonyme du « pays réel » de Maurras, autrement dit la « Nation », une fois retranchés les ennemis (celles et ceux qui seraient étrangers à la nation, pas seulement au sens juridique) et les traîtres (aussi bien l'« establishment » que la gauche « mondialiste ») –, mais aussi les classes populaires. On observe pourtant que la proportion d'électeurs ouvriers ou employés votant pour le FN est systématiquement surévaluée par la non-prise en compte d'un phénomène crucial : l'abstention différentielle. Si, contrairement à une représentation misérabiliste, on ne trouvait pas jusqu'aux années 1980 de différences significatives entre catégories sociales quant à la propension à s'abstenir[43], les classes populaires s'abstiennent

42. Nous sommes contraints ici de laisser de côté l'ancrage territorial du FN et renvoyons aux travaux statistiques de Joël Gombin ou à ceux, ethnographiques, de Violaine Girard. Voir notamment J. Gombin, « Le changement dans la continuité. Géographies électorales du Front national depuis 1992 », *in* S. Crépon, A. Dézé et N. Mayer (dir.), *Les Faux-Semblants du Front national*, *op. cit.* ; V. Girard, *Le Vote FN au village. Trajectoires de ménages populaires du périurbain*, Bellecombe-en-Bauges, Le Croquant, 2017. Pour une analyse des effets conjoints des logiques sociales et territoriales, voir notamment A. Jardin, « Le vote intermittent. Comment les ségrégations urbaines influencent-elles les comportements électoraux en Île-de-France ? », *L'Espace politique*, 2014-2, n° 23.

43. C'est donc moins une « incompétence politique » intrinsèque aux classes populaires que l'absence d'expression politique de ces classes, ou plus précisément le déclin de la gauche communiste mais aussi socialiste au sein des classes populaires, qui permet de comprendre la montée de l'abstention dans ces milieux. Sur ces questions, voir l'ouvrage important de G. Michelat et M. Simon :

aujourd'hui nettement plus que les classes favorisées et sont également davantage concernées par la non-inscription sur les listes électorales. Il importe donc, si l'on veut obtenir une représentation précise de la pénétration du FN dans les classes populaires, de raisonner, non pas simplement à partir des suffrages exprimés, mais sur la base de l'ensemble des électeurs potentiels, inscrits ou non sur les listes électorales. On constate alors que c'est le retrait – sous la forme de l'abstention ou de la non-inscription – qui est le premier parti ouvrier de France. Seulement environ 1 électeur ouvrier sur 7 (14,5 %) a voté en faveur du FN aux élections régionales de 2015, alors même que ce pourcentage s'élevait à 43 % des suffrages exprimés[44].

Ce résultat ne saurait être utilisé à des fins de consolation, comme une manière d'oublier le déclin de la gauche (modérée et radicale) en milieu populaire et son incapacité à s'y reconstruire durablement. On aurait tort en effet de ne pas prendre au sérieux le fait que, parmi les ouvriers et employés qui continuent d'être inscrits sur les listes électorales et de voter, une partie croissante le fait en faveur du Front national. Tout d'abord, qu'on prenne en compte ou non l'abstention différentielle, le FN a nettement progressé dans les classes populaires depuis sa première percée dans ces milieux en 1988. Non seulement son score s'accroît de manière importante et constante, si l'on excepte le « trou d'air » de 2007, mais augmente également le survote FN en milieu ouvrier par rapport aux autres catégories socioprofessionnelles. En somme la progression du vote FN parmi les ouvriers ne suit

Les Ouvriers et la Politique. Permanence, ruptures, réalignements, Paris, Presses de Sciences Po, 2004.

44. Sur ce point, voir P. Lehingue, « "L'électorat" du Front national », *in* G. Mauger et W. Pelletier, *Les Classes populaires et le FN*, Bellecombe-en-Bauges, Le Croquant, 2016. Cette proportion serait encore légèrement plus faible si on incluait dans le groupe ouvrier les travailleurs étrangers, nettement plus présents dans cette catégorie socioprofessionnelle que dans celle des cadres, et qui n'ont pas le droit de vote aux élections nationales (et n'ont le droit de voter à aucune élection pour les travailleurs extra-européens).

pas simplement la courbe de sa progression dans l'ensemble de la population, elle l'excède largement. En pourcentage des suffrages ouvriers exprimés au premier tour de l'élection présidentielle, le FN passe ainsi de 17,6 % en 1988 à 21,1 % en 1995, 25,6 % en 2002 et 30,9 % en 2012 ; et le survote FN en milieu ouvrier (par rapport à l'ensemble de la population) passe de 3 points en 1988 à 12,6 points en 2012. C'est là un fait de grande importance, qui s'inscrit dans le « réalignement électoral » opéré durant la séquence 1984-1986, à partir de laquelle la droite, et encore davantage l'extrême droite, ont très fortement progressé en milieu populaire[45]. La dernière élection présidentielle ne semble pas contredire cette ascension. Au contraire, Marine Le Pen aurait obtenu au premier tour environ 37 % du vote ouvrier et l'aurait emporté dans cette catégorie au second (56 %), faisant presque jeu égal avec Macron chez les employés (46 %), là où elle n'a obtenu que 14 % et 18 % chez les cadres aux premier et second tours[46].

En outre, s'il est permis de constater que les abstentionnistes n'ont pas été suffisamment convaincus par le FN pour prendre la peine de lui apporter leurs suffrages, rien n'indique qu'ils seraient immunisés contre le vote d'extrême droite et, *a fortiori*, contre les « idées » que celle-ci défend. En l'absence de dynamiques alternatives aussi bien à l'extrême droite qu'à l'extrême centre, il est même probable que les abstentionnistes qui décideraient de se rendre aux urnes au cours d'une élection

45. Sur ce processus, voir G. Michelat et M. Simon, *Les Ouvriers et la Politique*, *op. cit.* Voir également les travaux importants de Florent Gougou, par exemple : « Les ouvriers et le Front national. Les logiques d'un réalignement électoral », *in* S. Crépon, A. Dézé et N. Mayer (dir.), *Les Faux-Semblants du Front national*, *op. cit.* Les chiffres cités plus haut sont issus de cette contribution.

46. Selon des chiffres de l'Institut Ipsos sur la base de 4 698 personnes interrogées. Voir : B. Teinturier, « 1er tour présidentielle 2017. Sociologie de l'électorat », https ://www.ipsos.com/fr-fr/1er-tour-presidentielle-2017-sociologie-de-lelectorat. Sur le second tour, voir « Présidentielle. Jeunes, seniors, ouvriers, cadres, chômeurs... Qui a voté quoi au second tour ? », Francetv-info, 8 mai 2017, https ://www.francetvinfo.fr/elections/presidentielle/presidentielle-jeunes-seniors-ouvriers-cadres-chomeurs-qui-a-vote-quoi-au-second-tour_2179999.html.

particulièrement polarisée voteraient d'une manière similaire aux électeurs dotés des mêmes propriétés de classe, de genre, ethno-raciales, géographiques, etc. Ainsi, les abstentionnistes appartenant aux classes populaires voteraient pour une large partie d'entre eux en faveur du FN. Enfin, dans la mesure où les classes populaires continuent de représenter environ la moitié de la population en âge de voter (davantage d'ailleurs si l'on prend en compte la dernière profession des retraités), le survote FN dans ces milieux implique que l'électorat du parti est composé pour une partie importante d'ouvriers et d'employés, même en tenant compte de l'abstention différentielle. Cela ne peut manquer d'avoir des effets, même partiels et déformés, sur la sociologie de la base militante du FN mais aussi sur les candidats qu'il est en capacité de présenter au niveau local ou régional. Ainsi, lors des élections régionales de 2015, la proportion d'ouvriers et d'employés sur les listes FN se situait à 29,3 %, contre 17,9 % pour la droite et 18,8 % pour la gauche (seule la gauche radicale faisait mieux avec 41,4 %[47]).

Le survote populaire pour le FN ne se traduit néanmoins que très partiellement dans l'organisation frontiste, notamment parce que sa direction n'a aucune volonté systématique de favoriser l'émergence de cadres militants et de dirigeants appartenant aux classes populaires. Au-delà de quelques figures qui se donnent une légitimité populaire en rappelant leurs origines sociales et/ou le fait que leurs parents étaient militants communistes (Steeve Briois, Stéphane Ravier, etc.), mais qui n'ont jamais été eux-mêmes ouvriers ou employés (ni d'ailleurs communistes), le FN ne s'est donc pas substitué au PCF en tant que parti ouvrier ou des classes populaires, quand bien même une fraction non négligeable d'ouvriers lui apportent leurs suffrages. Là où le PCF cherchait de manière volontariste à faire émerger une élite politique ancrée dans les

---

47. Voir M. Foucault, « Élections régionales 2015 : portrait de candidats », CEVIPOF, n° 15, novembre 2015, http://www.cevipof.com/rtefiles/File/ELECTIONS%20REGIONALES/15_candidats2015_Foucault.pdf.

classes populaires, en s'appuyant notamment sur des cellules d'entreprise, le FN réduit ouvriers et employés à un rôle de spectateurs ou d'acteurs de troisième ordre : clientèle électorale, éventuellement militants préposés aux tâches jugées les plus ingrates (collages d'affiches notamment)[48]. Plus encore, si les dirigeants frontistes mobilisent de manière démagogique la rhétorique des ouvriers *victimes* de la mondialisation, ils demeurent généralement muets sur les luttes menées par les travailleurs pour sauvegarder ou améliorer leurs conditions de travail et de vie, et encore davantage sur la perspective d'une émancipation sociale et politique des classes subalternes. Les ouvriers ne valent donc pour le FN que comme « classe-objet[49] », c'est-à-dire comme objet d'un discours formulé du dehors qui tient de la pure instrumentalisation idéologique, et non comme sujet, même potentiel, d'une action collective et politique pour leurs intérêts propres.

La base électorale du FN ne saurait en outre être considérée comme un bloc, et encore moins comme un bloc populaire unifié par une cheffe charismatique. Il s'agit bien davantage d'un « conglomérat[50] » que d'un électorat homogène et mobilisé autour d'un programme faisant consensus. Une part importante de son électorat appartient ainsi aux classes intermédiaires et favorisées. Le vote en faveur du parti d'extrême droite est particulièrement fort parmi les indépendants (commerçants, artisans, chefs d'entreprise en général) : aux élections régionales, ils étaient 35 % à voter FN et, en tenant compte de l'abstention et de la non-inscription sur les listes électorales, on constate que le survote FN est plus fort dans

48. Pour une comparaison entre le PCF et le FN dans leurs rapports aux classes populaires, voir J. Mischi, « Essor du FN et décomposition de la gauche en milieu populaire », *in* G. Mauger et W. Pelletier (dir.), *Les Classes populaires et le FN, op. cit.*

49. Voir P. Bourdieu, « Une classe-objet », *Actes de la recherche en sciences sociales*, 1977, n° 17-18.

50. Voir D. Gaxie, « Front national. Les contradictions d'une résistible ascension », *in* G. Mauger et W. Pelletier (coord.), *Les Classes populaires et le FN, op. cit.*

ce milieu que parmi les ouvriers (16 % contre 14,5 %)[51]. Cet ancrage social est ancien et a d'ailleurs précédé la percée dans les classes populaires salariées, qui a commencé pour l'essentiel en 1988. Comme le signale Alain Bihr[52], la première percée du FN, entre 1984 et 1988, correspondait à une crise de la droite et à une radicalisation politique des classes moyennes traditionnelles (notamment les petits indépendants) mais aussi des franges conservatrices de la bourgeoisie[53]. Dans le contexte du retour de la gauche au pouvoir, ces fractions de classe pouvaient être attirées par l'anticommunisme et le néolibéralisme affichés alors par Jean-Marie Le Pen. Ce sont ainsi 27 % des patrons de l'industrie et du commerce qui votèrent en faveur de ce dernier lors de l'élection présidentielle de 1988 (contre 19 % des ouvriers et 14,4 % en moyenne nationale). Tout était d'ailleurs fait, dans la rhétorique du FN, pour attirer ces milieux, y compris la revendication de constituer la seule droite assumée ou encore la critique viscérale de Mai 68 et de ses conséquences présumées (« laxisme » moral et éducatif, décadence de la nation etc.).

Cet ancrage dans les classes moyennes traditionnelles et certaines fractions des classes dominantes se confirme si le regard se porte sur les élites du parti. Avant comme après l'ascension du parti d'extrême droite, c'est parmi les patrons, les professions libérales (en particulier avocats) et les cadres du privé que se recrute la très grande majorité du personnel dirigeant du FN – loin de l'image d'un parti « ouvrier » ou « populaire ». Si le parti d'extrême droite reste étranger aux luttes menées par les salariés et ne développe que très peu de revendications répondant à leurs intérêts spécifiques, c'est donc d'abord parce que ses directions sont très éloignées,

---

51. On reprend ici les chiffres donnés par Patrick Lehingue. Voir « "L'électorat" du Front national », *in ibid.*

52. Voir A. Bihr, *Le Spectre de l'extrême droite, op. cit.*, p. 57-64.

53. Voir N. Mayer, « De Passy à Barbès. Deux visages du vote Le Pen à Paris », *Revue française de sociologie*, 1987, 37-6.

socialement, des classes populaires. On dispose de peu de données précises sur ces questions, mais toutes sont convergentes, qu'elles portent sur les candidats FN ou sur les délégués à ses congrès. Dès 1973, 57 % de ses candidats aux élections législatives étaient patrons d'industrie et du commerce, cadres et professions libérales (contre 10,6 % au PCF à la même époque), contre seulement 2,7 % d'ouvriers[54]. De même, dans les années 1980, la direction du FN ne compte dans ses rangs aucun ouvrier et quasiment aucun employé[55]. L'accession de Marine Le Pen à la présidence du parti n'a rien changé en la matière. Le bureau politique du FN avant le dernier congrès de 2018 était presque intégralement composé d'individus appartenant aux classes dominantes, et plus spécifiquement aux *fractions relativement dominées du pôle économique des classes dominantes* (professions libérales, petits patrons, cadres du privé mais rarement cadres dirigeants. Voir tableau 2 en annexes, p. 266).

Comment un parti doté d'une direction aussi unanimement enracinée dans les classes favorisées, et dont la présidente est elle-même une héritière issue de la bourgeoisie de l'Ouest parisien, a-t-il pu obtenir une adhésion importante et durable bien au-delà de ces classes, non seulement parmi les petits indépendants mais aussi au sein des classes populaires ? La sociologie du vote populaire en faveur du FN tend plutôt à invalider l'idée qu'il s'agirait d'une affirmation de classe déviée. Comme on l'a dit, le parti est parvenu à percer en imposant au cœur de la politique française un clivage « eux/nous » établi sur une base ethno-raciale (nationaux/étrangers,

---

54. Voir N. Lebourg et J. Beauregard, *Dans l'ombre des Le Pen, op. cit.*, p. 96. Voir également les chiffres donnés par Colette Ysmal : « Sociologie des élites du FN (1979-1986) », *in* N. Mayer et P. Perrineau, *Le Front national à découvert*, Paris, Presses de la FNSP, 1989.

55. Voir les données sur les dirigeants frontistes rassemblées par G. Birenbaum et B. François : « Unité et diversité des dirigeants frontistes », *in* N. Mayer et P. Perrineau, *Le Front national à découvert, op. cit*, p. 99-106. Voir également les données rassemblées par Alain Bihr pour les années 1980-1990 : A. Bihr, *Le Spectre de l'extrême droite, op. cit.*, p. 31.

« Français de souche »/« Français de papier », etc.), profitant non seulement d'un contexte de montée du chômage et de concurrence exacerbée sur le marché du travail, mais aussi des transformations idéologiques évoquées dans le chapitre précédent. Le clivage « eux/nous » antérieurement dominant, s'exprimant sur une base de classe plus ou moins explicite (ouvriers/patrons, peuple/élites, petits/gros) et qui tendait à structurer le champ politique, est loin d'avoir disparu mais il a été mis au second plan par la percée du FN et le déclin de la gauche. Cette dernière, du moins dans ses principales organisations que sont le PS et le PCF, a renoncé à partir des années 1980 à des références de classe au profit d'une rhétorique mollement « citoyenniste » ou d'un discours vague, et compatible avec la logique néolibérale, opposant « inclus » et « exclus »[56].

Il est étrange que la dimension raciste du projet et de l'audience du FN tende parfois à être niée ou minimisée, sous le prétexte qu'il serait contre-productif politiquement et erroné scientifiquement d'en faire un facteur central de la progression de l'extrême droite. Pour certains en effet, une telle explication n'aurait d'autre fonction que de mettre à distance – et en accusation – les classes populaires et masquerait des causes « sociales », ce qui suppose au passage que le racisme ne constituerait pas un phénomène *social*. La dénonciation du racisme du FN et de ses électeurs fonctionnerait ainsi dans l'espace public comme dénonciation des classes populaires[57]. Il n'est pourtant nullement contradictoire de pointer

56. Voir R. Lefebvre et F. Sawicki, *La Société des socialistes*, *op. cit.* ; J. Mischi, *Le Communisme désarmé. Le PCF et les classes populaires depuis les années 1970*, Marseille, Agone, 2014.

57. C'est notamment l'argumentation développée par Gérard Mauger et Willy Pelletier en s'appuyant sur un article ancien de Claude Grignon (qui avait essentiellement pour cible les travaux de Pierre-André Taguieff), qui en tirent la conclusion suivante : « Toutes ces enquêtes donnent à voir les impasses dans lesquelles s'engouffrent les militants "anti-FN" [...] prêts à dénoncer discrimination et racisme en toute occasion et parfois hors de propos [...] et qui associent, en toute ignorance de cause, leur haine des "prolos bornés et racistes"

le racisme de classe qui imprègne effectivement nombre de discours sur l'électorat du FN, tout en reconnaissant l'influence de la xénophobie et du racisme sur les comportements électoraux de ceux qui sont amenés à voter de manière répétée pour ce parti. De nombreuses enquêtes – anciennes ou récentes, quantitatives ou ethnographiques[58] – montrent en effet que la xénophobie et le racisme sont au cœur de la perception du monde et de la politique propres aux électeurs frontistes. Ils constituent les principaux motifs du vote en faveur de l'extrême droite, qu'il soit le fait de membres des classes populaires ou d'autres milieux. D'ailleurs, à prétendre que le vote FN s'expliquerait, uniquement et sans médiations, par les conditions d'existence – ces fameuses « causes sociales »[59] –, on en viendrait immanquablement à justifier l'affirmation (fausse) que ce seraient uniquement les milieux (les plus) paupérisés qui voteraient FN. Ainsi on ne comprendrait rien aux logiques qui amènent *certains* membres des classes populaires à accorder leur vote à l'extrême droite quand *bien d'autres* ne cèdent pas à cette tentation.

C'est donc une chose de mettre en évidence les causes du développement de l'extrême droite – en particulier la montée

---

à la défense inconditionnelle des "immigrés" systématiquement identifiés, sinon à l'avant-garde du prolétariat international, du moins à des victimes exemplaires. Ainsi travaille-t-on, plus sûrement qu'à combattre le racisme, à affirmer sa distance distinctive à l'égard du sens commun et de la morale commune. » Voir *Les Classes populaires et le FN, op. cit.*, p. 281.

58. On trouve d'ailleurs, dans les études ethnographiques rassemblées par G. Mauger et W. Pelletier, quantité d'observations et de témoignages à l'appui de l'idée selon laquelle c'est bien essentiellement la xénophobie et le racisme qui distinguent celles et ceux, minoritaires au sein des classes populaires comme les auteurs y insistent justement, qui se positionnent durablement à l'extrême droite. Voir par exemple, dans l'ouvrage, les contributions d'Emmanuel Pierru et Sébastien Vignon, Violaine Girard, Romain Pudal, Lorenzo Barrault-Stella et Clémentine Berjaud, et Ivan Bruneau.

59. Frédéric Lordon a raison de mettre en garde contre une certaine vulgate pseudo-marxiste refusant d'accorder une puissance aux « idées », parfois supérieure à celle des conditions matérielles elles-mêmes. Voir F. Lordon, *Les Affects politiques*, Paris, Seuil, 2017, p. 47-51.

des concurrences sur le marché du travail, la précarisation généralisée et l'incertitude qui lui est associée, l'accroissement de la ségrégation urbaine et ses effets en cascade, l'affaiblissement des solidarités collectives sur les lieux de travail et dans les lieux de vie, etc. –, ou de rappeler utilement que les classes populaires n'ont nullement le monopole du racisme (à l'évidence très présent, couplé au racisme de classe, aux sommets de la hiérarchie sociale[60]). C'en est une autre de nier l'emprise de la xénophobie et du racisme sur une frange conséquente de la population, dont les classes populaires, et ses effets en termes électoraux.

Peu soupçonnables de mépris de classe, Guy Michelat et Michel Simon montrent ainsi qu'on ne saurait comprendre le vote FN sans prendre au sérieux les clivages idéologiques qui structurent la population en général, et les classes populaires en particulier[61]. Ainsi, parmi les individus cumulant deux « attributs ouvriers[62] », « les comportements électoraux varient en 2002 en fonction à la fois de la peur du chômage et de l'attitude vis-à-vis des immigrés. Quand, chez ces "très ouvriers", on ne redoute pas le chômage et qu'on n'est pas non plus violemment hostile aux immigrés (autrement dit,

60. Sur ce point, voir notamment S. Bouron et M. Drouard (coord.), « Les beaux quartiers de l'extrême droite », *Agone*, n° 54, juin 2014. Dans un article déjà ancien, Nonna Mayer analysait les scores élevés obtenus par le FN dans les quartiers bourgeois de l'Ouest parisien et interprétait cette « mobilisation des beaux quartiers en faveur de cette formation en 1984 » comme le produit d'une « radicalisation d'une partie de l'électorat de droite, exaspéré par l'arrivée des socialistes au pouvoir, qui ne se reconnaîtrait pas dans la liste modérée présentée par Simone Veil, et qui saisirait l'occasion de ce scrutin sans enjeu national pour marquer son mécontentement ». Voir N. Mayer, « De Passy à Barbès », *loc. cit.*

61. G. Michelat et M. Simon, « Appartenances de classe, dynamiques idéologiques et vote Front national », *La Pensée*, n° 376, octobre-décembre 2013.

62. L'indicateur de la position sociale, et plus spécifiquement du rapport à la condition ouvrière, d'un individu construit par Michelat et Simon consiste à prendre la PCS de l'individu et celle de son père, aboutissant à trois positions possibles : 0 attribut ouvrier (ni l'individu ni son père ne sont ouvriers), 1 attribut ouvrier (soit l'individu soit son père est ouvrier), ou 2 attributs ouvriers (l'individu et son père sont ouvriers).

quand on ne répond pas tout à fait d'accord à "Il y a trop d'immigrés en France"), le vote FN est nul (0 %). Quand on redoute le chômage mais que, néanmoins, on n'est pas violemment hostile aux immigrés, le vote FN reste marginal (2 % seulement). En revanche, quand, sans redouter le chômage, on est violemment hostile aux immigrés, le vote FN bondit à 17 %. Quand enfin on est à la fois très anxieux du chômage et violemment hostile aux immigrés, le vote FN atteint par son cumul son niveau maximum (25 %) ». Autrement dit, « il ne suffit pas d'être très ouvrier et anxieux du chômage pour voter FN. Il faut en outre référer ce risque à la présence d'immigrés qu'il n'aurait pas fallu laisser "nous envahir" et qu'il faudrait renvoyer "chez eux" pour réserver aux ouvriers français l'accès au bien rare qu'est devenu l'emploi[63] ». Ces données sont anciennes, mais les enquêtes les plus récentes rappellent la centralité de cette dimension dans le vote FN[64], sans nier la grande diversité des circonstances qui peuvent amener certains électeurs à franchir le pas.

Le sociologue Olivier Schwartz nous donne les moyens d'aller plus loin à travers son exploration des formes de conscience populaire. Il montre en effet que, dans bien des cas, celle-ci n'est pas « bipolaire » – c'est-à-dire structurée selon un clivage binaire eux/nous, opposant « ceux d'en haut » et « ceux d'en bas » –, mais « triangulaire »[65]. Les membres des classes populaires ne regardent pas seulement vers le haut de la hiérarchie sociale (les patrons, les élites, les dominants, etc.) pour rechercher les responsables des difficultés qui les assaillent, selon une logique qui relèverait de ce que Pierre Bourdieu nommait un « sens de classe » et qui, dans certaines circonstances marquées par une forte polarisation et politisation de classe, peut aboutir

---

63. G. Michelat et M. Simon, « Appartenances de classe, dynamiques idéologiques et vote Front national », *loc. cit.*, p. 13.

64. Voir chapitre 4.

65. Voir O. Schwartz, « Vivons-nous encore dans une société de classes ? Trois remarques sur la société française contemporaine », *La Vie des idées*, 22 septembre 2009, http://www.laviedesidees.fr/Vivons-nous-encore-dans-une.html.

à une véritable « conscience de classe ». Ils lorgnent aussi et parfois surtout vers le bas, c'est-à-dire vers celles et ceux qui sont pointés du doigt dans la rhétorique néolibérale et présentés comme des « assistés » ou des « fraudeurs ». Or, lorsque se diffusent et s'imposent des principes racistes de vision et de division du monde social (comme cela a été le cas à partir des années 1980), de telles figures tendent généralement à être racialisées, voire saturées de représentations racistes, et du même coup associées spontanément à cette catégorie éminemment extensible que composent les « étrangers ».

C'est cette dimension triangulaire de la conscience populaire qui peut aboutir à ce que Gramsci nommait une « conscience contradictoire[66] ». Il resterait à mettre en évidence les contextes, les propriétés et les mécanismes précis qui favorisent l'émergence et la solidification d'une telle conscience. Il n'est en effet pas satisfaisant d'en parler comme d'une conscience de classe qui serait simplement déviée, tant la polarisation de classe peut parfois être écrasée par la polarisation ethno-raciale. À défaut de pouvoir ici mener jusqu'au bout cette analyse, disons qu'avec l'effritement des solidarités de classe construites au cours de deux siècles de résistance sociale, progressivement brisées, asphyxiées ou incorporées par les dispositifs patronaux et étatiques, s'étiolent aussi le sentiment d'appartenir au monde commun de « ceux d'en bas » et toute une perception du monde social construite à partir de ce sentiment. Or la conscience a horreur du vide et le racisme – à la fois comme idéologie et comme affect – est précisément ce qui peut venir combler ce vide. Pour des personnes dont l'une des rares « ressources » est d'être d'origine française (ou du moins européenne), donc de se percevoir et surtout d'être perçu comme *Blanc*, la revendication d'être *d'ici* ou *chez soi* est bien souvent ce qui permet de maintenir une

66. Voir « La philosophie de la praxis face à la réduction mécaniste du matérialisme historique. L'anti-Boukharine (cahier 11) », https ://www.marxists.org/francais/gramsci/works/1933/antiboukh1.htm.

« dernière différence »[67]. C'est cette différence qui rétablit la dignité de l'individu en l'assurant que ceux qui sont perçus comme extérieurs, voire antagonistes au corps social légitime, sont non seulement plus *bas* que soi (socialement et moralement) mais à la source de l'essentiel des « problèmes » que l'on rencontre[68].

Ces mécanismes ne rendent toutefois pas compte du vote FN et de l'engagement partisan à l'extrême droite au sein des classes dominantes. Dans ces dernières, il faut évoquer tout d'abord la porosité ancienne mais croissante entre la droite et l'extrême droite, en particulier depuis l'ascension de Nicolas Sarkozy dans les années 2000. Afin de « siphonner » le vote FN, celui-ci a acclimaté les « idées », les discours et les affects d'extrême droite au sein d'une partie au moins des clientèles traditionnelles de la droite, qui se recrutent particulièrement dans le pôle économique des classes favorisées (patrons d'entreprise, professions libérales, cadres du privé). Le mouvement contre l'égalité des droits (« Manif pour tous ») est d'ailleurs venu à la fois manifester cette porosité et l'a très certainement accrue parmi celles et ceux qui s'y reconnaissaient. Par ailleurs, l'adhésion à l'extrême droite – du vote à l'engage-

---

67. Voir P. Bourdieu (dir.), *La Misère du monde, op. cit.*

68. On comprend ainsi que le vote FN demeure si faible parmi les descendants d'immigrés extra-européens, alors qu'une grande partie d'entre eux appartiennent pourtant aux classes populaires dont on a vu qu'elles se caractérisent par un survote FN. Voir C. Braconnier et J.-Y. Dormagen, « Le vote des cités est-il structuré par un clivage ethnique ? », *Revue française de science politique*, 2010/4, vol. 60 ; S. Brouard et V. Tiberj, *Français comme les autres ?, op. cit.* ; J. Fourquet, « Le vote Front national dans les électorats musulman et juif », *in* S. Crépon, A. Dézé et N. Mayer (dir.), *Les Faux-Semblants du Front national, op. cit.* Ce n'est pas simplement qu'ils peuvent légitimement se percevoir comme les cibles de la rhétorique frontiste, particulièrement dans son versant islamophobe ; c'est aussi que le FN ne saurait leur offrir un vecteur d'identification « positive », à savoir le fait d'être reconnus comme « vraiment d'ici » ou comme de « vrais Français » puisque, même s'ils sont juridiquement français, tout dans leur expérience sociale tend à leur démontrer qu'être considéré comme « vraiment chez soi » ou comme de « vrais Français » est réservé aux Blancs (incluant les descendants d'immigrés européens).

ment – s'enracine bien souvent dans des traditions familiales qui trouvent des éléments de renforcement dans les parcours scolaires. Des écoles privées de l'Ouest parisien aux facultés de droit ou certaines écoles de commerce et de gestion, les jeunes gens bien nés ont toutes les chances de rencontrer des semblables qui, pour une partie d'entre eux, partagent une même vision du monde (à la fois élitiste, traditionaliste, et parfois ultranationaliste et raciste). À cela s'ajoute un mécanisme ancien, à l'œuvre dès les années 1980 : le FN, en tant que parti *outsider* dans le champ politique tout en étant malgré tout un parti de premier plan, est en capacité de proposer des ascensions rapides et faciles, sous la forme de positions de dirigeants et d'élus, à des individus appartenant aux élites administratives ou économiques mais trop impatients pour se plier au parcours long menant aux positions dominantes au sein de la droite traditionnelle. Comme le disait Bruno Mégret dans les années 1980, « mieux vaut être numéro 2 au FN que numéro 30 au RPR[69] ».

Il ne suffit pas de constater le caractère interclassiste du FN pour en avoir fini avec le mythe du « parti des classes populaires » et en proposer une caractérisation adéquate. Parti dont la direction se situe aux frontières de la petite et de la moyenne bourgeoisie mais qui dispose d'une base électorale de masse, recrutée pour l'essentiel parmi les classes populaires blanches (salariés d'exécution, ouvriers et employés, ainsi que petits indépendants), le FN ne peut surmonter cette contradiction que par une surenchère ultranationaliste et xénophobe. Celle-ci lui permet de substituer une communauté nationale/raciale imaginaire à une communauté de classe dont les fondements matériels et symboliques sont largement affaiblis. Néanmoins, cet ancrage social contradictoire ne peut manquer de créer des difficultés quant à l'élaboration d'une orientation en matière de politique économique et sociale, qui commande

69. Voir N. Lebourg et J. Beauregard, *Dans l'ombre des Le Pen*, *op. cit.*, p. 157-158.

nécessairement d'opérer certains arbitrages plus ou moins favorables aux différentes classes et fractions de classe.

L'anticapitalisme introuvable du FN

Il est notoire que le FN fut dans les années 1980 un partisan extrêmement virulent du néolibéralisme, travaillant à l'importation et à la popularisation en France des préceptes mis en œuvre par Thatcher en Grande-Bretagne et Reagan aux États-Unis. Loin de son antiaméricanisme affiché à partir de la première guerre du Golfe, Jean-Marie Le Pen se présentait alors comme le « Reagan français » et cherchait pathétiquement à obtenir, sinon le soutien du président états-unien, du moins une photo en sa compagnie – ce à quoi il parvint...

Durant les deux premières décennies de son existence, le FN fut ainsi obsédé par l'« étatisme économique ». Il prétendait qu'un rapprochement insensible s'opérait entre la France et le « communisme international » mais, contre toute vraisemblance, il ne restreignait pas le « danger collectiviste » au mouvement communiste ou même à l'Union de la gauche[70] : de même que l'extrême droite voit partout des alliés de la « submersion migratoire », tous les partis et tous les dirigeants politiques – y compris Giscard d'Estaing lors de sa présidence – étaient alors présentés par Jean-Marie Le Pen comme les agents d'une « révolution marxiste », non pas à venir, mais déjà à l'œuvre. L'accès au pouvoir de Mitterrand en 1981, soutenu par les communistes jusqu'en 1984, provoqua une évidente radicalisation de ce discours, bien au-delà du FN il est vrai[71].

70. Alliance entre le PS, le MRG et le PCF.

71. On le retrouva également du côté d'une droite bon teint mais déjà revancharde, qui faisait mine de craindre les chars soviétiques pour mieux justifier la pression que mettaient les milieux d'affaires – sous la forme d'une fuite massive des capitaux, notamment vers la Suisse où Jean-Marie Le Pen aurait ouvert d'ailleurs ces mêmes années un compte crédité de 2,2 millions d'euros, dont

Ce positionnement néolibéral du FN était parfaitement cohérent avec l'objectif politique que se donnait l'organisation dans cette période : apparaître comme le seul parti de droite assumé et détacher une partie conséquente de l'électorat du RPR et de l'UDF, en particulier du côté du petit patronat (commerçants, artisans, agriculteurs) mais aussi d'une frange du salariat hostile à la gauche et au mouvement ouvrier. Cela passait par une critique permanente de l'« État-providence[72] » et une apologie des « libertés » : la liberté des employeurs de licencier sans contraintes leurs salariés ou encore la liberté des parents de scolariser leur enfant dans le privé. Ainsi adopta-t-il en 1978 un manifeste intitulé « Droite et démocratie économique » qui deviendra officiellement son programme économique en 1984. Sa lecture montre que le FN a clairement précédé le RPR et le PS en matière de néolibéralisme et les a longtemps surpassés en virulence, réclamant toujours plus de privatisations, de déréglementations, de flexibilisation et de baisses d'impôt. De même le FN n'avait-il alors rien à redire – jusqu'au traité de Maastricht, auquel il s'opposa – contre la construction à marche forcée du grand marché européen. Celui-ci en effet était vu comme un moyen d'en finir avec les acquis sociaux et le contre-pouvoir syndical.

La direction du FN opéra un premier revirement au cours des années 1990. Ce fut une démarche purement opportuniste puisqu'il s'agissait d'occuper un espace politique et un créneau électoral laissés vacants par la conversion du PS au néolibéralisme (qui embourgeoisa progressivement son corps militant[73]) et par le déclin du PCF, particulièrement vif dans les

---

1,7 million sous forme de lingots et de pièces d'or. Voir O. Faye et E. Vincent, « Jean-Marie Le Pen a eu un compte caché en Suisse », *Le Monde*, 28 avril 2015.

72. Le FN affirmait en 1981 que l'« État-providence » menait à l'« État patron » puis à l'« État kapo ». *Cf.* F. Ruffin, *« Pauvres actionnaires ! ». Quarante ans de discours économique du Front national passés au crible*, Amiens, Fakir Éditions, 2016, p. 29.

73. Voir R. Lefebvre et F. Sawicki, *La Société des socialistes*, *op. cit.*

classes populaires[74]. Cette modification de la ligne économique et sociale fut accentuée à partir de 2011 lorsque Marine Le Pen succéda à son père à la présidence du FN en s'entourant notamment de Florian Philippot, dans le contexte ouvert par la crise financière de 2007-2008. Cela aboutit à un triple déplacement : le programme du FN fait à présent plus de place aux questions socio-économiques qu'aux autres questions (immigration, insécurité, etc.), même si le parti d'extrême droite continue d'accorder plus de poids à ces dernières que les autres partis ; les propositions socio-économiques sont progressivement (et partiellement) découplées des autres propositions (en particulier l'arrêt de l'immigration n'est plus présenté comme le principal facteur de la transformation économique et sociale) ; enfin, en matière économique, le curseur s'est déplacé d'une (brutale) orientation néolibérale à une (molle) orientation keynésienne. Les transformations impulsées dans les années 1990 et amplifiées par Marine Le Pen dans les années 2010 ne sont donc pas seulement apparentes. Le programme économique et social défendu par le FN a très sensiblement changé entre les années 1980 et aujourd'hui, à tel point que des études ont pu estimer que « 76 % des mesures proposées par le Rassemblement Bleu Marine se placent à gauche de l'axe économique lors des législatives de juin 2012 » contre seulement 18 % en 1986[75].

Ainsi le FN a-t-il fait siennes toute une série de propositions traditionnellement défendues par la gauche : la retraite à 60 ans à taux plein, une augmentation des salaires et des petites retraites, l'augmentation de l'imposition des plus riches et des grandes entreprises, etc. De même, critiquant à présent

---

74. Voir J. Mischi, *Le Communisme désarmé, op. cit.* Comme on l'a dit précédemment, cela ne signifie nullement que l'électorat traditionnel du PCF serait passé au FN.

75. Sur ce point, voir G. Ivaldi, « Du néolibéralisme au social-populisme ? La transformation du programme économique du Front national (1986-2012) », *in* S. Crépon, A. Dézé et N. Mayer (dir.), *Les Faux-Semblants du Front national, op. cit.*, p. 169-176.

les privatisations (après avoir appelé la droite, dans les années 1980, à aller plus loin dans cette voie), le parti d'extrême droite défend à présent un « État stratège » revendiquant une renationalisation dans certains secteurs (transports, énergie, voire banques). Pour autant, cela ne va jamais plus loin qu'un simple rétablissement de certaines conquêtes sociales ou l'abrogation de lois impopulaires (la loi Travail notamment) : aucune mesure de protection des salariés ou contre la précarité n'est ainsi développée dans le programme du parti. On y postule en somme que le protectionnisme, mais aussi la « priorité nationale » – autrement dit l'amplification des discriminations juridiques déjà existantes entre Français et étrangers – suffiront à en finir avec le chômage et la précarité. C'est là faire peu de cas des études démontrant que l'ampleur du chômage en France ne s'explique que très partiellement par les délocalisations et la pression de la concurrence internationale[76]. Mais c'est également écarter toute mesure visant à desserrer l'étau patronal et à contrôler activement les actionnaires, qui ne sont d'ailleurs pas même mentionnés dans le programme du parti, sans parler d'une remise en cause de leur pouvoir sur les entreprises.

Nul hasard ici, tant le parti d'extrême droite demeure un farouche défenseur de la « liberté d'entreprendre », ce faux-nez du pouvoir patronal, et tant l'idée de rupture avec le capitalisme lui est radicalement étrangère. La propriété privée des grandes entreprises n'est jamais évoquée, pas plus que la classe qui détient tout le pouvoir économique au nom de cette pro-

---

76. Michel Husson montre, à partir d'estimations statistiques précises, que le commerce international et le libre-échange ne sont responsables que d'une part minoritaire (moins de 30 %) des suppressions d'emplois industriels en France entre les années 1980 et les années 2000, l'essentiel s'expliquant par la gestion capitaliste des gains de productivité. Une politique protectionniste ne suffirait donc pas à résoudre le problème du chômage, et ne dispenserait en rien d'une politique anticapitaliste de l'emploi comme de la construction d'un horizon postcapitaliste. Voir M. Husson, « Protectionnisme et altermondialisme », *Contretemps*, août 2011, http://www.contretemps.eu/protectionnisme-altermondialisme-0.

priété. Il faudrait en effet que le FN convienne que l'adversaire n'est pas un vague « mondialisme » mais a des noms et des visages bien français : vieilles familles bourgeoises et grands capitalistes, dirigeants de grandes entreprises, membres de la haute fonction publique ou éditocrates[77], tous ayant œuvré ces dernières décennies à une refonte néolibérale des rapports sociaux. Or, en dépit de quelques déclarations opportunistes généralement prononcées lorsque certaines délocalisations – souvent décidées par des actionnaires français – font quelque bruit dans la presse, le FN n'a d'autre projet que celui d'un « bon » capitalisme, « moralisé », ou, dans le langage traditionnel de l'extrême droite : un « capitalisme populaire », celui des « petits » contre les « gros », autrement dit celui des PME-PMI nationales contre celui des trusts multinationaux. En opérant cette dissociation et en faisant l'éloge sans nuances des PME-PMI, on oublie les interconnexions étroites entre ces deux composantes du capitalisme français, et on passe sous silence la forte dépendance des premières aux secondes. De même, on masque le fait qu'il s'agit d'entreprises soumises aux mêmes impératifs d'accumulation du capital, dans lesquelles les conditions de travail sont bien souvent encore plus dégradées que dans les grandes entreprises[78].

Surtout, un capitalisme « populaire » ou « moralisé » est une contradiction dans les termes. Tant que demeurent la

---

77. *Cf.* O. Cyran, S. Fontenelle, M. Reymond et M. Chollet, *Les Éditocrates*, Paris, La Découverte, 2009. Voir également S. Halimi, *Les Nouveaux Chiens de garde*, Paris, Raisons d'agir, 1997 ; H. Maler et M. Reymond, *Médias et mobilisations sociales*, Paris, Syllepse, 2007.

78. Une variante consiste à faire l'éloge d'un (bon) capitalisme industriel, en le dissociant radicalement d'un (mauvais) capitalisme financier, distinction absurde tant sont aujourd'hui interpénétrés ces deux types de capitaux. On retrouve d'ailleurs ce discours bien au-delà du Front national : dans le contexte de la crise financière de 2008, tous les partis ont été contraints de développer une rhétorique critique de la financiarisation des économies, même les moins soupçonnables de vouloir s'en prendre à la finance de marché. On se souvient des rodomontades sans conséquences de Sarkozy contre la finance. Cela démontre d'ailleurs une fois de plus que le parti lepéniste est, sur bien des points, idéologiquement indiscernable du « système » qu'il prétend dénoncer.

propriété et la gestion capitalistes des moyens de production, l'économie ne peut qu'être soumise à la logique du profit et la société dépendante des décisions prises par une infime minorité. Il n'est de capitalisme qu'oligarchique et, en demeurant prisonnier des logiques structurelles propres à ce mode de production et d'échange, on ne saurait que troquer la caste dirigeante actuellement au pouvoir contre une nouvelle caste, possiblement plus brutale. On ne trouve donc aucun horizon anticapitaliste, et encore moins socialiste, dans le programme du FN. Sa ligne en la matière demeure celle formulée dès les années 1990 à travers le slogan « le social sans socialisme », autrement dit : un discours de déploration sociale invoquant les licenciements, la dégradation des conditions de travail et de vie, etc., mais sans projet de rupture avec la source de cette dégradation : le capitalisme. Cherchant à trouver un point d'équilibre, Nicolas Bay a d'ailleurs repris presque tel quel ce slogan en affirmant, en octobre 2017 : « Le social, ce n'est pas le socialisme[79]. »

S'il faut donc en effet rappeler que la ligne « ni droite ni gauche » de Marine Le Pen fut celle de tous les partis fascistes, il faut aussi éviter d'embrouiller le problème en parlant à ce propos de tendance « gauchisante » ou « socialisante »[80]. Même s'il fut parfois porté par des transfuges de la gauche (qu'il s'agisse de Mussolini, de Doriot ou d'autres, mais pas en Allemagne), le fascisme ne fut jamais socialiste. Il visait non l'émancipation humaine par une socialisation des moyens de production et d'échange, mais une « renaissance nationale », essentiellement d'ordre moral et spirituel. La formule même d'« anticapitalisme national » pour le désigner est trompeuse car elle amène à prendre au mot les fascistes. Comme l'écrivait Karl Polanyi, « c'est dans la nature d'un bouleversement

79. Voir « Nicolas Bay : "Le social, ce n'est pas le socialisme" », *La Dépêche*, 9 octobre 2017, https ://www.ladepeche.fr/article/2017/10/09/2661717-nicolas-bay-le-social-ce-n-est-pas-le-socialisme.html.

80. G. Kauffmann, *Le Nouveau FN, op. cit.*

fasciste de ne rien changer au système économique existant [le capitalisme]. C'est la *raison d'être* du fascisme que de perpétuer le système économique en place[81] ». Allant plus loin, Zeev Sternhell a montré que la « synthèse du "national" et du "social", [...] mot code pour désigner cette troisième voie entre le libéralisme et le marxisme qui débouchait sur le fascisme[82] », est le produit de la fusion entre, d'un côté, une radicalisation autoritaire et nationaliste de la droite et, de l'autre, une révision spiritualiste du marxisme. Ce dernier se voyait ainsi dépouillé non seulement de son anticapitalisme matérialiste (pour lequel une transformation radicale des structures économiques est une condition *sine qua non*, quoique non suffisante, pour révolutionner la société) mais également de son lien avec l'héritage rationaliste des Lumières et de son caractère d'humanisme révolutionnaire.

Depuis 2011, le FN a néanmoins accentué la critique du « libéralisme économique » et de la mondialisation, en reprenant à son compte certains éléments élaborés du côté de la gauche antilibérale. Le tournant programmatique du FN n'est d'ailleurs pas simplement le produit conjoint de l'approfondissement de la crise (économique et sociale) et de la chute du Bloc de l'Est ; il est également une réponse au cycle de relance des luttes sociales qui s'est ouvert en France en décembre 1995 et qui a redonné une vigueur certaine à la gauche radicale, sur un plan politique comme sur un plan intellectuel[83]. Cela fut particulièrement notable au milieu des années 2000, marqué par un mouvement social radical et massif, contraignant le gouvernement à reculer sur un projet néolibéral de flexibilisation du marché du travail (le « Contrat première embauche »), et par une campagne dynamique et unitaire de gauche faisant basculer une partie majoritaire de la population du côté de

81. K. Polanyi, *Essais*, Paris, Seuil, 2002, p. 425.
82. Z. Sternhell, *Ni droite ni gauche*, *op. cit.*, p. 128.
83. Sur ce cycle, voir notamment S. Kouvélakis, *La France en révolte*, *op. cit.* Voir également R. Keycheyan, *Hémisphère gauche*, Paris, La Découverte, 2017.

l'opposition au Traité de constitution européenne (TCE). La direction du FN ne pouvait pas ne pas voir que se diffusait une forte contestation du néolibéralisme et Marine Le Pen, moins dépendante que la vieille garde vis-à-vis de la ligne traditionnelle, a été la plus prompte et la plus habile à ce jeu de récupération. Pour autant, le FN n'a en rien développé une orientation anticapitaliste[84], ce qui n'est pas sans lien avec le fait qu'il demeure un parti de notables – particulièrement, on l'a vu, dans ses instances de direction – qui a constamment cherché à construire des liens avec les milieux d'affaires[85].

Les hésitations programmatiques qui ont éclaté publiquement depuis la défaite à l'élection présidentielle de 2017 trahissent la tension entre cet ancrage persistant du FN dans les classes possédantes, du moins au sein des franges les moins internationalisées du capitalisme français (petits patrons et professions libérales), et la volonté opportuniste de s'adresser aux classes populaires. Ces dernières se trouvent en effet socialement à mille lieues de la direction du FN et sont considérées non comme un acteur politique potentiel mais comme une pure et simple réserve de votes. Si Philippot a été débarqué au sortir de l'élection, ce n'est sans doute pas du fait d'un simple mouvement d'humeur de Marine Le Pen ou en raison d'une banale querelle d'égo, mais parce que la nouvelle ligne « keynésienne » du FN ne permet guère de s'adresser aux membres des classes intermédiaires ou favorisées écono-

84. Cela est vrai du FN comme de toute l'extrême droite européenne, dont les positions économiques varient selon la place de leur pays dans la division européenne du travail. Voir sur ce point J. Becker et R. Weissenbacher, « L'hétérodoxie de droite. La politique économique de la droite nationaliste européenne », *Contretemps*, 26 janvier 2017, https ://www.contretemps.eu/extreme-droite-economie-ue-fn.

85. Voir B. Hennion, *Le Front national, l'Argent et l'Establishment*, Paris, La Découverte, 1992. Cette campagne de séduction du FN n'a pour l'instant pas obtenu un grand succès puisque son influence n'est sensible à ce stade que du côté des petits patrons (même si la candidate de l'extrême droite a été pour la première fois auditionnée par le Medef lors des présidentielles de 2017, preuve que certaines choses évoluent aussi de ce côté-là).

miquement positionnés à droite, et aussi parce qu'elle ne correspondait que partiellement aux aspirations de l'électorat du FN, y compris de son électorat populaire. Contrairement à une idée reçue, développée par Pascal Perrineau sous le label de « gaucho-lepénisme » et réfutée dès les années 1990, les ouvriers et employés votant pour le FN – et cela est encore plus vrai pour les électeurs du FN n'appartenant pas aux classes populaires – ne sont pas, du moins pour la majorité d'entre eux, d'anciens électeurs de gauche voire des électeurs continuant de se situer à gauche parce qu'ils seraient attachés à des mesures de redistribution[86]. Il s'agit au contraire de celles et ceux qui, au sein des classes populaires, sont les moins antilibéraux économiquement et les moins favorables aux syndicats[87].

D'un point de vue stratégique, il y a donc de fortes chances que le FN engage dans les années à venir non une rupture mais un double rééquilibrage. Cette stratégie est inspirée des propositions de celui qui semble être le nouvel homme fort du parti, Nicolas Bay[88]. D'une part une atténuation de la critique « sociale » de la mondialisation, de l'agenda (vaguement) redistributif adopté ces dernières années et de l'éloge

86. Pour deux critiques anciennes, voir P. Martin, « Qui vote pour le Front national français ? » *in* P. Delwitt, J.-M. De Waele et A. Rea (dir.), *L'Extrême Droite en France et en Belgique*, Bruxelles, Éditions Complexe, 1998 ; N. Mayer, *Ces Français qui votent FN*, Paris, Flammarion, 1999. Pour une critique récente, voir F. Gougou, « Les ouvriers et le vote Front national. Les logiques d'un réalignement électoral », *in* S. Crépon, A. Dézé et N. Mayer (dir.), *Les Faux-Semblants du Front national*, *op. cit.*

87. Comme l'écrivent G. Michelat et M. Simon, « quand les attitudes socio-économiques influencent tant soit peu la probabilité du vote d'extrême droite, ce dernier est, comme le vote de droite (encore qu'à un moindre degré) plus fréquent chez eux, ouvriers compris, qui épousent les options libérales que chez ceux qui les récusent ». Voir G. Michelat et M. Simon, « Appartenances de classe, dynamiques idéologiques et vote Front national », *loc. cit.*, p. 11.

88. On pourra lire ici sa contribution écrite durant l'été 2017 : A. Sulzer, « FN : la contre-proposition de Nicolas Bay à celle de Florian Philippot », 21 juillet 2017, http://www.lexpress.fr/actualite/politique/fn/fn-la-contre-proposition-de-nicolas-bay-a-celle-de-florian-philippot_1929423.html.

de l'« État stratège », en remettant au premier plan certains des poncifs néolibéraux sur les « assistés » ou les « fraudeurs » (qui avaient été quelque peu relégués au second plan), et en insistant davantage sur les mesures en faveur des employeurs et défavorables aux salariés (baisses des cotisations et de la fiscalité des entreprises, remise en cause du code du travail et des droits syndicaux, conditionnement accru des prestations au nom de la lutte contre la « fraude », etc.). D'autre part, une accentuation de la critique de la mondialisation (ou du « mondialisme »), centrée davantage sur le péril qu'elle ferait peser sur l'identité et la sécurité nationales, plutôt que sur ses effets de précarisation et de paupérisation sur les classes populaires (en particulier en renonçant à la perspective d'une sortie de l'euro mais aussi à des nationalisations). Donc d'un côté un mélange hautement contradictoire de keynésianisme mou (réduit à quelques mesures « sociales ») et de néolibéralisme[89] ; et de l'autre une critique identitaire et xénophobe de la mondialisation.

C'est une caractéristique essentielle des mouvements d'extrême droite, de l'entre-deux-guerres à nos jours, que de se passer de doctrine fixe en matière économique et sociale, ou plutôt d'être capables de passer d'une doctrine à une autre, parfois sans transition et toujours selon le public visé. L'étude de ces mouvements fondamentalement « attrape-tout » ne peut donc reposer sur la seule analyse de leurs programmes, tant ils accordent aux propositions électorales une valeur strictement instrumentale[90], ne se gênant ni pour promettre à toutes les couches sociales des choses manifestement contradictoires ni pour changer brusquement et radicalement de propositions

89. Cela reflète les contradictions internes au FN, ce que confirme une enquête menée auprès des militants au moment de son dernier congrès, en mars 2018, dont le journal *Les Échos* tirait le bilan suivant : « À lire les réponses, on a l'impression que la formation d'extrême droite va devoir faire une synthèse entre Jean-Pierre Chevènement et Ronald Reagan. » Voir G. de Calignon, « Les questions économiques divisent les militants du FN », *Les Échos*, 11 mars 2018.

90. *Cf.* R. Paxton, *Le Fascisme en action*, *op. cit.*, p. 32-41.

si cela peut leur permettre d'accroître leur audience. Le Front national ne contredit nullement cette tendance, puisque ses différents tournants programmatiques n'ont eu d'autre objectif que de gonfler ses scores électoraux. N. Bay ne justifie d'ailleurs pas le virage qu'il propose à partir d'arguments de fond, pour ou contre la sortie de l'euro par exemple, mais en désignant une nouvelle clientèle électorale que le FN pourrait séduire en modérant sa position sur cette question. Aujourd'hui comme hier, cet opportunisme a fait la force du fascisme en le rendant capable de s'adapter rapidement aux transformations de son environnement économique, politique et idéologique.

Une constante doit néanmoins être rappelée, car elle est d'importance : lorsqu'il parvient au pouvoir, autrement dit lorsque de mouvement il devient régime, le fascisme perd en grande partie son caractère de caméléon. Alors même qu'il prétendait dépasser l'antagonisme entre employeurs et salariés par une forme de cogestion, il ne manque jamais, arrivé au pouvoir, de favoriser le capital au détriment du travail en écrasant toute forme d'organisation de défense des intérêts des travailleurs[91] et en se débarrassant de toute proposition qui pourrait lui mettre à dos les milieux d'affaires[92]. Le fascisme mussolinien s'était ainsi habilement construit sur un programme paraissant très à gauche en matière économique, incluant des revendications radicales contre la propriété privée qui furent rapidement oubliées. C'est à ce prix qu'il put contracter une alliance avec une partie des élites traditionnelles et de la bourgeoisie italiennes[93]. De même, alors que dans l'opposition le fascisme critique la domination des grands trusts sur l'écono-

91. Dans une bibliographie extrêmement riche, voir notamment T. W. Mason, *Nazism, Fascism and the Working-class*, Cambridge, Cambridge University Press, 1995.

92. Sur les rapports entre le pouvoir politique nazi et les grands groupes industriels, voir notamment Alfred Sohn-Rethel, *Economy and Class Structure of German Fascism*, Londres, Free Association Books, 1987.

93. Voir notamment R. O. Paxton, *Le Fascisme en action*, *op. cit.* Voir également A. Tasca, *Naissance du fascisme*, *op. cit.*

mie, fait l'éloge de la petite production et appelle à une résurrection des corporations médiévales, l'État fasciste pousse à une concentration accrue du capital qui ne peut se faire qu'au détriment des petites entreprises, donc de la petite bourgeoisie. Ainsi le fascisme-régime dément-il systématiquement toutes les propositions « sociales » du fascisme-mouvement. Il bâtit surtout un capitalisme d'une brutalité inégalée, fondé sur la destruction de la société civile par un État-moloch supprimant, brutalement ou progressivement, toutes les conquêtes sociales et démocratiques des classes populaires[94].

C'est que le fascisme, s'il se donne des allures révolutionnaires et manie volontiers la rhétorique de la rupture avec l'ordre ancien, n'aspire en rien à une révolution sociale, c'est-à-dire à une abolition des rapports d'exploitation et d'oppression, mais à un changement spirituel : une *régénération nationale*[95]. Or, lorsque les fascistes sont amenés à exercer le pouvoir, la « révolution fasciste » est contrainte de passer des fantasmagories spiritualistes au sol rugueux de la politique concrète, et donc en particulier de faire des choix favorables aux uns et défavorables aux autres. Des contradictions ne manquent alors pas d'apparaître ou de s'aiguiser, amenant le pouvoir fasciste à intensifier la répression de toute contestation, y compris en son sein, et à se muer plus ou moins rapidement en dictature d'une petite clique prétendant seule incarner l'intérêt national. C'est d'ailleurs pourquoi les franges plébéiennes des mouvements d'extrême droite, les plus attachées à la dimension antibourgeoise du discours fasciste des origines (bien différent de celui qui précède directement l'accès

94. Sur cette apparente contradiction, voir les chapitres que Daniel Guérin a consacrés à la « démagogie fasciste » et à la « politique économique du fascisme », dans son livre classique : *Fascisme et grand capital*, Paris, Libertalia, 2014. Voir également L. Trotski, *Contre le fascisme. 1922-1940*, *op. cit.*

95. Entre beaucoup d'autres historiens du fascisme, c'est ce que note par exemple Zeev Sternhell : « Telle est la nature de la révolution fasciste : c'est une révolution politique, intellectuelle et morale, mais elle ne touche ni les structures de la société ni celles de l'économie. » Voir *Ni droite ni gauche*, *op. cit.*, p. 78.

au pouvoir), sont écartées sans ménagement et rapidement lorsque les fascistes contrôlent l'État – aussi bien dans l'Italie mussolinienne que dans l'Allemagne hitlérienne – afin de ne pas faire obstacle à l'alliance passée avec la bourgeoisie. L'impulsion spirituelle devient ainsi terrorisme d'État et, si la bourgeoisie est alors dépossédée du personnel politique auquel elle accordait traditionnellement ses faveurs, son pouvoir économique se trouve renforcé puisque débarrassé du mouvement ouvrier et des contraintes légales qui l'empêchaient jusque-là d'exploiter sans limites.

S'il est fort probable que, parvenant au pouvoir, le FN renoncerait comme tous les mouvements d'extrême droite avant lui aux propositions jugées négativement par le grand patronat[96], c'est qu'il n'y a rien d'*anticapitaliste* ou de *socialiste* dans sa matrice politique. Mais c'est aussi qu'il n'est pas de « troisième voie » autre qu'imaginaire entre capitalisme et socialisme : à ne pas emprunter le chemin de la rupture avec la propriété privée des entreprises et la domination des logiques de marché, on en vient nécessairement à se soumettre au pouvoir du (grand) capital. Ainsi le FN au pouvoir opterait-il sans doute pour un mélange particulièrement régressif de néo-

---

96. Ainsi Frédéric Lordon a-t-il raison d'affirmer par exemple que « le FN, arrivé au pouvoir, ne fera pas la sortie de l'euro. Il ne la fera pas car, sitôt que la perspective de sa réussite électorale prendra une consistance sérieuse, le capital, qui ne se connaît aucun ennemi à droite et aussi loin qu'on aille à droite, le capital, donc, viendra à sa rencontre. Il ne viendra pas les mains vides – comme toujours quand il a sérieusement quelque chose à réclamer ou à conserver. Aussi, contre quelques financements électoraux futurs et surtout contre sa collaboration de classe [...] contre tout ceci, donc, le capital exigera le maintien de l'euro, son vrai trésor, sa machine chérie à équarrir le salariat. Croit-on que le FN opposera la moindre résistance ? Il se fout de l'euro comme de sa première doctrine économique – et comme de toutes les suivantes. Le cœur de sa pensée, s'il y en a une, est bien ailleurs : il est dans une sorte de néocorporatisme vaguement ripoliné pour ne pas faire trop visiblement années trente, et s'il est une seule chose à laquelle il croit vraiment, elle est sans doute à situer du côté du droit du petit patron à être "maître chez lui" (éventuellement additionné d'une haine boutiquière pour l'impôt qui nous étrangle) ». Voir Frédéric Lordon, « Clarté », *La Pompe à phynance*, 26 août 2015, https :// blog. mondediplo. net/2015-08-26-Clarte.

libéralisme et d'étatisme ultra-autoritaire. Par des moyens bien plus violents que les gouvernements qui se succèdent depuis trois décennies, il s'attaquerait aux minorités ethno-raciales et aux salariés, en supprimant notamment leurs droits fondamentaux (libertés syndicales, libertés d'organisation et de réunion, droit de grève, etc.), tout en enrôlant la bourgeoisie par la promesse d'un accroissement des profits.

*

Le Front national est de moins en moins caractérisé par les observateurs, mais aussi par les militants et organisations de gauche ou syndicales, en termes de fascisme ou de néofascisme. Réputée schématique et militante, cette catégorisation ferait l'impasse sur toute une série de traits propres au fascisme qui seraient absents dans le cas du FN. Elle nous semble pourtant la plus adéquate pour saisir ses propriétés distinctives.

Le fascisme se caractérise spécifiquement par la volonté – incarnée par un chef et portée par une organisation – d'œuvrer à la renaissance d'une nation mythifiée et essentialisée. La débarrasser de toutes les formes d'altérité et de contestation qui en menacent l'identité, l'unité et l'intégrité permettrait de mettre un coup d'arrêt au processus de décadence mis en branle indistinctement par le cosmopolitisme du capital et l'internationalisme de la gauche, la finance « apatride » et les immigrés « déracinés »[97]. Or c'est bien dans ce cadre marqué par le désir d'une révolution spirituelle qui amorcerait une régénération nationale, et non simplement dans la (si commune) référence au peuple, décelable sous des formes différentes chez tous les courants politiques, que s'inscrit clairement la politique du FN. À Marseille le 19 avril 2017, après un appel à une « insurrection nationale », Marine Le Pen affirmait : « Nous sommes sous la menace d'une dilution de

97. Sur ce point, voir chapitre 1.

notre identité nationale. Posons-nous les questions : allons-nous pouvoir vivre encore longtemps comme des Français en France ? Alors que des quartiers entiers deviennent quasiment des zones étrangères ? Alors que des règles ou des modes de vie venus d'ailleurs tentent de nous être imposés ? »

Plusieurs précisions sont toutefois nécessaires. Tout d'abord, même si le FN est fondé sur une matrice politique qui n'a guère changé depuis sa création en 1972, malgré les ravalements successifs de façade, il ne constitue assurément pas un parti fasciste achevé. C'est pourquoi il nous a semblé plus précis de parler ici de germe de fascisme ou de parti fasciste en gestation. C'est seulement dans des circonstances spécifiques que le FN pourrait se développer en véritable mouvement de masse capable d'être présent partout, au-delà de la scène électorale ou médiatique. Ce n'est donc pas le passé fasciste du FN qui devrait nous inquiéter mais son devenir-fasciste. Comme l'écrivait Maurice Duverger en 1962 : « Le microbe fasciste restera dépourvu de virulence réelle tant qu'il ne trouvera pas un terrain pour germer[98]. » Le « microbe fasciste » a depuis trouvé ce « terrain », on l'a vu au long de ce livre, dans les contradictions du capitalisme néolibéral, le durcissement autoritaire de l'État et l'aiguisement du nationalisme français.

Ensuite, caractériser le FN comme germe fasciste n'implique nullement que l'ensemble de ses militants, et encore moins de ses électeurs, soient favorables ici et maintenant à l'installation d'une dictature d'extrême droite, ou se réfèrent au fascisme comme à un modèle. Pour autant, on ne saurait écarter ni une dynamique de radicalisation politique qui pourrait s'emparer d'une partie du corps social dans des circonstances exceptionnelles de crise ou au terme d'un processus plus progressif de polarisation politique, en particulier car le terrain a été préparé par des décennies de diffusion et de respectabilisation de la xénophobie et du racisme, ni la possibilité que le FN s'appuie

98. Cité *in* J.-P. Gautier, *Les Extrêmes Droites en France, op. cit.*

sur cette base électorale pour parvenir au pouvoir par la voie légale. L'exemple des fascismes italien et allemand durant l'entre-deux-guerres montre en effet que ces mouvements ont pu l'emporter et se maintenir durablement aux commandes de l'État en disposant d'une audience de masse et en s'alliant avec des pans de la droite conservatrice, mais sans parvenir à obtenir le soutien de la majorité de la population. Dans le cas allemand, le maximum du soutien dont les nazis purent se prévaloir avant janvier 1933 fut de 37 % (bien davantage d'ailleurs que Mussolini en Italie avant son accès au pouvoir), et si leurs électeurs partageaient sans doute pour beaucoup un ultranationalisme et un antisémitisme plus ou moins viscéraux, leurs motivations étaient hétérogènes. Ils étaient pour la plupart loin d'adhérer à l'intégralité de la politique mise en œuvre par Hitler dans les années suivantes, en particulier à la volonté de guerre expansionniste et *a fortiori* à la « solution finale »[99]. Cela n'empêcha nullement les nazis de conquérir le pouvoir politique et de mener au désastre d'une nouvelle guerre mondiale et du génocide. Nous n'en sommes évidemment pas là, mais on ne saurait prendre prétexte du fait que les électeurs du FN n'ont qu'une connaissance très partielle de son programme ou ne souhaitent pas l'avènement d'une dictature pour nier ou minimiser le danger.

Ajoutons encore qu'il n'y a pas de « nature » immuable du FN. Comme tout parti, il n'est pas figé et pourrait se transformer en profondeur en fonction de dynamiques internes et de son environnement externe. En particulier, il n'est nullement interdit de penser qu'il puisse évoluer dans les

---

99. W. S. Allen évoque dans son livre les sentiments « mitigés » que nourrissaient les électeurs du NSDAP à son égard, le percevant comme un mixte de gens « convenables » et de « voyous ». Voir *Une petite ville nazie, op. cit.*, p. 122-123. Plus généralement, voir I. Kershaw, *L'Opinion allemande sous le nazisme*, Paris, CNRS Éditions, 1995 [1983]. Pour une critique de l'idée que les « masses » auraient « désiré le fascisme », voir N. Poulantzas, « À propos de l'impact populaire du fascisme », *in* M.-A. Macciocchi, *Éléments pour une analyse du fascisme*, tome 1, Paris, 10/18, 1976.

années à venir vers un parti de la droite conservatrice. Le poids croissant des élus au sein du FN pourrait engager un processus de notabilisation, amenant peu à peu sa direction à subordonner le maintien de son programme historique, de son indépendance politique et de l'objectif de la conquête du pouvoir national à la sauvegarde des postes obtenus dans les institutions, nationales ou locales. Néanmoins, le FN ne cherche pas véritablement, du moins pour l'instant, à construire des alliances au sommet avec la droite traditionnelle et continue d'espérer parvenir au pouvoir seul, ou en détachant des pans de la droite. Si ses dirigeants n'étaient que de simples opportunistes en quête de postes dans les institutions, ils rallieraient sans délai les partis de la droite traditionnelle ou chercheraient par tous les moyens, notamment en reniant ou en édulcorant certaines de leurs positions, à nouer des alliances électorales régulières avec ces partis afin d'obtenir bien davantage d'élus. Or, depuis sa création en 1972, le FN – comme les organisations fascistes de l'entre-deux-guerres – a toujours maintenu son indépendance politique et ne s'est allié qu'exceptionnellement à la droite.

Il nous faut évoquer pour finir la question de la violence. À nouveau, on aurait tort d'imaginer une rupture franche entre le FN de Jean-Marie Le Pen et celui de sa fille. Dès la fondation du parti, l'objectif de constituer une vitrine électorale de l'extrême droite impliquait la mise en sourdine, sinon le refus, des trop visibles batailles de rue. Le FN dispose néanmoins avec le DPS – « Département protection sécurité », également surnommé du temps de Jean-Marie Le Pen « Dépend du président seulement » – d'un service d'ordre partiellement militarisé, par l'emploi de techniques militaires et par son recrutement parmi d'anciens militaires, policiers ou vigiles. Outre les fonctions classiquement assumées par un service d'ordre (protection des dirigeants, des meetings et des apparitions publiques), le DPS a pu procéder parfois – selon des témoignages rassemblés à la fin des années 1990 – à des actions offensives, essentiellement contre des militants anti-FN (dénommées « missions punitives »)[100]. Dans la dernière période, pour laquelle on dispose de moins d'informations, il semblerait non seulement que le DPS – qui avait beaucoup pâti de la scission mégrétiste – ait été progressivement marginalisé par la présidente du FN en raison de l'attachement de ses membres à Jean-Marie Le Pen, au profit de l'entreprise de sécurité d'Axel Loustau (ex du GUD et proche de Marine Le Pen)[101], mais qu'il ait en outre cessé d'assumer des fonctions offensives (expéditions punitives contre des « ennemis »).

Pour le FN, l'époque est à la « guerre de position » au sens de Gramsci, donc moins à la prise du pouvoir par des moyens insurrectionnels qu'à la conquête progressive de l'hégémonie permettant de préparer l'accès au pouvoir politique. Néanmoins, la présence en son sein d'anciens dirigeants du Bloc identitaire (Philippe Vardon notamment), la collaboration avec des figures de l'extrême droite passées par le GUD, ainsi que le soutien apporté aux identitaires ou à d'autres groupuscules (notamment Bastion social), semblent attester d'une certaine division des tâches : vitrine électorale et vaisseau amiral de l'extrême droite, le FN déléguerait l'exercice de la violence – notamment contre les mobilisations étudiantes dans la période récente – aux groupuscules qui gravitent autour de lui. Pour ne prendre que quelques exemples récents : au printemps

100. Voir les auditions effectuées lors de l'enquête parlementaire sur le DPS menée en 1999 : http://www.assemblee-nationale.fr/11/dossiers/dps/auditi02.asp. Voir également à propos de Claude Hermant, membre du DPS pendant six ans et récemment condamné à sept ans de prison pour trafic d'armes (dont certaines auraient servi à Amedy Coulibaly dans la tuerie de l'Hyper Cacher) : R. Dély et K. Laske, « Confessions d'un fantôme », *Libération*, 6 juin 2001, http://www.liberation.fr/societe/2001/06/06/confessions-d-un-fantome_367082.

101. Voir A. Mestre et C. Monnot, « Crise au FN. Marine Le Pen écarte le service d'ordre historique au profit d'un proche », 3 septembre 2015, http://droites-extremes.blog.lemonde.fr/2015/09/03/crise-au-fn-marine-le-pen-ecarte-le-service-dordre-historique-au-profit-dun-proche/. Sur les liens entre Marine Le Pen et Axel Loustau, voir M. Turchi, « *Marine est au courant de tout...* ». *Argent secret, financements et hommes de l'ombre*, Paris, Flammarion, 2017.

2018, les principaux dirigeants du FN se félicitaient de l'initiative de « Génération identitaire » au col de l'Échelle, visant à s'opposer symboliquement, mais aussi physiquement, à l'entrée en France de migrants. Durant la même période, alors que des militants fascistes agressaient régulièrement des étudiants mobilisés dans plusieurs universités, Louis Aliot appelait à la télévision à « virer *manu militari* » les « bloqueurs » et se félicitait de l'offensive gouvernementale contre les « zadistes » à Notre-Dame-des-Landes. Cela signale une fois de plus que, face à la contestation sociale, le FN se tient toujours du côté de l'ordre, soutient les gouvernements désireux d'employer la force et maintient un projet ultra-autoritaire, aspirant à aller plus loin et plus vite dans l'écrasement de toute opposition. Il faut enfin rappeler l'influence et l'implantation du FN au sein des appareils répressifs d'État, en particulier dans les services les plus violents (BAC, CRS, etc.). Cette situation peut faire passer pour superflu aux yeux de ses dirigeants le fait de se doter de milices préposées au harcèlement et à la répression des opposants.

La délégitimation de la violence politique et l'objectif de la conquête du pouvoir contraignent ainsi le FN à limiter au maximum la possibilité d'actes violents rappelant trop visiblement l'ancrage du parti dans les traditions brutales de l'extrême droite, et à empêcher l'existence en son sein de groupes aspirant à jouer un rôle équivalent à celui des SA au sein du parti nazi (fonction que François Duprat avait assignée aux groupes nationalistes-révolutionnaires dans les années 1970 lorsqu'il était une figure majeure du FN[102]). Néanmoins, le FN prépare

102. Ainsi François Duprat a-t-il pu écrire : « Notre conception révolutionnaire est, elle aussi, fort simple : nous devons savoir faire cohabiter une organisation de combat et une organisation de formation et d'encadrement. Sans les SA, jamais le NSDAP n'aurait pu prendre le pouvoir, mais sans la Politische Organisation les SA n'auraient pas mieux réussi que les Corps francs de Kapp et Luttwitz, lors du putsch de 1920... Dans l'hypothèse où le mouvement nationaliste-révolutionnaire dispose des forces nécessaires à une lutte violente et soutenue, si ces forces sont disciplinées et organisées, il peut rallier à lui les

les esprits à un usage intensifié de la violence en recourant fréquemment à la rhétorique de la « guerre civile ». Comme l'affirmait Marine Le Pen elle-même : « Depuis quarante ans au moins, tout observateur lucide et objectif voit monter les problèmes quand depuis trop d'années, d'intimidations en intimidations et d'agressions antifrançaises en actes terroristes, la perspective de la guerre civile n'est plus un fantasme. » Le FN prétend ainsi être seul à même d'en empêcher la survenue tout en ne cessant pas de souffler sur les braises de l'islamophobie, de la romophobie et de la xénophobie, en agitant la menace d'une « cinquième colonne » islamiste ou d'une destruction de la nation française. Quelle politique croit-on qu'un parti prétendant depuis tant d'années que la France est « submergée » et « colonisée » par des éléments considérés comme « antinationaux » et « inassimilables », mènerait s'il parvenait au pouvoir ? Pense-t-on sérieusement qu'un tel parti ne ferait que prolonger les politiques menées par les gouvernements bourgeois traditionnels ?

---

masses de droite, qui recherchent toujours une force susceptible de les rassurer. [Il faut que s'accentue la crise économique, que l'État s'affaiblisse et] une solution radicale pourra devenir acceptable pour des millions de Français... Une Révolution ne pourra s'accomplir que si nombre de conservateurs paisibles cessent d'être tentés par la perpétuation de l'ordre régnant. [Si la Révolution se fait par un coup de force permis par la crise], seul le mouvement capable de lancer dans la rue de nombreux militants, combatifs et disciplinés, pourra remporter la victoire et sauver notre civilisation. » Cité *in* N. Lebourg et J. Beauregard, *François Duprat, op. cit.*, p. 204.

Conclusion

Conjurer le désastre

> « Il faut [...] attirer violemment l'attention sur le présent tel qu'il est si on veut le transformer. Pessimisme de l'intelligence, optimisme de la volonté. »
>
> ANTONIO GRAMSCI, *Cahiers de prison*, Paris, Gallimard, 1978, vol. II, cahier 9, § 60, p. 441.

Conjurer le désastre possible suppose en premier lieu de comprendre la menace à laquelle nous sommes confrontés, qui va bien au-delà des multiples régressions sociales et démocratiques qu'imposent déjà les gouvernements néolibéraux et de la violence structurelle des institutions – des souffrances invisibles, car occultées, que produit le marché du travail à la brutalité associée à l'exercice « légitime » de la force par les appareils répressifs d'État. Cette menace a un nom, que les journalistes politiques et les spécialistes de l'extrême droite ont décidé de ne plus prononcer : *fascisme*. Qu'il soit si difficile pour nombre d'intellectuels d'énoncer le danger fasciste quand tout donne pourtant à voir qu'il se fait plus pressant ne manque d'ailleurs pas d'étonner : une telle insensibilité au péril, particulièrement frappante en France, est pour beaucoup dans la difficulté à engager un combat frontal contre les forces néofascistes et tout ce qui les nourrit, qu'il s'agisse des politiques néolibérales, du durcissement autoritaire ou du racisme structurel.

À l'évidence, le fascisme présent ne s'annonce pas sous les mêmes dehors que le fascisme passé. On ne saurait toutefois s'y tromper : pour triompher, le projet fasciste de régénération nationale n'a nul besoin d'être porté par des hordes d'individus paradant en chemises brunes ou marchant au pas de l'oie. Au contraire, plus l'extrême droite contemporaine se moule dans les codes actuels et consensuels de la communication politique, autrement dit plus elle abandonne les aspects les plus visibles de son inscription dans l'histoire du fascisme, et plus elle se renforce : apparaître respectable lui impose en premier lieu de se rendre méconnaissable. En outre, même en s'en tenant aux deux cas les plus emblématiques (les fascismes italien et allemand), on doit constater que le phénomène fasciste a toujours été protéiforme. Il se présentait déjà sous des formes variables dans l'entre-deux-guerres et son ascension a suivi des trajectoires distinctes. Ainsi, le nazisme dut patienter une dizaine d'années avant d'accéder au pouvoir politique mais il imposa sa dictature totalitaire en quelques mois. À l'inverse, le fascisme italien parvint rapidement à la tête de l'État après sa naissance mais il lui fallut quelques années pour se débarrasser de toute opposition politique organisée. Toute l'histoire du fascisme donne à voir sa singulière capacité d'adaptation aux différents contextes nationaux et son habileté à saisir les occasions dans les conjonctures politiques les plus hétérogènes. La manière dont l'extrême droite française – appuyée par une bonne partie de la droite et des éléments issus de la gauche – profita de la défaite militaire pour imposer en quelques semaines le régime de Vichy, une dictature empruntant nombre de ses traits au fascisme, en est une autre illustration.

Ce livre s'est donc donné pour principal objectif de provoquer un sursaut dans la manière dont nous appréhendons notre situation historique. Il est bien peu probable que l'on en revienne dans les années et décennies futures aux alternances tranquilles entre des gouvernements perpétuant l'exploitation économique et la domination politique par des moyens essentiellement pacifiques (c'est-à-dire par l'obtention du consentement actif de la majorité) ; on doit au contraire convenir que la polarisation sociale et politique a toutes les chances de s'accentuer à l'avenir. Pour reprendre une formule célèbre de Marx et Engels, « tout ce qui était solide et stable est ébranlé » : les compromis sociaux qui avaient permis au capitalisme de s'enraciner sont brisés, ou en passe de l'être, par l'offensive néolibérale ; les inégalités croissent partout et explosent au niveau mondial ; les champs politiques se déstructurent ; les formes démocratiques, même simplement parlementaires, sont vidées de leur contenu ; le fonctionnement des États se fait de plus en plus autoritaire, en particulier par la croissance, la militarisation voire l'autonomisation des appareils répressifs ; le nationalisme s'aiguise en s'alliant au racisme (notamment à l'islamophobie). À cela s'ajoute, en France, le fait qu'une organisation – le Front national, devenu récemment Rassemblement national – est parvenue à cristalliser le ressentiment de millions de personnes autour d'un projet alliant le nationalisme le plus exacerbé et la volonté ultra-autoritaire d'en finir avec toute contestation. Ce projet articule un discours de déploration sociale avec un racisme stigmatisant migrants et musulmans pour mieux en appeler à une politique d'affirmation blanche, en somme un projet *fasciste*.

Construire une compréhension commune du danger auquel nous faisons face est un premier pas, nécessaire mais non suffisant. Dans la foulée se pose immanquablement la question suivante : comment faire vivre un antifascisme de notre temps ? Quelles leçons tirer des combats menés contre la peste brune tout au long du XXe siècle ? Plus précisément, comment hériter de l'antifascisme sans se contenter d'en reproduire les formes passées ou, pire, d'en mimer les postures ? On cherchera donc dans les lignes qui suivent à formuler quelques considérations – sans doute trop rapides – de stratégie antifasciste, mais cela suppose quelques préalables. Il importe d'abord de refuser la réduction de l'antifascisme à une simple rhétorique anti-FN réservée aux entre-deux-tours et épargnant les partis dont les politiques ne cessent de favoriser la progression du FN. Ensuite, pas plus en matière d'antifascisme que d'anticapitalisme, de féminisme ou d'antiracisme, le volontarisme politique ne saurait suffire, et encore moins l'indignation morale. Combattre le fascisme implique d'évaluer des rapports de force et d'étudier le terrain de la lutte, de diviser l'ennemi et d'unir des forces, de donner une orientation adéquate à ces dernières et de saisir des occasions, en somme de penser stratégiquement[1]. Enfin, il s'agit de rappeler la distinction, issue de la pensée militaire, entre ce qui relève de la stratégie, c'est-à-dire de la coordination de moyens variés en vue d'atteindre un objectif à long terme (ici l'écrasement du fascisme), et ce qui renvoie aux choix tactiques, concernant des opérations ponctuelles visant à obtenir des victoires partielles contre telle ou telle force fasciste.

Deux tentations doivent d'abord être évitées, la conjonction de l'une et l'autre menant inévitablement à la défaite. La première tient dans un antifascisme que l'on peut qualifier de bourgeois parce qu'il se borne à défendre l'ordre existant en visant la construction d'un « front républicain » et en prétendant ainsi que toute alliance est bonne – y compris avec la droite – pour éviter la menace fasciste. Il est d'ailleurs douteux qu'on puisse parler ici de stratégie, tant cette orientation se ramène généralement à une pure tactique électorale, sans généralement s'intégrer à une perspective d'ensemble de lutte antifasciste. Le problème n'est pas tant ici de nature morale et ne tient pas dans une pétition de principe contre l'emploi de moyens électoraux : il peut être désagréable sur un plan individuel mais politiquement juste d'utiliser un bulletin de vote pour se débarrasser provisoirement d'un ennemi dont on pressent qu'il est beaucoup plus dangereux que l'adversaire auquel on est accoutumé[2]. Reste que, dans ce cas précis, un

1. Voir D. Bensaïd, *Penser agir*, Paris, Nouvelles éditions Lignes, 2008.

2. L'avertissement de Léon Trotski est souvent cité, à raison : « Si l'un de mes ennemis m'empoisonne chaque jour avec de faibles doses de poison, et qu'un

mouvement antifasciste conséquent devrait être aussi clair que possible sur le fait qu'une consigne de vote donnée pour écarter un candidat fasciste n'équivaut en aucun cas à une alliance. Cela suppose de maintenir une indépendance politique totale et de développer une critique publique sans concessions des organisations qui, prétendant constituer un remède au fascisme, ont permis son ascension par leurs politiques socialement destructrices et racistes. Toute alliance politique avec des organisations bourgeoises ne ferait qu'aviver le sentiment que l'extrême droite constitue la seule force antisystémique.

La principale faiblesse de cet antifascisme bourgeois tient dans son électoralisme à courte vue et, plus profondément, dans l'illusion qu'il entretient quant à la capacité des forces politiques dominantes ainsi que des institutions « républicaines » – et plus généralement de l'État – à repousser durablement la menace fasciste. Soyons clairs : aucun « front républicain » ne mettra fin à une dynamique fasciste quand celle-ci est enclenchée. C'est particulièrement vrai lorsque les forces qui le composent ne cessent d'emprunter leurs arguments, leurs propositions électorales et leurs politiques à l'extrême droite, tout en prétendant la combattre. De même, aucun État capitaliste, même solide en apparence et se présentant comme « démocratique », ne garantit qu'un mouvement fasciste renoncera à son projet totalitaire une fois parvenu au pouvoir pour se plier à certaines contraintes, même minimales, fixées par le droit. L'histoire du fascisme démontre exactement le contraire. En suscitant de telles illusions, le républicanisme affaiblit l'antifascisme jusqu'à le rendre impotent. Il le ramène à une posture purement *défensive* à laquelle on ne se résout qu'en dernier recours. On oublie trop souvent que la défaite

---

autre veut me tirer un coup de feu par-derrière, j'arracherais d'abord le revolver des mains de mon deuxième ennemi, ce qui me donnera la possibilité d'en finir avec le premier. Mais cela ne signifie pas que le poison est un "moindre mal" en comparaison du revolver. » Voir : « En quoi la politique actuelle du Parti communiste allemand est-elle erronée ? », https://www.marxists.org/francais/trotsky/oeuvres/1931/12/311208.html.

du mouvement ouvrier allemand face au nazisme dériva en premier lieu d'une telle « stratégie », qui fut celle de la social-démocratie. Or celle-ci disposait d'une puissance politique et militaire sans équivalent. Le fascisme se développe précisément en apparaissant comme une solution *offensive* à la crise d'un système économique et politique dont il ne conteste pourtant pas les fondements oligarchiques. Au contraire, il s'agit pour lui de détruire tous les éléments de contre-pouvoir populaire qui, même embryonnaires ou déviés, existent bon an mal an dans la société capitaliste[3]. Se lier les mains dans des alliances avec les forces politiques qui accentuent la puissance oppressive de ce système, c'est renforcer l'illusion selon laquelle l'extrême droite constituerait une alternative, donc se destiner à la défaite. Imaginer que la Constitution nous protégera du fascisme si celui-ci parvient au pouvoir, c'est entretenir l'illusion de la neutralité de l'État, donc se vouer à la destruction.

Il est une seconde attitude politique vis-à-vis du danger fasciste qui, partant de prémisses opposées, n'en constitue pas moins une impasse mortelle en aboutissant à éluder le nécessaire combat antifasciste. Présente aussi bien dans certains courants du trotskisme que dans des franges de la mouvance anarchiste ou de la constellation autonome, cette tentation peut prendre des formes différentes suivant le cadre politique auquel elle est adossée. Elle revient cependant toujours à opposer et substituer la visée révolutionnaire au combat antifasciste, mais aussi aux luttes antiraciste, féministe ou encore écologiste, qui constitueraient autant d'illusions et de dérivatifs. S'il est juste d'affirmer que seule une transformation sociale

3. Ce point a été parfaitement mis en évidence par Trotski : « Au cours de plusieurs dizaines d'années, les ouvriers ont construit à l'intérieur de la démocratie bourgeoise, en l'utilisant tout en luttant contre elle, leurs bastions, leurs bases, leurs foyers de démocratie prolétarienne : les syndicats, les partis, les clubs de formation, les organisations sportives, les coopératives, etc. [...] Le fascisme a pour fonction principale et unique de détruire tous les bastions de démocratie prolétarienne jusqu'à leurs fondements » (*Contre le fascisme, op. cit.*, p. 201-202).

radicale peut véritablement et durablement nous débarrasser du danger fasciste, tout le problème est celui du chemin. Il ne s'agit donc pas ici d'opposer des buts immédiats et un but final mais de poser la question des médiations vers l'objectif révolutionnaire. Affirmer que « l'antifascisme est un leurre[4] » parce qu'il ajournerait la seule véritable alternative à la montée du fascisme – à savoir la « poussée révolutionnaire[5] » –, c'est se payer de mots. On sait trop bien ce qu'a coûté un tel maximalisme bavard par le passé, dans les mouvements communistes italien et allemand. C'est la construction d'une mobilisation antifasciste unifiant le camp des exploités et des opprimés contre l'ennemi mortel qui en fit les frais. Pourquoi en effet construire l'unité pour la lutte antifasciste quand le « système » est jugé à bout de souffle et la révolution imminente ? L'optimisme révolutionnaire a ainsi permis de justifier tous les sectarismes et d'esquiver les tâches du présent, mais d'autres positions peuvent aujourd'hui mener au même résultat : l'ouvriérisme et le sectarisme d'une organisation comme Lutte ouvrière l'amènent généralement à boycotter toute lutte unitaire n'ayant pas pour cadre les lieux de travail ; le « populisme » revendiqué de la France insoumise a conduit celles et ceux qui l'animent à prétendre incarner le peuple et à mener en son nom une politique d'auto-affirmation permanente focalisée sur les échéances électorales.

Une fois écartées ces deux impasses, opportunisme et sectarisme, comment définir positivement une stratégie antifasciste pour notre temps ? Dans un article récent portant sur la situation états-unienne et écrit après la bataille de Charlottesville en août 2017 – où une militante antifasciste, Heather Heyer, a été assassinée par un fasciste –, Charles Post a proposé

4. Cette formule est celle d'Éric Hazan et Kamo dans : *Premières mesures révolutionnaires*, Paris, La Fabrique, p. 103-104.

5. « C'est la poussée révolutionnaire, *l'éveil fraternel de toutes les énergies* comme dit Rimbaud, qui renverra les apprentis fascistes à leur néant », *ibid.*, p. 104.

de distinguer fortement entre, d'un côté, les idéologues ou politiciens populistes de droite (Trump, Bannon, etc.) et, de l'autre, les groupes authentiquement fascistes (Ku Klux Klan, Sons of Odin, etc.)[6]. Dans la mesure où les seconds emploient essentiellement des méthodes d'intimidation et de terreur, ils devraient être empêchés par tous les moyens nécessaires, y compris la violence, de s'exprimer[7]. Au contraire, puisque les premiers utilisent des moyens politiques, ne recourent que très marginalement à l'intimidation physique et cherchent à persuader essentiellement par des discours, il ne s'agirait pas de restreindre leur liberté d'expression mais de les combattre politiquement. Il faut donc alors recourir à des moyens qui ne sont pas simplement intellectuels mais incluent évidemment les grèves, les manifestations et, plus profondément, l'auto-organisation des exploités et des opprimés. Une telle distinction produit assurément une clarification et semble en partie adaptée au contexte états-unien. Néanmoins, comme le note C. Post, le cas de l'*alt-right* états-unienne pose des difficultés dans la mesure où ses discours encouragent objectivement la violence à l'encontre des minorités. Surtout, on rencontre inévitablement un obstacle de taille lorsque l'on cherche à l'appliquer à la situation française. Si le FN a renoncé pour l'essentiel aux formes violentes de l'action politique, déléguant cette tâche à des mouvements marginaux qui gravitent autour de lui, il cherche bien à populariser un projet de type fasciste. À ce titre, il use presque exclusivement de moyens politiques, et peut aujourd'hui se prévaloir d'une audience de masse. Il ne s'agit donc plus d'un simple groupuscule que l'on pourrait faire reculer, ou *a fortiori* dont on pourrait se débarrasser, en se contentant d'empêcher ses apparitions publiques.

---

6. C. Post, « Fascism and Anti-Fascism. Reflections on recent debates on the US Left », *Salvage*, 10 octobre 2017, http://salvage.zone/online-exclusive/fascism-and-anti-fascism-reflections-on-recent-debates-on-the-us-left.

7. Cette stratégie est désignée en anglais sous le nom « *no platform* », signifiant qu'aucune parcelle de terrain ne devrait être concédée aux fascistes.

On tire pourtant trop souvent de ce constat la conclusion erronée qu'il faudrait renoncer à cette dimension classique de la stratégie antifasciste. Elle doit au contraire être hautement revalorisée, précisément parce qu'elle est l'un des moyens d'accomplir l'une des tâches les plus cruciales du mouvement antifasciste, aujourd'hui comme hier, à savoir bloquer la création d'une organisation fasciste implantée sur l'ensemble du territoire et capable de harceler en permanence, par la violence, les mouvements de contestation (syndicaux, antiraciste, féministe, etc.). Pour l'instant, le FN n'est pas parvenu à cristalliser son audience électorale sous la forme d'un mouvement de masse, mais ses dirigeants savent pertinemment que le potentiel de développement de leur organisation est très important, en raison du gouffre entre son vaste électorat et son corps militant. Or c'est bien la fusion entre le projet fasciste et un tel mouvement qui signerait l'émergence d'un parti fasciste achevé – et non le retour de références explicites au fascisme historique, qui constituent plutôt pour les dirigeants frontistes un folklore encombrant. Il est donc décisif d'enrayer la construction d'un tel parti en brisant dans l'œuf toutes les tentatives d'implantation allant dans ce sens. Partout où elles sont mises en œuvre, que ce soit dans les entreprises, les lycées et les universités, les centres-villes, les quartiers périphériques ou les villages, qu'elles soient menées sous la bannière du FN, de ses satellites ou de groupuscules, il s'agit de refuser à l'extrême droite le droit à la parole et de l'exposer pour ce qu'elle est : une résurgence, dans des conditions et sous formes nouvelles, du fascisme. Pour cela, il n'est pas d'autre choix que de construire des mobilisations unitaires et de surpasser les fascistes en nombre, en préparation et en discipline afin, idéalement, d'empêcher leurs apparitions publiques ou, au minimum, de les réduire à la marginalité en décourageant leurs sympathisants. Cela peut impliquer des formes d'action qui, même lorsqu'elles sont essentiellement non violentes, sont et seront assurément présentées comme « violentes » ou « antidémocratiques » par les médias dominants. Il se trouvera certainement quantité d'idéologues pour faire la leçon aux antifascistes en affirmant que cela nuirait à la lutte contre l'extrême droite. C'est pourtant la seule voie pour empêcher un mouvement fasciste de se constituer, de prendre confiance dans ses forces et de se développer au-delà de la scène électorale.

Deux remarques doivent être formulées sur ce dernier point. Il est évident que faire reculer le FN suppose d'élaborer et de populariser un discours politique articulant une réfutation de ses « arguments » nationalistes et racistes, un projet de société (alternatif au néolibéralisme autoritaire *et* au nationalisme fasciste) et une stratégie crédible de défense des acquis sociaux et démocratiques, mais aussi de conquête du pouvoir politique et de transformation sociale. Reste qu'un tel discours n'a jamais suffi et ne suffira jamais à empêcher l'extrême droite de bâtir l'instrument militant de masse dont elle a besoin – et dont, heureusement, elle ne dispose pas *pour l'instant*. Un excellent exemple historique nous est donné par la réaction du mouvement ouvrier français à l'émeute du 6 février 1934. Celle-ci aurait pu constituer le point de départ de la construction d'un mouvement fasciste unifié et d'un processus de conquête du pouvoir par celui-ci si le prolétariat n'avait contraint ses organisations (syndicales et politiques) à s'unir et si ces dernières s'étaient contentées de discourir ou d'attendre les élections[8] : elles auraient alors laissé l'initiative politique à l'extrême droite, lui permettant d'occuper le terrain de l'opposition au gouvernement. Demeure la question de la violence, presque toujours mal posée parce que pensée sur un plan moral, donc dépolitisée. Si l'on se maintient sur ce plan, on se condamne en effet aux indignations faciles mais surtout sélectives : *quid* de la violence d'État, qu'elle s'exerce en France (crimes policiers, répression des mobilisations, etc.)

---

8. Sur la réaction populaire au 6 février 1934 et la construction d'une lutte antifasciste massive et unitaire, voir M. Bernard, *Faire front. Les journées ouvrières des 9 et 12 février 1934*, Paris, La Fabrique, 2018.

ou à l'occasion d'interventions militaires menées en Afrique ou au Moyen-Orient ? On en oublie surtout toutes les occasions historiques où la violence s'est imposée comme un moyen incontournable de protection, et même de libération, face à l'oppression. Pensons à l'insurrection communarde contre la classe dominante française (qui finit par assassiner en plein Paris des dizaines de milliers d'insurgés), à la Résistance combattant par les armes l'occupant nazi (et qui employa des moyens considérés alors comme « terroristes ») ou à la lutte menée par le peuple algérien contre le colonialisme français. Ce n'est donc pas la violence en elle-même qui fait problème, mais les objectifs politiques qu'elle sert du côté de l'extrême droite : écraser les minorités, installer la peur parmi celles et ceux qui luttent pour l'émancipation sociale et politique, les empêcher de s'organiser et de contester, imposer un ordre intégralement fondé sur l'oppression.

Si la violence ne saurait à l'évidence être recherchée ou valorisée pour elle-même, elle ne peut évidemment être exclue face à un ennemi dont le projet est intrinsèquement violent et dont l'idéologie encourage les agressions ciblant les minorités et les mouvements sociaux. Toute initiative allant dans le sens de la constitution de structures d'autodéfense populaire, antiraciste et féministe doit donc être encouragée – ce qui suppose que les organisations syndicales et politiques ainsi que les collectifs renforcent leurs capacités en la matière[9]. C'est d'autant plus vrai que les appareils répressifs d'État ont prouvé à maintes reprises au cours du XXe siècle qu'ils ne constituaient nullement

9. Voir E. Dorlin, *Se défendre. Une philosophie de la violence*, Paris, Zones/La Découverte, 2017. Voir également sur les structures d'autodéfense dont la SFIO s'était dotées dans les années 1930 (construites en partie en réaction à celles du PC) : M. Bouchenot, *Tenir la rue. L'autodéfense socialiste 1929-1938*, Paris, Libertalia, 2014. Ce dernier insiste notamment sur plusieurs points : le lien organique entre ces structures et la direction élue de ces organisations, leur commandement centralisé et la discipline autoconsentie qui doit régler son fonctionnement, mais aussi l'entraînement physique des membres de ces structures, pris en charge collectivement par l'organisation.

un rempart pour les libertés publiques, les droits démocratiques ou la sécurité des opprimés. La police et l'armée, en particulier, ont généralement montré, non seulement une bienveillante neutralité vis-à-vis de l'extrême droite, mais une collaboration directe avec les forces fascistes lorsque ces dernières se livrèrent à des agressions systématiques contre les mouvements socialiste et communiste ou contre les minorités. Il faut lire pour s'en persuader le compte rendu que donne Angelo Tasca de la contre-révolution fasciste qui eut lieu en Italie à partir de l'automne 1920. Il y raconte en particulier la manière dont les forces étatiques de répression désarmèrent systématiquement le mouvement ouvrier, fournirent armes et munitions aux escouades fascistes et n'arrêtèrent que très rarement les membres de ces dernières, alors qu'ils se rendaient pourtant coupables de crimes multiples et de violences effroyables. Même les auteurs d'assassinats, très régulièrement commis au cours des expéditions punitives menées dans les campagnes ou dans les villes contre des syndicalistes, des militants ouvriers ou des élus socialistes, ne furent presque jamais inquiétés (ou relâchés très rapidement)[10]. Si l'on en revient à la situation présente, on doit rappeler à quel point l'extrême droite recueille d'ores et déjà l'adhésion, parfois fervente, de larges franges des corps répressifs de l'État. C'est le cas en particulier des services préposés aux tâches les plus brutales de maintien de l'ordre, la BAC par exemple[11], dont les membres savent pertinemment qu'ils bénéficieraient d'une licence presque totale si le FN parvenait au pouvoir. Il leur serait vraisemblablement donné pour mandat de réaliser des opérations de « nettoyage » à l'encontre des minorités et des forces de contestation sociale.

Pour autant, il faut refuser la tentation de réduire l'antifascisme à la pratique (nécessaire) de l'autodéfense visant à

---

10. A. Tasca, *Naissance du fascisme*, Paris, Gallimard, 2003 [1938], p. 109-155.

11. Voir par exemple l'enquête ethnographique de Didier Fassin au cours de laquelle il a suivi une brigande anticriminalité pendant près de deux ans : *La Force de l'ordre*, Paris, Seuil, 2011.

faire reculer le mouvement fasciste. Si l'antifascisme acquiert une dimension quasi militaire à un certain stade de développement du mouvement fasciste, il doit être conçu avant tout comme un combat politique. Ce dernier se livre à la fois contre l'annihilation de toute démocratie, c'est-à-dire de tout espace d'intervention populaire, et pour un projet de société libérée de toute exploitation et de toute oppression. En outre, contrairement à une représentation schématique qui ne retient que la violence dans son ascension, le fascisme historique a conquis le pouvoir en combinant – dans des proportions différentes selon les variétés de fascisme et selon les contextes – l'utilisation intensive de la scène électorale, des alliances tactiques passées avec des forces de la droite conservatrice, une propagande nationaliste tous azimuts *et* la violence de rue contre les minorités, la gauche et le mouvement syndical[12]. On ne saurait donc écraser le fascisme par une simple tactique défensive impliquant de refuser à l'extrême droite l'occupation de la rue. Cela est particulièrement visible dans la situation française contemporaine : le FN se construit et progresse moins par des mobilisations de rue et par une présence assidue sur le terrain (sauf dans certains cas emblématiques, comme Hénin-Beaumont[13]) que par une propagande habile profitant de la pénétration du racisme et de la xénophobie dans la société et la politique françaises. Précisons au passage que si nous avons tant insisté sur le Front national et la nécessité de le combattre sans détour, alors même que les médias et les spécialistes tendent généralement à réduire le périmètre du fascisme à des groupuscules apparaissant plus radicaux quant à leurs modes d'action ou leurs objectifs politiques (Génération identitaire, Action française, Bastion social, etc.), c'est que le FN constitue à notre sens le vaisseau amiral de la flotte fasciste : le navire dont la puis-

12. Voir par exemple l'analyse localisée de W. S. Allen, où l'on voit à l'œuvre tous ces éléments de la stratégie fasciste : *Une petite ville nazie, op. cit.*

13. Voir H. Sabéran, *Bienvenue à Hénin-Beaumont*, Paris, La Découverte, 2014.

sance donne confiance aux petites embarcations qui gravitent autour de lui, dans des rapports complexes de concurrence et de coopération.

Le FN ne fournit pas de bonnes réponses à la crise politique parce que, contrairement au mot de L. Fabius déjà cité, il ne pose pas de « bonnes questions ». Se placer sur son terrain au nom des « vrais problèmes » que soulèverait l'extrême droite, chercher à le surpasser dans la démagogie xénophobe ou islamophobe comme le font la droite et une partie de la gauche depuis les années 1990, c'est se condamner à le renforcer en contribuant toujours un peu plus à la diffusion de ses « idées »[14]. Les électeurs du Front national ne sont pas des brebis égarées qui auraient mal compris leurs intérêts et qu'il faudrait éclairer. Ainsi, la seule bataille des idées restera toujours insuffisante pour faire reculer les thèses et les affects nationalistes, xénophobes et racistes. Il ne suffit ni de briser les prétendus arguments et les pseudo-évidences sur lesquels l'extrême droite fonde ses discours (optimisme rationaliste), ni d'engager une entreprise de rediabolisation (tentation moraliste). Son ascension, en tant qu'elle dérive de transformations socio-économiques, politiques et idéologiques de grande ampleur, doit être affrontée politiquement, par la construction d'un front uni ciblant non seulement le FN mais toutes les politiques qui favorisent sa progression[15]. Pour se développer, ce front devrait non seulement unir des organisations multiples – syndicales, politiques, associatives – mais aussi devenir pour elles une priorité et chercher à se doter de comités locaux, de manière à permettre un engagement allant bien au-delà des seuls membres de ces organisations. Ses visées doivent être

14. Voir P. Tevanian et S. Tissot, *Dictionnaire de la lepénisation des esprits*, Paris, L'Esprit frappeur, 2002.

15. Une initiative existe en ce sens, la Conex (Coordination nationale contre l'extrême droite), mais elle demeure essentiellement embryonnaire, notamment parce qu'elle ne regroupe que les collectifs se consacrant spécifiquement à l'antifascisme.

conçues comme à la fois défensives et offensives : cherchant à stimuler et à coordonner les résistances à l'extrême droite, mais popularisant dans un même mouvement la nécessité d'une alternative de société passant par une rupture politique, donc par la conquête du pouvoir. En effet, outre les facteurs mis en évidence tout au long de ce livre, le FN se développe en raison de l'immense faiblesse des gauches et des mouvements sociaux sur le terrain de l'antifascisme et de l'antiracisme, qui a laissé prospérer la xénophobie et l'islamophobie (quand elle n'y a pas directement contribué[16]), mais aussi du fait de leur incapacité à se coaliser, à se penser et à se constituer comme alternative crédible au néolibéralisme autoritaire.

Des résistances sociales au rouleau compresseur néolibéral, autoritaire et raciste n'a pas émergé spontanément et organiquement une alternative politique. Or la reconfiguration en cours du champ politique, en particulier l'effondrement de la gauche traditionnelle (aussi bien le PS que le PCF et l'écologie politique), impose plus que jamais la nécessité et crée la possibilité d'une telle alternative tout en soumettant les mouvements sociaux et ce qui reste de la gauche à une double tentation. D'un côté une focalisation sur les élections et les institutions, qui peut se dégrader en électoralisme sans principes à mesure que l'on s'approche du pouvoir tant convoité. Cette conception repose généralement sur une forme d'« illusion politique », pour parler comme Daniel Bensaïd[17], et plus spécifiquement sur une série de (fausses) équivalences entre le pouvoir politique, le pouvoir d'État et le pouvoir tout court. Comme l'ont montré maintes expériences de gauche au XXe siècle, contrôler les leviers du pouvoir politique ne signifie pas, en régime capitaliste, domi-

16. Voir chapitre 4. Voir également L. Lévy, *« La Gauche », les Noirs et les Arabes*, Paris, La Fabrique, 2010.

17. Voir D. Bensaïd, « Du pouvoir et de l'État », *Ballast*, 29 avril 2015, https://www.revue-ballast.fr/du-pouvoir-et-de-letat.

ner l'État et encore moins disposer du « pouvoir »[18]. Outre les mille obstacles qu'opposerait l'essentiel de la haute fonction publique au nouveau cours, il faut compter avec les armes proprement économiques que peut mobiliser la classe dominante pour faire plier un gouvernement (grève des investissements, sorties de capitaux, pressions internationales, etc.), et rappeler que celle-ci n'a jamais hésité à employer des moyens illégaux et violents lorsque son pouvoir économique était réellement menacé[19]. De l'autre côté, l'esquive de la question électorale, sous les formes du rejet pur et simple des élections (les élections comme « piège à cons ») ou d'un usage strictement propagandiste des élections (les élections comme « tribune » pour faire entendre des idées). Au nom de l'idée juste que conquérir le pouvoir politique par les urnes ne suffit pas à engager un cycle de transformation sociale, on se débarrasse de toute perspective de conquête et d'exercice du pouvoir politique, et on s'épargne préventivement les énormes difficultés qui lui sont inhérentes. Cela amène à compenser le vide stratégique ainsi créé par la mythologie consolatrice de la grève générale – supposée ouvrir sur la construction d'un nouveau pouvoir, totalement extérieur aux institutions politiques et à l'État[20] –, ou l'appel réconfortant à « vivre autrement », à bâtir ici et maintenant des alterna-

18. C'est à l'évidence une critique que l'on peut adresser à la stratégie de la « révolution par les urnes » (dite aussi « révolution citoyenne »), qui unit notamment la France insoumise et Podemos.

19. Outre l'exemple du Chili, où un coup d'État militaire préparé conjointement par la classe dominante chilienne et les États-Unis permit d'en finir avec l'expérience de socialisme réformiste dirigée par S. Allende, on peut penser à l'arrivée au pouvoir de Syriza en Grèce en janvier 2015, à la fois au chantage de la Troïka et aux déclarations de Y. Varoufakis concernant les blocages systématiques dans le ministère qu'il « dirigeait ».

20. Voir la critique que propose Nicos Poulantzas de cette illusion d'extériorité du pouvoir populaire vis-à-vis du pouvoir d'État : *L'État, le Pouvoir et le Socialisme*, *op. cit.* Voir également les critiques adressées par Henri Weber, alors dirigeant de la LCR : « L'État et la transition au socialisme. Interview de Nicos Poulantzas par Henri Weber », *Critique communiste*, 1977, n° 16, https://www.contretemps.eu/critique-communiste-numero-16.

tives au capitalisme (coopératives, lieux autogérés, etc.), à se « ré-enraciner »[21].

Ces dilemmes renvoient à la crise politique et stratégique dans laquelle la gauche et les mouvements sociaux sont englués depuis plusieurs décennies[22]. L'absence d'horizon utopique partagé et de stratégie commune amène à survaloriser les différents choix tactiques et à les transformer en options stratégiques inconciliables[23], suscitant ainsi de fausses oppositions : les grèves contre les élections (ou plus largement la rue contre les urnes), le syndical contre le politique, les alternatives concrètes contre l'alternative politique, le local contre le global, l'affrontement physique contre les moyens pacifiques de lutte, etc. Cela rend indéniablement difficile la constitution du front antifasciste que nous évoquions plus haut, si bien que fait défaut un cadre collectif dans lequel pourraient être débattus les buts stratégiques d'un tel front et les moyens tactiques adéquats pour atteindre ces buts. Se pose en outre la double question du contenu politique, donc des délimitations, que devrait se donner ce front uni. Toute notre argumentation dans ce livre pointe en direction d'un antifascisme qui ne renonce pas au combat frontal contre l'extrême droite tout en l'articulant à trois axes politiques fondamentaux[24] : l'opposition au néolibéralisme ; la bataille contre le durcissement autoritaire de l'État ; la lutte contre la xénophobie et le racisme. Ces axes nous semblent susceptibles

---

21. Pour une approche critique, voir U. Palheta, « Les influences visibles du Comité invisible », *loc. cit.*

22. Voir D. Bensaïd, *Penser agir, op. cit.*

23. La tactique du « Black bloc », qui a émergé dans un contexte particulier pour répondre à des objectifs précis (notamment défendre des lieux occupés), a ainsi pu être absolutisée et fétichisée sous la forme d'une pseudo-stratégie qui serait valable dans tout contexte. Voir S. Mohandesi, « Sur le Black bloc », *Contretemps*, 11 décembre 2014, https://www.contretemps.eu/sur-black-bloc.

24. On trouvera d'autres développements sur la situation politique en France et d'autres éléments pour une stratégie de transformation sociale dans la postface, rédigée par Julien Salingue et moi-même, au livre de Daniel Bensaïd *Stratégie et parti, op. cit.*

de favoriser une construction unitaire à partir de causes largement partagées, et laissent entrevoir une série de clarifications fécondes : l'opposition au néolibéralisme n'est conséquente que si elle vise la rupture avec le capitalisme (dont le néolibéralisme n'est qu'une configuration singulière et provisoire) ; la lutte contre le durcissement autoritaire ne devient opérante que dans la mesure où elle se donne pour objectif la conquête d'une démocratie réelle (et non le simple retour à la « normalité » de la démocratie libérale[25]) ; le combat contre la xénophobie et le racisme n'est véritablement agissant qu'à travers la volonté de briser leurs structures institutionnelles (sans se limiter à une entreprise d'éducation visant une déconstruction des « préjugés » et des « stéréotypes » individuels).

Ces clarifications ne sauraient être imposées *a priori* comme une condition à l'action en commun. On ne peut exiger de celles et ceux qui aspirent à combattre l'extrême droite d'être d'ores et déjà convaincus de la nécessité d'un changement révolutionnaire, sous peine de se condamner à la marginalité. Seules des luttes de masse peuvent briser le cercle de l'acceptation résignée du monde tel qu'il va, et créer les conditions d'une politisation radicale à l'échelle de millions de personnes. Seules de telles luttes permettent ainsi à ces dernières – à partir d'indignations spécifiques, de revendications sectorielles

---

25. La conquête de la démocratie suppose plus profondément de rompre avec la séparation de l'économique et du politique qui caractérise spécifiquement le capitalisme, c'est-à-dire avec la séparation entre le citoyen, à qui l'on donne le droit d'élire à intervalle régulier ses « représentants » (dont on a vu qu'ils n'appartenaient guère au peuple au sens sociologique du terme), et le travailleur salarié, privé de tout droit politique dans l'entreprise alors même que seule son activité permet la production de biens et services. Elle implique donc une politisation et une démocratisation de l'économie, au moins dans un double sens : l'instauration d'un pouvoir dans et sur l'entreprise de celles et ceux qui y travaillent et produisent toutes les richesses (autrement dit ce qu'on nomme généralement l'autogestion), mais aussi la construction d'une véritable souveraineté populaire sur les grands choix de l'économie, donc la socialisation de la propriété des moyens de production, d'échange, d'information et de communication. Sur ces questions, voir A. Cukier, *Le Travail démocratique*, Paris, PUF, 2018. Voir également E. M. Wood, *Democracy Against Capitalism*, Cambridge, *op. cit.*

ou de causes locales – d'envisager d'aller beaucoup plus loin dans le sens d'une transformation sociale de grande ampleur. Mais une telle radicalisation ne s'opère pas spontanément par le seul fait d'une lutte partagée, aussi massive soit-elle. Elle ne peut s'accomplir que si ces mouvements de masse s'enracinent durablement dans les entreprises, les quartiers et les lieux d'étude, s'ils bâtissent des solidarités actives et suscitent des liens nouveaux, s'ils organisent la circulation de tactiques de lutte et l'intensification du désir d'en découdre, s'ils s'imprègnent enfin d'idées révolutionnaires. Cela suppose le débat politique en leur sein et l'intervention de militants, de collectifs, d'organisations, de médias et d'intellectuels portant l'exigence et démontrant la possibilité d'une sortie du capitalisme, de la conquête d'une démocratie réelle, d'un démantèlement des structures du racisme. Il nous faut insister en outre sur le lien étroit, donc sur les alliances impératives, entre l'antifascisme en voie de reconstruction et l'antiracisme politique tel qu'il se développe en France depuis une dizaine d'années. Le racisme, en particulier sous la forme de l'islamophobie, est trop central dans la radicalisation du nationalisme, dans la légitimation du durcissement autoritaire et dans la progression de l'extrême droite, en France comme dans toute l'Europe, pour que cette dimension soit reléguée au second plan. L'un des défis les plus urgents pour les mouvements sociaux en France, et pour le mouvement antifasciste en particulier, tient donc dans l'intégration à leur agenda politique du combat contre le racisme structurel. Cela doit les amener non seulement à dénoncer sans relâche le rôle de l'État dans sa perpétuation et la fonction qu'il remplit dans le cadre du système capitaliste, mais aussi à considérer comme prioritaires des luttes qui sont trop souvent négligées : contre l'islamophobie, les crimes policiers et les discriminations systémiques[26]. C'est à ce prix que la tentative de bâtir un *bloc blanc* pourrait être

26. Sur ce dernier point, voir F. Boggio Éwanjé-Épée et S. Magliani-Belkacem, « Ce que pourrait être une gauche antiraciste », *Contretemps*, juin 2012, https://

enrayée par la constitution d'un *bloc subalterne*, unifiant les classes populaires blanches et non blanches autour d'un projet de rupture politique et de la perspective d'un pouvoir anticapitaliste, démocratique et décolonial.

Une telle rupture et une telle perspective peuvent nous paraître éloignées, tant nous sommes pris, pour les uns dans les difficultés et incertitudes matérielles quotidiennes qui sont le produit du néolibéralisme, pour d'autres (parfois les mêmes) dans des combats défensifs pour sauver ce qui peut l'être des conquêtes sociales et démocratiques du siècle passé. Elles doivent pourtant être au cœur de ces combats, non comme un débouché naturel appelé à survenir en temps et en heure pour peu que l'on fasse preuve de patience, non à la manière d'une vaine utopie déconnectée du présent, mais comme un objectif stratégique pour l'ensemble des mouvements de contestation. La lucidité quant à la possibilité du désastre fasciste, si du moins elle cohabite avec la conscience de notre capacité à le conjurer, peut constituer pour nous, et autour de nous, une incitation à l'action politique : si ce désastre n'a de chances de survenir qu'en raison de notre indifférence individuelle, de notre passivité collective ou de nos erreurs stratégiques, c'est bien que l'issue dépend d'abord et pour l'essentiel de nous.

*

Nul ne peut prévoir le moment où un monde bascule et sort de ses gonds, où il est « minuit dans le siècle » et où s'annonce une époque nouvelle, tissée d'expériences et de luttes qui ne sont qu'apparemment semblables aux expériences et aux luttes antérieures. Il est même douteux que l'on puisse constater une telle brisure du temps lorsqu'elle survient, sinon plusieurs mois ou années plus tard, immanquablement trop tard donc.

---

www.contretemps.eu/bonnes-feuilles-race-et-capitalisme-coordonne-par-felix-boggio-ewanje-epee-et-stella-magliani-belkacem.

On ne saurait en outre s'y préparer qu'illusoirement : aucun entraînement, aucun manuel de survie, ne disposent politiquement ou éthiquement à faire face au désastre. La raison aussi bien que l'imagination renâclent le plus souvent à envisager le pire, préférant cheminer sur les routes balisées d'un présent peu ragoûtant mais familier. Ainsi sont-elles impuissantes à découvrir par avance les formes inédites de la tyrannie et les voies par lesquelles s'insinuent la déshumanisation radicale, le déni absolu de dignité, le refus par principe de l'égalité et le mépris de la commune humanité, en somme tout ce qui prête insidieusement à une politique d'apartheid, aux explosions de violence purificatrice, aux crimes de masse.

Produit de la décomposition d'un système qui ne connaît d'autre rationalité que celle du profit maximal à court terme, le fascisme est le processus au cours duquel tout le désespoir accumulé se mue en espérance hallucinée d'une renaissance, tous les égoïsmes se coagulent en un désir totalitaire d'unité, toutes les impuissances individuelles se métamorphosent en fantasme de toute-puissance collective, non pour abattre enfin l'oppression, mais au contraire pour l'intensifier rageusement contre tout ce qui paraît menacer cette unité imaginaire. Appelé de leurs vœux par ceux qui voient la condition de leur salut dans la régénération d'une communauté nationale, l'éviction des minorités et le bannissement de toute contestation, il est l'acte illusoire d'une rédemption, et l'assurance d'une catastrophe.

On nous fera peut-être le reproche de pécher par pessimisme. C'est bien mal nous comprendre, car ce livre repose tout entier sur l'hypothèse que la dynamique mortelle, bien qu'enclenchée, n'est nullement irréversible. Si le pire est possible, il n'est jamais certain, à condition du moins que l'ennemi cesse d'être banalisé, normalisé, légitimé ; à condition surtout que nous nous organisions et que nous agissions.

Annexes

Tableau 1 *Évolution depuis dix ans des résultats du FN au premier tour de l'élection présidentielle dans ses zones de force*

	2007	2012	2017
Aisne	17,3 %	26,3 %	35,7 %
Pas-de-Calais	16 %	25,5 %	34,3 %
Haute-Marne	17 %	25,3 %	33,2 %
Oise	14,9 %	25,1 %	30,9 %
Vaucluse	16,6 %	27 %	30,5 %
Var	13,9 %	24,8 %	30,4 %
Pyrénées-Orientales	14,2 %	24,2 %	30,1 %
Gard	15,4 %	25,5 %	29,3 %
Moselle	14,8 %	24,7 %	28,4 %
Aude	13,2 %	23,2 %	28,3 %
Nord	13,8 %	21,9 %	28,2 %
Alpes-Maritimes	13,5 %	23,5 %	27,8 %
Bouches-du-Rhône	13,9 %	23,4 %	27,3 %
Haut-Rhin	14,1 %	23,4 %	27,2 %
Meurthe-et-Moselle	18,1 %	21,1 %	25,9 %
Hérault	13,3 %	22,3 %	25,7 %
Bas-Rhin	13,2 %	21,2 %	24,7 %

Tableau 2 *Âge, année d'entrée au FN et profession des membres du bureau politique du FN (avant le congrès de 2018)*

	Année de naissance	Entrée au FN	Dernière profession
Louis ALIOT	1969	1990	Avocat/enseignant à l'université
Marie-Christine ARNAUTU	1952	1987	Cadre commercial
Nicolas BAY	1977	1992	Patron d'une société d'informatique
Bruno BILDE	1976	1991	Permanent FN
Dominique BILDE-PIERRON	1953	1997	Commerçante – gestionnaire de patrimoine
Christophe BOUDOT	1969	2002	Agent commercial
Marie-Christine BOUTONNET	1949	1979	Cadre administratif
Steeve BRIOIS	1972	1988	Cadre commercial
Éric DOMARD	1971	1988	Journaliste
Jean-Michel DUBOIS	1943	1986	Chef d'entreprise / administrateur de sociétés
Gaëtan DUSSAUSSAYE	1994	2011	Permanent FN
Huguette FATNA	1952	1981	Élue FN (conseillère régionale)
Pascal GANNAT	1956	1984	Chef d'entreprise
Bruno GOLLNISCH	1950	1983	Enseignant-chercheur et avocat
Michel GUINIOT	1954	1989	Permanent FN
Jean-François JALKH	1957	1974	Journaliste
Alain JAMET	1934	1972	Attaché commercial
France JAMET	1961	1974	Secrétaire juridique
Jean-Marc de LACOSTE-LAREYMONDIE	1947	1983	Directeur de sociétés
Valérie LAUPIES	1966	2007	Enseignante
Gilles LEBRETON	1958	2014	Professeur d'université
Marine LE PEN	1968	1986	Avocate
Sandrine LEROY	1970	1988	Permanente FN
Philippe LOISEAU	1957	1992	Agriculteur

	Année de naissance	Entrée au FN	Dernière profession
Dominique MARTIN	1961	1983	Administrateur de sociétés
Joëlle MELIN	1950	1993	Médecin
Bernard MONOT	1962	1989	Analyste financier
Gilles PENNELLE	—	—	—
Nathalie PIGEOT	1972	1992	—
David RACHLINE	1987	2002	—
Stéphane RAVIER	1969	1985	Employé de la fonction publique
Wallerand de SAINT-JUST	1950	1987	Avocat
Catherine SALAGNAC	—	—	—
Bruno SUBTIL	1955	1981	Agent de voyages
Jean-Richard SULZER	1947	2003	Professeur d'université
Thibaut de LA TOCNAYE	1958	1988	Chef d'entreprise
Alain VIZIER	1954	1985	Directeur de la communication du FN (permanent)

(— : données manquantes)

Table